NOUS ETIONS JEUNES ET INSOUCIANTS

LAURENT FIGNON
avec la collaboration de
Jean-Emmanuel Ducoin

Nous étions jeunes et insouciants

Avant-propos inédit de l'auteur

GRASSET

ISBN 978-2-253-13444-2 - 1re publication LGF

Avant-propos

J'ai toujours su que les mots, bien employés au bon moment, renforçaient nos convictions, nos combats, nos valeurs, offrant à ceux qui les écoutent ou les lisent une idée assez précise de ce que nous sommes vraiment. Mais je n'imaginais pas à quel point ces mêmes mots pouvaient nous dévoiler, nous mettre à nu, offrant pour le meilleur ou pour le pire cette miraculeuse impression de supplément d'âme, qui, dans certaines circonstances, permet aux hommes de se distinguer entre eux. Aussi, puisque beaucoup m'ont posé la question depuis la sortie de *Nous étions jeunes et insouciants*, en mai 2009, il me faut aujourd'hui l'avouer en toute humilité : je ne regrette pas – oh non ! – d'avoir divulgué la gravité de la maladie qui me frappe. Le cancer est une maladie mortelle. Les mots ne changent rien à l'affaire, ils aident juste à comprendre, ils témoignent de ma réalité. J'ai toujours été comme ça, c'est plus fort que moi : qu'elle plaise ou non, je suis un partisan farouche de la vérité.

Comme le temps de l'explication est venu, il me faut procéder à un court rappel des faits, une sorte de mise au point utile. Entre la fin du printemps et l'été 2009, j'ai en effet vécu une curieuse concordance entre la découverte du mal qui commençait à me ronger et la sortie de mon autobiographie, sur laquelle je travaillais avec Jean-Emmanuel

Ducoin depuis l'hiver. En mars, nous avions bouclé le dernier chapitre. Début avril, les dernières corrections venaient d'être apportées. J'en étais déjà à la relecture de la relecture. Puis les épreuves entraient en finition. En somme, c'était presque l'heure du grand lancement. Le plan presse, les rendez-vous avec les journalistes, la télé, les questions : les premiers rendez-vous allaient être pris.

Chez Grasset, ils avaient l'air d'être tous contents. Faut dire, cela faisait vingt ans qu'on me demandait d'écrire un livre, depuis la fin du Tour 1989, perdu pour huit secondes dans les circonstances que chacun connaît. J'avais toujours refusé de « raconter » ma carrière, de faire comme tout le monde… J'avais envie d'autre chose, de reliefs, de complexité, de traduire au plus juste, sans moralisme, sans rien cacher, ce que fut mon époque, avec ses grandeurs humaines et ses petites mesquineries. Bref, je voulais dire le plaisir exceptionnel du cyclisme que j'avais connu – et surtout le dire avec les nuances nécessaires à la bonne compréhension de tous, sans en rajouter dans la gloriole, mais sans rien retrancher de l'envers du décor…

Et voilà qu'on m'annonçait brutalement que j'étais malade…

Le livre, devenu par la force des choses secondaire mais dont la réalisation, dans des délais très courts, avait déjà été un tour de force, devait partir à l'impression. Il était là. Il était fini. Il existait.

Que pouvions-nous faire ? Rajouter un chapitre à la fin, au début ? C'eût été ridicule et l'idée même me révulsait : je déteste le voyeurisme, quel qu'il soit. Et puis certains ne se seraient pas privés de dire qu'on voulait « vendre du papier » avec mon cancer.

Devait-on suspendre la publication du livre ? C'eût été incroyablement lâche et aurait signifié pour moi une espèce de fuite. Impensable. J'avais consenti tout ce travail d'écriture précisément pour ne pas fuir mes responsabilités, je devais aller au bout de mon idée.

Le livre devait sortir. Il n'y aurait pas une page sur mon cancer. J'assume la décision.

À ma décharge, tout s'était passé très vite. Fin mars, j'avais enregistré une émission de télévision et je me souviens d'avoir ressenti une terrible douleur dans le cou pendant ce tournage : j'avais mis ça sur le compte d'un torticolis. Mais trois jours après, j'ai senti des ganglions dans mon cou ; ils étaient douloureux. Je ne me suis pas inquiété. J'ai même traîné avant d'aller voir le toubib. Des examens furent pratiqués. Trois semaines plus tard, au moins, mon téléphone portable a sonné. J'étais dans la voiture et j'ai entendu la voix du médecin me dire : « Monsieur Fignon, on a trouvé des cellules cancéreuses, des métastases. »

J'étais fatigué, rien de plus. Et ça m'est tombé dessus sans prévenir. Qui peut oser dire qu'il est préparé à ce genre de nouvelle ? Je n'ai que quarante-neuf ans.

Après une biopsie à l'hôpital Georges-Pompidou, à Paris, j'ai appris qu'il s'agissait d'un cancer des voix digestives. L'estomac ou le pancréas. Sûrement le pancréas. Le cancer, même le plus anodin, est une maladie grave. Le mien n'est pas anodin et il était même plutôt avancé puisqu'il avait envoyé des métastases. Quand j'y repense : apprendre cela, surtout au téléphone, en voiture, ce n'était pas rien !

Immédiatement, j'ai demandé au médecin de tout me dire. Mais ils ne disent jamais tout – heureusement sans doute. Bien sûr, j'ai essayé de poursuivre mon existence comme si de rien n'était. J'avais de nombreux engagements. Je ne voulais pas m'arrêter pour ça, même si, les jours qui ont suivi, j'étais ratatiné. J'ai beaucoup dormi. Le contrecoup psychologique était là, à l'évidence. Maintenant il fallait guérir. Essayer de guérir. Il fallait faire avec. La vie est plus forte que tout.

Une pareille épreuve, ça tourne dans le crâne. Impossible de n'y pas penser, de se le retirer de l'esprit. Cela fait partie de tout votre être. Pourtant, j'ai vite compris que ça n'apportait rien d'y penser.

Le cancer est un truc qui fait peur, à soi et aux autres, mais ce n'est pas une maladie honteuse. Je n'ai pas décidé immédiatement, je veux dire dans l'heure, de rendre public mon état. J'y ai réfléchi, pesé le pour et le contre. Mais ça n'a pas traîné. Pourquoi rester sur la défensive ? Cacher quoi que ce soit ? Mon univers était désormais différent, fait de traitements, de prises de sang, d'IRM, d'échographies, de scanners. Le mieux était que les gens sachent. Même si, c'est vrai, certains ont depuis du mal à me regarder dans les yeux. C'est vrai ce qu'on dit : ce sont aussi les regards des autres qui changent. Souvent, dans leurs regards, je vois ma maladie. Curieux phénomène… je n'ai pas envie de faire pitié. C'est un sentiment horrible.

Une fois passé le premier diagnostic, j'ai admis, de mon propre raisonnement, que la transparence pourrait aussi participer de ma thérapie. Et puis je me suis dit que parler de cette maladie, montrer que j'allais me battre – ça veut dire quoi d'ailleurs « se battre » ? – de toutes mes forces, ferait du bien à certaines personnes. Il était hors de question que je me laisse aller à l'abattement, tête basse. Pas mon genre. Hors de question de me laisser bouffer. Dès le début j'ai été traversé par deux sentiments. D'abord, j'ai su que je n'étais pas un malade particulier : il n'y a que des malades. Franchement, il faut aller dans les services de cancérologie, voir la chance qu'on a d'être en bonne santé, pour prendre pleinement conscience de la réalité.

Quand les médias ont su, ce fut un déferlement hors du commun. En ce domaine j'étais pourtant un vieux briscard. Pendant ma carrière, j'en avais vu, des excès médiatiques en tout genre. Vainqueur de deux Tours de France et d'un Giro, victime d'une pression terrible à la conclusion du Tour 1989, etc., on ne peut pas dire que je tombais de la dernière pluie. Néanmoins, ce qui s'est passé pendant les premières semaines fut assez hallucinant ! Bataille d'exclusivités, « fuites » ici et là, ridicules raccourcis : j'ai tout connu. Un soir au JT de 20 heures, sur TF1, la présentatrice eut même le toupet de dire que je racontais ma maladie « dans un livre à paraître ». De pareilles erreurs sont indignes du métier de journaliste.

Ont commencé alors certains amalgames. Des extraits du livre, concernant le dopage évidemment, ont été publiés. Pour beaucoup c'était évident : mon cancer était la conséquence des produits que j'avais pris pendant ma carrière. J'ai lu, entendu, des choses absolument dégueulasses… La vérité est ailleurs. Car j'en ai évidemment parlé avec mes médecins, qui voulaient tout savoir. Je leur ai dit ce que j'avais pris : des amphétamines, de la cortisone… Ils s'attendaient à des choses terribles, ils en ont presque rigolé ! À ces doses, c'était à leurs yeux assez ridicule. Je n'ai jamais touché aux hormones de croissance, ni à l'EPO, ni à toutes ces substances qui, de toute façon, me faisaient peur à l'époque. Je suis victime d'un cancer des voix digestives : c'est un pur hasard, peut-être lié à ma mauvaise alimentation.

Et puis, mes deux principaux employeurs comme consultant, France Télévisions et Europe 1, se sont demandé légitimement si je participerais au Tour de France 2009, si mes chimiothérapies me laisseraient assez en forme pour me permettre de suivre ce grand barnum ambulant, trois semaines de rang… Moi, j'avais vraiment envie d'y être, pour penser à autre chose… Tous m'ont dit : « C'est toi qui décides, on fera tout pour t'aider. » Pour moi l'alternative était simple : ou j'étais à la hauteur de l'événement, ou je rentrais à la maison !

Le Tour, contrairement à ce que certains pensent, c'est long, éprouvant, usant, même comme simple suiveur… Dès le départ, à Monaco, début juillet, la fatigue s'est irrémédiablement installée, ne me quittant jamais, progressant avec une régularité implacable. Toute l'équipe de France Télévisions s'est adaptée à moi. Pendant les directs, je pouvais même m'allonger si ça n'allait pas. Je n'avais aucune pression. Ils avaient même prévenu : « Si Laurent n'est pas là, il ne sera pas remplacé. » C'était merveilleux d'entendre ce genre de chose. Car je ne pouvais surseoir à mes séances de chimio, une toutes les deux semaines. Chaque séance de perfusion dure trois ou quatre heures, sachant que vous vous baladez les deux jours suivants avec un diffuseur portable fixé au niveau de la ceinture, qui inocule le produit dans votre organisme. La chimio, c'est terrifiant ; les mots me manquent pour décrire ce qui se passe dans votre corps, à quel point ce « poison qui vous guérit » a des conséquences sur votre organisme. Lance Armstrong a raison de dire que, dans trente, quarante ou cinquante ans, les médecins du futur resteront stupéfaits de ce qu'on faisait endurer aux malades…

Les commentaires en direct sur France Télévisions tous les après-midi, les analyses en fin de journée sur Europe 1, les chroniques enregistrées pour le lendemain, les transferts en voiture le soir, les chambres d'hôtel tard dans la nuit, le nomadisme quotidien, le stress, le monde, les sollicitations qu'il fallait fuir pour se protéger un peu, le bruit, les kilomètres... On a beau dire, mais ce fut une épreuve. Une véritable épreuve. Mon assistant, chauffeur, ancien équipier et ami, Éric Salomon, qui m'a supporté pendant trois semaines, peut en témoigner : ce ne fut pas tous les jours une partie de plaisir... Valérie, mon épouse, qui est venue me voir pendant quelques jours, peut le confirmer. À plusieurs reprises elle m'a dit : « Si ça ne va pas, tu rentres et puis c'est tout ! » Qui aurait osé me dire quoi que ce soit ? J'étais fatigué, très fatigué. Parfois irritable, la langue pâteuse, souvent la nausée, même si cette première vague de chimio avait heureusement peu d'effets secondaires...

Pendant ce Tour, j'ai reçu des centaines, des milliers de témoignages, déchirants d'émotion. Quand j'y repense, je suis ému de ces preuves d'amitié, venant même de personnes avec lesquelles je n'ai pas été tendre dans mon livre. Comme quoi, face à la maladie, beaucoup de choses cèdent la place... et tant mieux ! Je ne suis comptable de rien mais, dans ma situation, on ne peut s'empêcher d'être plus sensible que d'ordinaire aux comportements des autres. Je n'oublierai pas la sympathie et l'empathie. Je n'oublierai pas non plus le silence de certains. Mais j'ai assez de caractère pour ne pas me formaliser de ce genre de comportements.

Le Tour se terminait. Et puis, en direct, j'ai craqué face à la caméra. De grosses larmes pour un long sanglot que je n'ai pu réprimer. Sur le moment j'ai eu presque honte de ne pas maîtriser mon émotion. Ce n'était qu'un instant d'humanité. J'espère que les téléspectateurs l'ont perçu comme tel. En tout cas, il préfigurait mon réel état de fatigue. Car le lendemain du Tour, on m'a ramassé à la petite cuillère : j'ai fait une embolie pulmonaire. Là, je me suis rendu compte que j'étais peu de chose, que j'avais « tapé » fort dans l'organisme, que mon traitement n'avait rien de banal et réclamait du repos, beaucoup de repos.

Après un séjour à l'hôpital, je me suis de nouveau tourné exclusivement vers mon principal objectif, formidablement décrit dans le livre de David Servan-Schreiber, *Anticancer*[1], que je venais de lire pour mon plus grand bien. D'abord respecter à la lettre mes traitements, ensuite m'alimenter différemment en passant au bio, enfin concentrer toute mon énergie pour lutter contre ma maladie, ce qui supposait des exercices d'autoconcentration et d'autopersuasion pas simples à répéter et à assimiler.

J'ai été un sportif de haut niveau et je connais bien mon corps, ses réactions, ses demandes, ses insuffisances. Néanmoins, ça dépasse l'entendement de savoir – et surtout d'intégrer pleinement l'idée – que ton corps puisse vouloir te tuer. Oui, mon corps veut me tuer ! C'est ça, le cancer. Rien d'autre. C'est la traîtrise suprême qui ne répond qu'à une seule et unique stratégie : profiter de ton éventuelle démission…

Une ombre plane désormais sur moi. Elle est toujours là. Ne me quitte pas. Depuis tout début août, j'ai appris, navré, que la première chimiothérapie que j'avais faite jusque début août avait été inefficace. Soyons précis : si elle n'a pas fait régresser la maladie, elle l'a du moins stabilisée. Depuis, j'ai changé de protocole et ça se passe beaucoup mieux. À l'heure où j'écris ces lignes, je ne suis pas en rémission, je n'en suis pas encore là, mais la maladie régresse. Les ganglions ont diminué de près de 20 % : je suis sur la bonne voie. Mais le chemin sera long. Très long.

---

1. David Servan-Schreiber, *Anticancer : prévenir et lutter grâce à nos défenses naturelles*, Robert Laffont, 2007.

Mourir est inéluctable. Habituellement on n'y pense pas. Là j'y pense. Je ne sais pas dans combien de temps je vais mourir. Peut-être dans quelques mois, dans un an, plus… C'est réel. Et c'est compliqué à admettre. Depuis six mois, je veux tout savoir de ma maladie, mais j'ai interdit aux médecins de me dire que je suis condamné. Si je le suis, eux seuls le savent, mais je n'y crois pas du tout. Je trouve particulièrement horrible qu'on puisse dire à des gens qu'ils sont condamnés sous trois mois. Je continuerai de me battre contre ces méthodes…

Je me souviens que, dans les toutes premières interviews que j'ai données à propos de ma maladie, je déclarais très fort : « Je n'ai pas peur de mourir. » Beaucoup ont dû me prendre pour un fou. Pourtant c'était vrai et ça l'est toujours. Je n'ai pas peur. Je ne suis pas spécialement courageux, ni peureux. Pas religieux pour deux sous, vraiment pas. Mais objectivement, quand je regarde ma vie, quand je pense à ce chemin parcouru en son ampleur, je peux affirmer que j'ai eu la prodigieuse chance de trouver ce pour quoi j'étais doué et de pouvoir en vivre bien, par passion, par plaisir, sans réserve… C'est exactement ce que j'ai raconté dans *Nous étions jeunes et insouciants.* Comment taire cela ? J'ai vécu des années fantastiques, merveilleuses. Quand je parviens à y réfléchir paisiblement, avec philosophie, voilà pourquoi je peux dire que je n'ai pas peur de mourir.

Tous les hommes meurent un jour. Si ma vie devait s'arrêter prochainement, j'aurais cette chance inouïe de partir sans regrets. Trop jeune, bien sûr, mais sans regrets. J'ai eu la plus belle vie qu'on puisse imaginer. Je n'ai pas d'autres mots pour le dire.

L.F., novembre 2009.

Huit secondes

> « Ah, mais je vous reconnais : vous êtes celui qui a perdu le Tour de 8 secondes !
> — Non, monsieur, je suis celui qui en a gagné deux. »

Nous n'avions peur de rien…

Sacrilège. Outrage. Déraison. En choisissant longtemps à l'avance ces premiers mots pour introduire ce livre, j'ai finalement hésité à les coucher sur le papier, à les livrer à la vue de tous, à les offrir en pâture avec le risque qu'ils se transforment en pseudo-pièces à conviction alors qu'ils ne sont que des mots témoins d'une réalité – celle de mon époque. Oui, nous n'avions peur de rien… mais pas pour faire n'importe quoi !

Ce livre est né d'un entre-soi, d'un outre-là aussi, d'un monde perdu qui façonnait encore des hommes et pas seulement des sportifs : en moi l'homme a toujours dominé le sportif. Sorti du moindre rêve, yeux grands ouverts, mon amour est toujours allé aux fiévreux, aux tempêtes, au combat. Être pleinement acteur de sa vie. Sinon, à quoi sert l'existence ? Est-ce orgueil de préférer l'irruption du vivant à la reproduction des enchaînés ? Est-ce vain de vouloir toujours s'étonner ? Est-ce blâmable d'avoir l'âme compétitive et le sang joueur ?

Le cyclisme est un art vivant. Les cyclistes qui l'oublient sont déjà en léthargie, en quelque sorte : mieux vaut risquer la victoire que d'assurer une défaite paisible, n'est-ce pas ? Je ne voulais pas que ma vie soit dans un ailleurs plus que lointain. J'exigeais qu'elle s'exprime pleinement, à chaque instant, chaque jour recommencé, qu'elle soit accomplie et riche en surprises. On peut dire que j'ai eu de la chance. Entre le début et la fin des années quatre-vingt, à la charnière de deux univers cyclistes distincts, j'ai traversé jusqu'à sa fin l'ultime période insouciante du cyclisme. Les hommes s'y bravaient encore de face. Nous ne reculions pas devant l'idée de mettre le feu, préférant les chants enflammés aux petites musiques de nuit. Jusqu'à la brûlure s'il le fallait. N'est-il pas nécessaire de mordre quelquefois la poussière pour tremper un caractère de cycliste. Gagner. Durer. Rester. Course contre l'oubli. Contre le temps. Course contre soi-même. Une carrière. Une vie… Le vélo dit tout du caractère des hommes ? Le vélo a-t-il tout dit sur moi ?

De quoi mon époque était-elle le signe ? J'ai vécu sans le savoir la fin d'un âge d'or. L'âge d'or ? De bien grands mots. Voici néanmoins ma définition : le point ultime de la dignité. Vous ne lirez toutefois chez moi aucune nostalgie ; tout au plus un soupçon de mélancolie, de-ci, de-là, au détour des sentiments, des faits et des gestes, comme pour préserver les hauts lieux de mon histoire et de mon imagination. Je dois l'admettre, je n'ai jamais pensé que c'était mieux de mon temps. C'était juste différent, voilà tout. Comme le sont toutes les époques. J'ai néanmoins le sentiment d'avoir traversé le court intermède « hippie » du vélo. Je crois même en avoir été l'un des principaux instigateurs. Certains me comparèrent à un « chef de bande ». Drôle de chef. Drôle de bande.

Avec nous au moins la vie ne cessait jamais d'être la vie. Et puisqu'un bon résumé vaut mieux parfois qu'un long discours, disons que nous étions plutôt du côté des insoumis que de celui des dominés. Nous étions des vivants. Parfois des moribonds. Jamais des robots ! Fous mais dignes. Très jeunes pour certaines choses, très mûrs pour d'autres. On me demande parfois : « En quoi était-ce si différent ? » Et les mêmes personnes ajoutent souvent : « Et à partir de quand tout cela a-t-il basculé ? » Je ne ressens pas que du plaisir au contact de ma mémoire, détails, scènes fondatrices ou cruelles. Mais je peux répondre assez précisément. Le point de basculement de mon histoire se situe très exactement le dernier jour du Tour de France 1989. Jour de tristesse insensée. Jour de défaite monstrueuse, inacceptable. Le seul jour de mon existence où quelques secondes devinrent l'éternité. Beaucoup voient d'ailleurs dans cette date le marqueur principal entre deux cyclismes radicalement différents : est-ce si étonnant que cela ? Artistes vaincus par l'uniformisation. Artisanat dépassé par l'usinage. Individus noyés dans la masse. À la mesure d'un monde faussé par les excès de la chimie, s'étranglait la noblesse des populos, s'essoufflait la gloire des Géants de la Route…

L'avant. L'après. Année 1989. Tour de France 1989. Huit secondes. Champs-Elysées. Avenue du martyre. Pavés d'enfer.

Allez. Crevons l'abcès. D'entrée de jeu.

*

* *

Ce texte naît donc d'un entre-soi. Un entre-soi mis à nu, déployé aux yeux de tous comme pour refuser l'idée même d'une cicatrisation. Laissons la plaie ouverte. Qu'elle sanguinole en silence. Longtemps encore.

Tour de France : point de repère de l'histoire du XXe siècle, monde en réduction qui invente et révèle des personnages hissés à la hauteur de sa démesure. Vainqueurs ou vaincus, personne n'y échappe vraiment. Double triomphateur en 1983 et 1984, j'y avais déjà goûté pleinement. J'en connaissais toute la saveur. Et le prix à payer pour le manque, aussi…

Pour moi, l'enjeu du Tour 1989 n'était pas mince. Vainqueur un mois plus tôt du Tour d'Italie, non seulement j'étais redevenu le coureur que j'aimais être, mais pouvait enfin se profiler un doublé Giro-Tour qui m'avait été volé en 1984. Et puis, avouons-le. Remporter la Grande Boucle une nouvelle fois, même si je n'en avais pas besoin pour savoir qui j'étais et ce que j'avais su faire, me ferait entrer dans la catégorie très restreinte des triples vainqueurs, à la hauteur d'un Louison Bobet par exemple.

Et pourtant. La veille du départ, je me souviens avoir repensé subitement à une phrase chuchotée quelques mois plus tôt à l'oreille de mon kiné et ami, Alain Gallopin : « Crois-moi, 1989 sera ma dernière année pour gagner le Tour », lui avais-je dit, bien avant ma victoire dans le Giro, conscient que je vivrais là, à bientôt 29 ans, non pas les derniers feux – n'exagérons rien – mais une sorte d'apothéose des performances de mon corps. Comme si, avant l'heure, je savais que mon chant du cygne sonnerait bientôt et qu'il fallait encore en profiter, avant qu'il ne se fasse entendre publiquement. En disant cela à Alain, j'avais eu une espèce de « flash », un éclair de lucidité.

Après plusieurs années de crise structurelle, je savais

mon équipe pleinement à mes côtés avant le grand rendez-vous. Avec mon directeur sportif Cyrille Guimard, l'équipe Super U pouvait toujours être considérée comme l'une des meilleures du monde, souvent la meilleure. Du moins en avais-je l'intime conviction. Même si je ne connaissais pas bien ce qui se passait concrètement dans les autres formations et quoi qu'en disaient les fuyards qui nous avaient quittés, on travaillait mieux chez Guimard, me semblait-il. Dans cette période de grands bouleversements du cyclisme dont on sentait bien qu'il mutait irrémédiablement vers autre chose – mais quoi ? –, Cyrille avait gardé cette faculté d'adaptation face aux nouvelles générations. Il préparait toujours des plans de travail personnalisés et il lui suffisait de voir rouler un gars pendant un stage ou même une simple sortie, pour savoir où en était le coureur en question, comment il avait travaillé les semaines précédentes, ce qu'il lui fallait désormais pour améliorer son coup de pédale. Guimard avait cette science dans le regard et analysait très vite les situations. Il semblait mettre sous contrôle même ce qui lui échappait…

Tout cela nous permettait, plus vite que d'autres souvent, de « marcher » dès le début de saison. Et même si certains dans l'équipe, à force de se l'entendre dire, croyaient que nous étions affaiblis, nos résultats depuis le printemps 1989 avaient calmé tout le monde. L'équipe reposait trop sur mes épaules, certes, mais le collectif rattrapait toujours ses retards. Nous étions, cette année-là, à la hauteur de notre réputation. Et moi ? J'étais toujours là, alors qu'on m'avait enterré vivant au moins cent fois !

Avant le grand départ au Luxembourg, nous avions tous réalisé un magnifique stage dans les Pyrénées. Je me sentais vraiment en forme et les autres le voyaient. Je peux même dire que j'avais faim de kilomètres. Et puis j'avais retrouvé pour l'occasion une équipe à la fois soudée et très compétitive avec Gérard Rué, Vincent Barteau, Thierry Marie, Pascal Simon, Dominique Garde, Christophe Lavainne, le Danois Bjarne Riis et le Suisse Heinz Imboden.

Arriva le prologue, 7,8 kilomètres, remporté par le Néerlandais Erik Breukink. En terminant 2e, dans les temps de l'Américain Greg LeMond, alors que je l'avais vraiment fait à bloc, je disposais alors de deux indications qui se vérifieront. D'abord, j'étais en effet très en verve physiquement. Ensuite, LeMond, qui n'avait rien montré depuis son grave coup de fusil reçu lors d'une partie de chasse au printemps 1987, serait probablement l'homme à battre... Ce qui n'était plus le cas du tenant du titre, l'Espagnol Pedro Delgado, auteur d'une invraisemblable bévue avant même de s'élancer : il se présenta au départ avec près de trois minutes de retard. La victoire dans le Tour était déjà un lointain souvenir pour lui.

Je me souviens. Avant et après le prologue, c'était la folie avec les photographes. Tout auréolé de la gloire récente du maillot rose, je redevenais, comme par hasard, très intéressant aux yeux de la presse. Car le possible vainqueur faisait « vendre » du papier, pardi. Fallait voir ça. Ils étaient des dizaines agglutinés autour de moi, à mitrailler, à jouer des coudes, à me bousculer si nécessaire. J'avais presque du mal à me concentrer. Comme à mon habitude, j'ai un peu râlé, ne montrant pas mon visage le plus sympathique. Mais quoi ? Non seulement il faut se concentrer, être disponible et en plus il faudrait être content d'être soumis à semblable pression ?

Lors de la 2e étape, un contre-la-montre par équipes de 46 kilomètres disputé au Luxembourg, trop court à mon goût d'ailleurs, je fus dans une forme éblouissante. Sur la fin du parcours, sauf à de rares occasions, personne ne put me relayer. Je sentais en moi la puissance des grands moments et je pouvais écraser les pédales sans réfléchir aux conséquences : c'était un sentiment presque jouissif de me savoir à ce point au niveau des meilleurs, de me savoir redevenu (presque) moi-même sur le Tour ! En tous les cas de rejouer les premiers rôles… Pourtant, dans ce chrono, j'avais l'impression qu'on n'avançait pas. Guimard était venu nous voir pour nous dire qu'on était en tête : non seulement on gagna l'étape mais, au passage, cela me permit de reprendre 40 secondes à l'équipe ADR de Greg LeMond, qui, c'est le moins qu'on puisse dire, n'était pas à la tête d'une formation resplendissante… Quant à Delgado, rejeté à plus de sept minutes, il faut bien dire que dès ce jour-là il fut dans notre esprit définitivement hors du coup pour la victoire finale, même en incluant ses facultés en montagne.

Mon adversaire ne portait donc qu'un nom : Greg LeMond, vainqueur du Tour 1986. Depuis le dernier Tour d'Italie, Guimard en avait très peur : lors de l'ultime chrono du Giro il avait en effet pointé sa silhouette à la 2e place de l'étape alors qu'il était jusque-là resté dans les profondeurs du classement. Aux yeux de Guimard c'était un signe qui ne trompait pas. Et il allait le montrer lors de la 5e étape du Tour, un contre-la-montre individuel entre Dinard et Rennes : 73 kilomètres. Une distance de titans. En raison de son classement au général, il était parti environ une heure avant moi et avait bénéficié d'un climat plus paisible. J'eus en effet à affronter quelques averses et beaucoup de vent défavorable. L'Américain remporta l'étape devant Delgado, à 24 secondes. 3e, j'avais concédé 56 secondes. Cet écart peut paraître énorme. Mais cette performance réclamait déjà quelques explications.

D'abord, comme chacun le sait, LeMond était un rouleur

hors pair, bien meilleur que moi dans l'exercice en solitaire. Ensuite, il utilisait un vélo absolument spécial muni d'un guidon à double géométrie et doté de deux accoudoirs lui assurant, outre une meilleure pénétration dans l'air, quatre points d'appui, ce qui était totalement révolutionnaire mais rigoureusement interdit par les règlements : selle, pédale, guidon et accoudoir. En effet, les commissaires n'autorisaient jusqu'alors que trois points d'appui. Pour une raison qui m'échappe encore aujourd'hui, nous n'avons pas porté réclamation avec Guimard... et les commissaires ont lâchement fermé les yeux. Cette entorse à la règle aurait des conséquences. Au-delà de ce que je pouvais alors imaginer...

LeMond en jaune, avec une petite poignée de secondes d'avance sur moi, il ne fallait pourtant pas s'attendre à le voir prendre le moindre risque : pas son genre. La première étape des Pyrénées, entre Pau et Cauterets, fut conforme à cette prédiction. Il suça les roues autant qu'il le put et s'affirma en spectateur des autres. Comme je l'ai déjà dit, il n'avait pas une équipe très solide à ses côtés. Néanmoins, il était de la graine des champions capables de prendre leurs responsabilités sur tous les terrains : mais non ! C'était tout juste s'il défendait son maillot. Lorsque l'équipe Reynolds de Delgado lança une grande offensive en envoyant son leader aux avant-postes et le jeune Miguel Indurain vers la victoire d'étape, LeMond ne cilla pas. C'est moi qui fus contraint de limiter les dégâts. Lui ne fit que profiter du travail et terminer bien à l'abri. Pour dire la vérité, cela m'agaçait prodigieusement !

La 10e étape, entre Cauterets et la montée vers Superbagnères, fut très particulière. Au programme, Tourmalet, Aspin et Peyresourde. De l'épique. Tandis qu'à l'avant Charlie Mottet tenta (en vain) un coup renversant en attaquant de très loin, en emmenant sur son porte-bagages le vainqueur du jour, le Britannique Robert Millar, je crus subir une défaillance importante, en particulier dans le Tourmalet dans lequel je n'aurais pu répondre à de brutales attaques. Un peu comme la veille, et pour une raison incompréhensible, je n'avançais pas. Comme je progressais au bluff et ne montrais rien de mes difficultés, mes adversaires n'ont pas vraiment vu ce qui se passait.

Au moins, avec Greg LeMond je ne risquais pas grand-chose. Il était incapable d'attaquer. Comme le montra la montée vers Superbagnères. Aujourd'hui encore je ne sais même pas s'il s'était porté une seule fois à ma hauteur de la journée, c'est dire ! Cela m'énervait. Et quand j'étais énervé, quand ça bouillait en moi, à un moment ou à un autre il fallait que ça sorte ! A quelques kilomètres du but, Steven Rooks et Gert-Jan Theunisse ont accéléré ensemble. J'ai regardé LeMond, pour voir s'il allait réagir. Je n'ai pas cherché à les suivre : j'en étais incapable. Néanmoins, que LeMond puisse rester dans ma roue jusqu'en haut, ça me rendait malade ! Alors, dans le dernier kilomètre, j'ai consenti l'effort nécessaire, allant bien au-delà de mes capacités du moment, pour le distancer. Je lui ai repris 12 petites secondes, soit 7 suffisantes pour endosser le paletot jaune… Le mano à mano débutait vraiment. Toujours est-il que j'étais heureux de réenfiler la toison d'or, si longtemps après 1984. Et puis j'étais aussi content de porter officiellement le poids de la course et de l'assumer : LeMond refusait de le faire. Au moins il n'y avait plus d'ambiguïté !

Le soir, devant la presse, fidèle à moi-même, je déclarai à quel point le comportement de LeMond m'irritait : « Il se plaint qu'il a eu des histoires avec Hinault en 86, mais il y est pour quelque chose. D'ailleurs l'opinion ne s'y était pas trompée à l'époque, on le traitait de suceur de roues… »

Cela dit, histoire de montrer que personne n'est à l'abri des critiques, un homme sur le bord de la route hurla à mon passage : « Moins de discours, plus de vélo. » Ce spectateur avait évidemment raison. C'était depuis toujours ma conception du métier.

Bien sûr, quelques observateurs attentifs me firent remarquer que LeMond faisait valoir que la faiblesse de son équipe ne lui permettait pas d'ambitionner mieux et encore moins de peser sur les événements. Il me fallut répondre dans le détail : « Peut-être que son équipe n'est pas à la hauteur, mais son attitude reste inadmissible pour un porteur de maillot jaune. Dans le col de Marie-Blanque, nous nous étions retrouvés tous les deux seuls sans même un équipier et il m'avait donné son accord pour prendre des relais. Et ? Rien... Dans l'Aubisque il a roulé un peu mais après ça, terminé, il n'a plus relayé. Aujourd'hui, il m'a laissé faire tout le travail. Quand Rooks et Theunisse ont attaqué au pied de Superbagnères, sans trop forcer d'ailleurs, il n'a pas réagi. Je l'ai engueulé, promettant de le faire sauter. »

Le lendemain matin de ces déclarations, il est venu me voir au village-départ et m'a engueulé : « Tu n'as pas à dire des choses pareilles ! » Son image était égratignée et il n'aimait pas ça. Greg LeMond est quelqu'un qui a toujours fait attention à sa popularité auprès du grand public et des journalistes, qu'il brossait toujours dans le sens du poil et avec lesquels il a toujours entretenu des rapports à la limite du copinage, flirtant en permanence avec l'hypocrisie. Moi, je n'ai jamais su faire ça. Dans quel intérêt ? Pour quelle raison essentielle ? J'ai toujours préféré rester moi-même. Se taire plutôt que de mentir...

Jusqu'aux Alpes, la course connut un moment d'accalmie très relatif. Nous nous observions l'un l'autre, sans jamais se perdre de vue. A Marseille, ce fut une grande joie collective pour toute l'équipe. Non seulement j'étais toujours en jaune, mais, ce 14 juillet 1989, jour du bicentenaire du déclenchement de la Révolution française, Vincent Barteau avait remporté une étape de prestige destinée à rester dans les mémoires collectives. Bleu-blanc-rouge. Champagne.

Dans la 15e étape, un contre-la-montre individuel en côte entre Gap et Orcières-Merlette, Rooks mit tout le monde d'accord et nous fûmes distancés, LeMond (5e) et moi (10e). Mais LeMond moins que moi. Sur 39 kilomètres, je lui concédais une cinquantaine de secondes. Il en disposait de 40 au général. Rien n'était fait, mais je savais que je devrais passer à l'offensive dans les Alpes sous peine de défaite assurée. La guerre d'usure prit alors une tournure épique. Il grimpait moins bien que moi, mais roulait mieux que moi : cette équation simplifiée se vérifia sur toute la ligne.

Le lendemain, le peloton filait vers Briançon. Par l'Izoard. A son sommet, toit du Tour, je ne parvins pas à accrocher les roues et j'ai basculé en retard sur Theunisse, Mottet, Delgado et… LeMond. Je me suis jeté à corps perdu dans la descente vers Briançon, mais, esseulé, j'en ai concédé 14 sur la ligne. Confusément, chacun comprenait que chaque seconde était dorénavant l'objet d'une bagarre sans merci. Pour les suiveurs, sur le moment, ces 14 secondes ne paraissaient pas grand-chose au regard des trois semaines déjà bien entamées. S'ils avaient su…

Au matin de la 17e étape, entre Briançon et l'Alpe d'Huez, nous avons parlé sans tabou avec Cyrille Guimard, conscients l'un comme l'autre qu'il ne nous restait plus beaucoup d'occasions pour renverser la vapeur. Alors, contraint et forcé, mais de bon cœur puisque cela correspondait à mon envie profonde d'en découdre coûte que coûte, je mis au point une tactique : attendre la montée de l'Alpe d'Huez et, dès le premier virage, placer l'attaque la plus brutale qui soit. Je veux dire : vraiment attaquer, comme si l'arrivée se situait 100 mètres plus loin !

Les écarts étaient tellement faibles entre nous qu'il était inutile de bouger dans le Galibier ou dans la Croix-de-Fer, où les esprits se neutralisèrent. Arrivés dans l'Alpe, je pus enfin déchaîner les enfers. Du moins autant que possible. Dès le premier virage, comme convenu, j'ai placé une attaque. LeMond a recollé… J'ai immédiatement remis ça ! Il est revenu au train… A peine était-il derrière moi, que j'ai recommencé, plus brutalement encore. Arc-bouté sur son vélo, il s'est arraché pour revenir encore. Là, c'est lui qui a attaqué, avec un énorme braquet. J'ai réussi à gicler, malgré mes jambes en feu, pour me porter à sa hauteur et j'ai remis ça, à l'énergie, avec une force venue d'ailleurs ! Mais quelques secondes plus tard, il était à nouveau à mes côtés. Nous faisions jeu égal. Et nous étions lui et moi totalement essoufflés, incapables désormais de nous dresser sur les pédales…

C'était à la vie à la mort.

Pour ceux qui l'ont vu de près, ce devait être un spectacle extraordinaire : pourtant la télévision, en direct, ne montra quasiment rien, à notre grand étonnement, de ce duel au sommet et des coups de boutoir que nous nous étions portés… Autant dire qu'il n'y avait plus personne avec nous ! Sauf que nous deux, après de tels efforts, nous n'avancions plus. Aucun n'avait cédé. Mais je ne pouvais regretter la méthode : c'était ça ou rien. Pour faire céder LeMond, grand suiveur devant l'Eternel, il fallait le harceler, le mettre dans le rouge très vite pour pouvoir recommencer un peu plus tard si on le pouvait…

A ce moment précis, tous les deux à bout de force, époumonés, nous nous sommes observés. Quasiment à l'arrêt. Haletant comme de jeunes chiots un peu fous. Evidemment, quelques coureurs ont fini par revenir de l'arrière, Rondon, Delgado, Lejarreta, Rooks…

Et puis, à environ 6 kilomètres du sommet, Guimard vint à ma hauteur pour me dire : « Attaque, il est cuit. » Pour la première fois dans nos aventures communes, Guimard voulait que j'attaque dans l'Alpe d'Huez. Et évidemment, j'en étais incapable… Je fus dans l'obligation de lui murmurer : « Je ne peux pas, je suis cuit. » C'était ça, l'œil de Guimard, l'œil du pro, l'œil du maître… N'oublions pas que c'est lui aussi qui avait formé LeMond, il le connaissait par cœur.

Je continuais d'avancer comme je le pouvais. Mais l'intervention de Guimard m'obsédait. Passé le panneau des 5 kilomètres du sommet, le rythme ayant baissé, je commençai à me sentir un peu mieux. Le vieil endurant que j'étais reprenait le dessus progressivement. Et à 4 kilomètres de la ligne d'arrivée, je me suis résolu à essayer. J'ai placé une accélération et, en effet, LeMond, couché sur sa machine, ne put me suivre ! En moins de 4 kilomètres, je lui ai repris 1'19''. Sachant que les derniers hectomètres de l'Alpe sont de loin les moins difficiles de l'ascension… Guimard avait vu juste et l'histoire lui donnera raison, sur le plan sportif, une fois encore : si j'avais pu harceler l'Américain au moment où il me l'avait dit, le Tour était gagné pour moi. Définitivement. Car LeMond était vraiment cuit ! Je lui reprenais au moins 20 secondes par kilomètre.

Comment Guimard avait-il vu que LeMond pouvait subir une défaillance ? Je n'ai jamais vraiment su. Mais je crois qu'il percevait chez lui une sorte de déhanchement très particulier, signe d'une lassitude physique. Et en effet, quand il était mal, LeMond se rasseyait d'une manière bizarre sur sa selle…

Le soir de l'Alpe, j'ai repris le maillot jaune avec 26 secondes d'avance. Avant l'ultime contre-la-montre de 24,5 kilomètres, prévu exceptionnellement le dernier jour sur les Champs-Elysées, je savais que cette avance était insuffisante pour une victoire assurée à Paris. Je voulais donc profiter de mon avantage psychologique et, dès le lendemain, entre Bourg-d'Oisans et Villard-de-Lans, tandis que j'avais retrouvé mes jambes de gamin, je n'ai pas laissé LeMond contrôler la situation. En plein plateau du Vercors, dans la côte de Saint-Nizier, alors que l'équipe PDM de Rooks et Theunisse menait grand train sans savoir que j'en bénéficierais, j'ai placé une attaque en solitaire à 3 kilomètres du sommet. Ils ont tous été surpris et ni LeMond ni Delgado, pourtant coalisés, n'ont pu suivre… Exemple de ma tactique préférée, exploiter les circonstances de course pour surprendre l'adversaire.

Mon avance grimpa à 52 secondes dans la descente, c'est dire si j'avais forcé mon talent. Mais une mauvaise surprise m'attendait de l'autre côté des cimes avant de rallier, sur 26 kilomètres, Villard-de-Lans : un maudit vent de face ! L'histoire s'écrivait au jour le jour et la moindre note comptait dans la partition générale. Derrière, ils étaient tous là, à quatre ou cinq : LeMond, Delgado, Theunisse, Rooks… Ce sont d'ailleurs ces deux derniers qui firent tout le boulot pour LeMond, qui, encore une fois, ne mit pas un coup de pédale…

J'ai un peu flanché vers l'arrivée, perdant la moitié de mon avantage : victoire d'étape et 24 secondes d'avance seulement sur la ligne d'arrivée. Soit 50 secondes d'avance au classement général. Le soir, à l'hôtel, c'était plutôt l'euphorie qui dominait. J'étais sûr d'avoir gagné le Tour !

Le lendemain, vers Aix-les-Bains, en franchissant des cols mineurs comme le Granier ou Porte, je me sentis pousser des ailes. Dans le col de Porte, justement, à chaque fois que je prenais les virages à la corde, je laissais les autres à 10 mètres. A un moment, j'ai à peine accéléré, personne ne m'a suivi ! J'ai insisté, je suis parti seul. Et après quelques centaines de mètres, je me suis relevé ! Guimard n'a pas tardé à venir à ma hauteur : « Qu'est-ce que tu fais ? m'a-t-il demandé. – Je me balade, Cyrille, c'est tout, ai-je répondu. – Alors, continue ! » a-t-il rétorqué. Dilemme. Après plusieurs jours de course intense à attaquer, le risque de coincer est important. Il restait 70 kilomètres à parcourir avec trois cols et la dernière vallée vent de face pour rallier Aix-les-Bains. J'ai fini par dire à Guimard : « J'ai assez d'avance pour gagner. J'ai peur de coincer. Je prends un risque inutile. Je me relève. »

Hélas, il a dit OK et n'a pas essayé de me convaincre. Pourtant, nous savions que lorsqu'un adversaire est en situation difficile, il faut en profiter sans états d'âme, l'écraser !

Evidemment, quand on repense à la situation, avec le recul, que se serait-il passé ? Au sommet du col de Porte, j'aurais eu environ 3 minutes d'avance : mais après ? Qui peut le savoir ? Qui pouvait alors prédire quoi que ce soit ? Pourtant, à Aix-les-Bains, nous avons fini en tout petit comité : à cinq, que les meilleurs. Sur les bords du sublime lac du Bourget, LeMond nous a dominés au sprint, comme il le faisait si bien dans ces circonstances. Pour la petite histoire, en franchissant la ligne d'arrivée ce soir-là, je suis allé auprès de lui en lui tapant sur l'épaule pour le féliciter de sa victoire d'étape. C'était vraiment sincère. Je lui ai dit : « On s'est bien battus. » Dans mon esprit, c'était terminé : j'avais gagné mon troisième Tour de France…

Seulement voilà. Au cours de cette étape, j'ai ressenti une douleur assez vive à l'entrecuisse. Le soir, pas de doute. Il s'agissait d'une induration très mal placée : juste sous le fessier, à l'endroit du frottement de la selle sur le cuissard... Il ne restait alors que deux étapes. Une dévolue aux sprinters vers L'Isle-d'Abeau, relativement courte, 130 kilomètres. Et le contre-la-montre du dimanche. Il n'y avait pas de quoi s'affoler. Et je ne m'affolais pas. J'aurais dû. Le soir de la dernière étape en ligne, j'avais tellement mal que je ne pouvais pas aller uriner au contrôle antidopage. Bouger était une souffrance. M'asseoir une horreur. En désespoir de cause, puisqu'il fallait que toute la caravane prenne le TGV le soir même pour remonter à Paris, les contrôleurs eurent la gentillesse d'attendre qu'on soit dans le train pour procéder au prélèvement.

Outre Cyrille Guimard et le médecin de l'équipe, Armand Mégret, peu de personnes étaient dans la confidence. Durant le trajet, je ne montrai pas mon inquiétude, pourtant réelle. En descendant du train, inutile de qualifier l'état de mon humeur... C'est pourtant dans une cohue indescriptible que nous sommes arrivés gare de Lyon. Des dizaines de photographes, des dizaines de cameramen : c'était hallucinant. Un Français était sur le point de gagner le Tour après Hinault en 1985 et, veille de l'arrivée, cela justifiait ce dispositif inhabituel. Et là, à peine progressait-on sur le quai, qu'on m'a collé d'office une caméra sous le nez en me posant des questions agressives. C'était la 5, l'ancienne chaîne en France de Berlusconi, jamais avare de sujets sensationnels. J'entends : « Pourquoi avez-vous refusé votre contrôle antidopage ? » Je n'avais évidemment pas envie de répondre à une question aussi ridicule. Le contrôle s'était déroulé dans les formes requises. J'appréciais peu l'allusion, mais je cherchais à progresser sur le quai malgré le tohu-bohu...

Le journaliste de la 5 insista. Vraiment trop à mon goût. Exténué par cette ambiance pesante, j'ai craché sur une caméra qui m'empêchait d'avancer ! Pas de chance : c'était une caméra d'une télévision espagnole contre laquelle je n'avais aucun grief. Après, dès qu'un sujet me concernait là-bas, ces images passaient en boucle. Ce n'était pas de très bonne publicité…

A un moment, une bousculade survint et le cameraman de la 5 renversa Jérôme Simon, qui se trouvait par hasard à mes côtés. Je n'ai même pas réfléchi à ce que j'allais faire. J'ai bousculé ce cameraman ! En fin d'année il portera plainte pour « coups et blessures ». En fait, il voulait négocier une somme d'argent avec mon avocat : j'ai refusé. Au procès, il déclara que je l'avais frappé aux parties génitales, ce qui avait occasionné une hernie inguinale. Son avocat était vraiment grotesque. Nous, nous savions bien sûr que les hernies inguinales sont congénitales et qu'un choc n'avait rien à voir avec ça. Il a perdu son procès, cela va sans dire. Avant l'audience, je m'étais tenu à l'écart avant de pénétrer dans la salle : décrire la cohue reste une tâche impossible. Il y avait une foule de caméras, de micros, de journalistes. Jamais auparavant le président du tribunal, qui eut lui aussi du mal à se frayer un chemin, n'avait vu semblable bousculade. C'était mémorable ! Avant de me donner la parole, le président déclara : « J'ai compris ce que c'était que la notoriété. » Le procès était gagné avant même d'avoir commencé.

La veille de la dernière étape, en rejoignant mon hôtel, j'étais conscient d'une chose : heureusement qu'il ne restait qu'un contre-la-montre. Une étape de plus et j'étais incapable de remonter sur le vélo… la blessure était plus grave que prévu. Une douleur insupportable. Le médecin mettait de la pommade, puis remettait de la pommade : rien n'y faisait. Le temps était trop court. Et personne ne se doutait de rien : black-out total !

Cette nuit-là, je n'ai quasiment pas dormi. Je souffrais même sans bouger. Fatigué et inquiet, je faisais grise mine le lendemain matin. Ce n'était rien à côté de ma séance d'entraînement : je suis monté sur le vélo, j'ai immédiatement fait demi-tour. C'était impossible de pédaler. Vraiment impossible. Pourtant je n'ai pas paniqué. Je me souviens comme si c'était hier m'être dit : « Bon, ce n'est pas si grave que ça. Il me reste juste un chrono. Il faut assurer. Tu vas souffrir mais après tu oublieras. »

Comment oublier ce qui allait se produire ?

Comment oublier ce que tout passionné de cyclisme n'oublierait jamais ?

Je devais forcer mon moral, qui n'était pas au sommet de sa forme. Mais j'avais pour moi les 50 secondes qui me séparaient de LeMond. J'étais alors intimement convaincu que je ne pouvais pas perdre. D'après mes savants calculs, je savais que l'Américain pouvait me reprendre une bonne minute sur 50 kilomètres : pas sur 24,5 entre Versailles et les Champs-Elysées !

Non envisageable. Infaisable. D'ailleurs, beaucoup de journalistes de la presse écrite, ai-je appris par la suite, avaient déjà rédigé leurs articles. Oui, c'était écrit.

Cette fois je suis monté sur le vélo. En vrai. Pour la souffrance finale. Mais après la souffrance, que je découvrais horrible dès les premiers coups de pédale, je savais que je serais libéré de tout cela, fier de moi, enfin victorieux sur les routes du Tour, cinq ans après une longue disette. Cette souffrance ne représentait donc rien pour moi, rien de plus qu'une souffrance ordinaire à laquelle il fallait sacrifier. Dans l'aire de départ, déjà harnachés, nous avons tourné en rond lui et moi, pour nous échauffer, dans un tout petit périmètre. Il ne savait pas que j'étais diminué. Il ne m'a pas regardé une seule fois. La tension était à son comble.

L'Américain avait de nouveau bravé les règlements en décidant de repartir avec son fameux guidon de triathlète, ce qui ne constituait pas un mince avantage. Je ne devais pas perdre 2 secondes au kilomètre. Or, dès les premières indications de Guimard, c'est précisément ce que je perdais : 2 secondes au kilomètre. J'ai forcé tout ce que j'ai pu, serrant les dents, tentant par tous les moyens de me concentrer sur mon effort en oubliant cette lancinante douleur. Mais c'étaient des coups de couteau qui me rappelaient à l'ordre jusque dans le cerveau !

Au bout d'un moment, Guimard a cessé de me parler. Je n'avais plus aucune indication, aucun repère. C'était mauvais signe. La course a pris le dessus : j'ai fait abstraction. Surtout, je roulais à fond, mais à fond, je ne pouvais pas aller plus vite. Je ne sais pas où en était mon rythme cardiaque, mais mon souffle, lui, avait bravé les interdits et s'insinuait presque contre moi quand il le pouvait. J'étais en apnée.

Chacun a vu au moins une fois dans sa vie les images. Quand j'ai franchi la ligne d'arrivée, je me suis écroulé. Justement pour reprendre respiration. Un peu d'air. Rien que de l'air. A ce moment précis, je n'avais aucune information. Je lâchais des « alors ? » aux quelques personnes qui s'ébrouaient tant bien que mal à mes côtés. Pas de réponse. J'insistais. Toujours pas de réponse. Personne n'osait vraiment me dire les yeux dans les yeux la réalité. Cette réalité que chacun connaissait désormais sauf moi : j'avais perdu. Pour 8 secondes. 8 secondes en enfer. L'Américain m'avait repris 58 secondes en 24,5 kilomètres. Dans ce chaos indescriptible, quelqu'un a fini par m'avouer la vérité : « Tu as perdu, Laurent. » Je ne comprenais pas ce qui se disait là. Je n'y croyais pas. Plus exactement, je n'arrivais pas à y croire. Je ne pensais pas cela possible.

« Ce n'est pas vrai », me disais-je intérieurement.

C'était comme si l'information ne franchissait pas le seuil de mon imagination.

Pendant un long moment, la défaite resta en dehors de mon être.

Elle ne pénétra pas mon monde intérieur.

J'étais entré en commotion.

Je marchais comme un boxeur sonné, dans un univers improbable fait de fureurs et de bruit. Les pas que je formais machinalement n'avaient aucun sens. Je ne savais pas où j'allais et qui me forçait à y aller. Je sentais des bras qui me soutenaient, qui m'aidaient à tenir debout. Autour de moi, des gens s'agitaient. Certains criaient. Certains étaient hagards, groggy, assommés. D'autres se réjouissaient. Oui c'est ça, ils se réjouissaient. C'était plus clair désormais, ils me regardaient avec une haine amusée, un contentement, comme un plaisir de me voir vaincu. Mais où était le plaisir ? Je ne comprenais rien. J'avais perdu. Ils avaient triomphé. Mais c'était qui, ces « ils » ?

J'ai erré pendant de longues minutes. Je ne me souviens plus des gestes qui furent les miens. Je ne savais plus rien, ni qui j'étais ni où j'étais. Puis le choc a commencé à prendre forme, à devenir réalité, à prendre sens dans mon cerveau. Quand je suis sorti de mon coma, je me dirigeais déjà vers le contrôle antidopage. Là, j'ai reconnu Thierry Marie. Sans réfléchir, il se jeta vers moi et s'effondra en pleurs.

Dans ces bras accueillants, j'ai chialé comme un gamin.

De longs sanglots.

Cela ne m'était jamais arrivé en public.

Après, je me souviens vaguement que je ne voulais

pas monter sur le podium. Tout dans l'idée me révulsait. Mais il convenait de tenir son rang. LeMond a tenté de me réconforter : « Tu as gagné le Tour d'Italie, Laurent », m'a-t-il glissé maladroitement. Je lui ai répondu : « Je n'en ai rien à foutre du Giro ! » Sur le moment, c'était vrai. Les vainqueurs des trois Tours étaient sur le podium, puisque Delgado, troisième, avait gagné la Vuelta.

Puis on m'a accompagné presque de force à une conférence de presse surréaliste. Je répondais sans répondre. Je voulais m'échapper au plus vite. Un journaliste a demandé : « Serez-vous au départ l'an prochain ? » Il y eut une bronca de réprobation dans la salle. Était-ce le moment de poser une question aussi stupide ! J'ai répliqué sèchement…

Les festivités du soir, prévues depuis plusieurs jours, eurent une saveur amère. Certains osaient à peine croiser mon regard. Je comprenais leur gêne. Alors j'ai joué le rôle de celui qui méprise l'événement, qui sait mettre à distance les choses subalternes au profit d'actes plus fondamentaux : ce n'était que du sport, après tout !

Vite dit. Puis j'ai bu. Beaucoup bu. J'ai englouti ce qu'il fallait pour rester éveillé.

Depuis toujours le sens de la défaite était en moi. Perdre n'avait jamais été un problème. Le cycliste qui ne sait pas perdre ne peut pas devenir un champion. J'étais habitué à l'idée… Mais perdre comme ça, le dernier jour, avec si peu d'écart et principalement à cause d'un guidon interdit par les règlements, non, c'était trop pour un seul homme. A bientôt 29 ans, le temps des regrets éternels n'était pas encore venu pour moi. J'avais rarement été dans une telle forme physique, ce qui rendait particulièrement injuste cette désillusion. Comment cela avait-il été possible ?

J'avais déjà oublié ma blessure à la selle et c'était bien cette histoire de guidon qui m'obsédait. Dès les premières minutes de course, comme on me l'avait raconté par la suite, on avait pu voir un Greg LeMond, qui, la tête prise dans son casque profilé et les mains bien calées aux arceaux de son guidon de triathlète, utilisait toute sa puissance : un développement de plus de 9 mètres. 3 257 kilomètres parcourus. Et un écart final de 8 secondes. Qui peut le croire ? Rapporté au dernier chrono, cela signifiait environ 82 mètres de différence. Et le plus incroyable, c'est qu'il s'agissait du meilleur chrono de ma carrière ! J'avais dépassé les 52 km/h de moyenne, je n'avais jamais roulé aussi vite de toute ma vie…

En y réfléchissant, on se rend compte à quel point ce guidon l'avait aidé puisqu'il l'avait utilisé dans tous les chronos du Tour. Avec ce matériel, dans des conditions normales, nous pouvons évaluer raisonnablement son gain par rapport à moi à 1 seconde au kilomètre. Reprenons les contre-la-montre, 73 kilomètres à Rennes, 39 à Orcières-Merlette et 26 à Paris, soit un gain de 138 secondes. 2 minutes 18 secondes d'avantage pour 8 secondes d'écart à l'arrivée finale ! C'est sans appel : sans ce guidon de triathlète, LeMond ne pouvait pas gagner le Tour !

D'ailleurs, pourquoi les commissaires avaient-ils accepté sans broncher ce guidon non homologué ? Pour l'anecdote, il faut savoir que nos fournisseurs nous en avaient proposé un du même type pendant le Tour. Avec Guimard, nous n'avions pas voulu franchir le Rubicon. Ce n'était pas dans nos manières de jouer avec les règlements, nous pratiquions le risque zéro : gagner par nous-mêmes, sans artifice, avait une haute valeur pour nous. Et puis nous avions un principe intangible pendant les grandes courses : nous n'utilisions un nouveau matériel qu'à la condition qu'il ait été testé avant la course en question. La fiabilité devait être validée avant. Surtout dans le Tour de France, où l'on n'employait que du matériel sécurisé, solide, dont on savait se servir. Jusque-là, prendre des risques pour un gain minime nous paraissait ridicule. N'avons-nous pas été trop prudents, cette fois ? Car l'attitude des commissaires avait de quoi nous abasourdir. Comment expliquer en effet ce qui se passa quelques mois après au Grand Prix Eddy Merckx où je me suis présenté avec ce guidon de triathlète ? Pourquoi le président du jury a-t-il refusé que je prenne le départ muni de ce matériel alors que lui-même avait accepté celui de LeMond pendant le Tour ? On ne m'empêchera pas de penser que j'ai été floué.

Mais le savoir ne suffisait pas à me réconcilier avec moi-même. Il n'y avait plus de place pour le raisonnement. La victimisation n'était pas mon genre. Tout était de ma faute. Le bien comme le mal.

*
* *

Dès le lendemain de cette défaite, le plus dur a commencé. Je comptais 8 secondes dans ma tête et plus je comptais plus je me rendais compte du ridicule espace-temps que cela représentait. Pendant 8 secondes, on n'a rien le temps de faire !

Je me suis retrouvé chez moi. Seul. Souvent assis. Ou à marcher sans but, les yeux dans le vague, vaguement concentré sur rien. J'ai commencé à prendre conscience qu'il s'agissait d'un événement national et que la « tragédie Fignon » figurait à la « une » de tous les journaux nationaux et régionaux. Pourtant je ne me souviens même plus si j'avais lu le moindre journal.

Comment avais-je pu perdre ? Comment avais-je laissé faire ça ? Pendant des heures, je me suis apitoyé sur mon sort. Je n'avais que ça en tête. Ce que je mangeais n'avait aucune saveur. Le moindre geste me demandait un effort. J'étais comme comateux. « Prends garde à la tristesse. C'est un vice », disait Flaubert.

Et puis le troisième jour, un matin comme les autres, j'étais en train de me préparer dans la salle de bain – me préparer à quoi d'ailleurs ? – quand, enlevant la buée déposée par la vapeur d'eau de la douche, je me suis vu dans le miroir. Un regard un peu flou qui me blanchissait le fond de l'œil. Un masque livide. Une vision assez cauchemardesque. J'avais les traits affreusement prononcés. Mes yeux semblaient transparents. Une sorte de vide en moi. Comme si mon âme s'était échappée de son enveloppe charnelle. J'étais le spectateur impuissant d'un homme qui n'était plus moi, que je ne reconnaissais plus. Mes yeux étaient dans le miroir, où je les avais laissés… A l'évidence, la détresse me gagnait. J'avais beau me dire que j'exerçais l'un des plus beaux métiers du monde, que j'avais déjà gagné deux Tours de France et que je n'avais plus rien à prouver, et même que j'avais un train de vie que dans mes rêves les plus fous je n'aurais jamais imaginé, je n'arrivais pas à me défaire du mal qui me rongeait…

Il m'a fallu trois jours pour reprendre pied. Et quand j'écris « reprendre pied », ce n'est là qu'une formule de style. Car on ne fait jamais son deuil d'un événement aussi violent ; au mieux parvient-on à en domestiquer les conséquences psychologiques. Néanmoins, j'étais pleinement conscient qu'il y avait des choses bien plus graves dans la vie… et puis j'avais tant rêvé de revenir au meilleur niveau pour jouer un grand rôle : c'était fait !

Je me suis de nouveau regardé dans ce miroir. Je savais qu'il n'y avait que deux solutions. Ou je continuais à me lamenter – et j'arrêtais ma carrière. Ou j'essayais de dépasser la douleur et le sentiment d'injustice – et je repartais à l'aventure. J'étais en bonne santé. J'étais un homme heureux, dans la plénitude de son existence. Bon, je n'avais pas regagné le Tour, et alors ? Le monde devait-il s'arrêter de tourner pour moi ? Certainement pas. Pourquoi m'infliger plus de souffrance encore ?

Ce jour-là, j'ai décroché le téléphone pour appeler Alain Gallopin. Il était anxieux de ma réaction. Je lui ai dit : « Allez Alain, on repart. Je prépare les championnats du monde. » Je l'ai entendu marmonner : « C'est bien, Laurent. » Puis j'ai ajouté : « Mais je te demande une chose : on ne parle pas du Tour pour l'instant. On en parlera un jour, mais pas maintenant. » Il m'a dit : « Bien sûr. Je t'embrasse. »

En raison de ma blessure à la selle, j'avais évidemment annulé quelques critériums. Aussi, quand j'ai débarqué de nouveau dans le grand circuit, ce fut un petit événement. Pensez donc : « Le voilà », « c'est lui », « le perdant ». Je sentais sur moi des regards à la morbidité évidente. Je tentais de rester digne en toutes circonstances. En voyant pour la première fois Greg LeMond avec le maillot jaune sur le dos, j'ai serré les dents. Ça m'a glacé le sang. Mon aversion pour lui, déjà très prononcée avant, n'en était que plus grande. Je sens bien l'injustice de ce sentiment. Mais c'était comme ça…

Sur le bord de la route, certains criaient des choses peu sympathiques. J'entendais des « 8 secondes ! » à mon passage, des « t'as encore 8 secondes de retard ! ». L'âpreté des propos me trouait le cœur. Les gens ne me parlaient que de cela. Parfois sans même vouloir me blesser. Personne ne se rendait compte que je ne voulais plus en parler, que la plaie n'était pas refermée. Dès que je me sentais mal à l'aise, je tournais le dos, je ne répondais pas. Aux yeux de beaucoup, je n'ai pas dû être très sympathique. Mais à quoi bon ?

Dans cette période éprouvante, je ne me souviens d'aucune discussion avec Cyrille Guimard. Ai-je oublié ou s'était-il évaporé, le grand directeur sportif ? C'était l'un de ses problèmes : dans les circonstances tragiques, il ne savait pas parler aux gens. Il lui aurait fallu être un peu plus psychologue.

Cela dit, qu'aurait-il pu me dire, en effet ? J'avais conscience de ne pas être quelqu'un de facile, certes. La preuve : un jury mal intentionné m'avait remis le « prix citron » du Tour 1989. J'avais au moins gagné quelque chose…

Turbulent mais doué

Je m'appelle Laurent Patrick Fignon et je suis né un vendredi au cœur des Trente Glorieuses, qui connaissaient alors leur apogée. C'était le 12 août 1960, à 3 h 10 du matin. A l'hôpital Bretonneau. Au pied de la butte Montmartre. 3,2 kilos, pour 52 centimètres : rien de plus ordinaire.

A l'époque, jusque dans les rues de nos grandes villes, l'orgueil de la vitesse devenait une valeur sûre, une aspiration de chacun, une preuve de liberté. Renault, Citroën ou Peugeot rivalisaient d'innovations pour offrir aux couples « modernes » le grand frisson de la route et de l'évasion. Aller vite, toujours plus vite. Tellement vite que ma mère fut, elle aussi, prise de vitesse. Je suis arrivé à la vie un mois avant le terme prévu. Je devais naître mi-septembre, ce fut mi-août. Mes parents ne savaient pas que le calendrier cycliste n'est pas très fourni à cette période de l'année…

Visiblement, j'étais un môme agité, très agité même. Disons dynamique. « Dès que tu as su te mettre debout, tu n'as pas marché, tu as couru… » m'ont toujours répété mes parents. Aujourd'hui encore, je bouge tout le temps, je m'affaire, je gesticule. Je suis incapable de rester figé, sur un fauteuil, sur un canapé. Gamin, la simple idée de ne rien faire me rendait hystérique. J'avais peur de l'inaction. Peur du vide. Plus je me dépensais, moins j'étais fatigué ! Je ne puise ma quiétude que dans l'action. Les profs ne savaient pas comment se comporter avec moi : ils m'engueulaient tout le temps. Entendons-nous bien. Ce n'est pas que l'école ne me plaisait pas, bien au contraire ! J'ai toujours plutôt aimé l'école et à certaine période de mon adolescence j'ai même pu y montrer un certain zèle.

Je ne me souviens pas des trois premières années de ma vie à Paris, rue Davy, dans le XVIIe arrondissement. Dès 1963, mes parents déménagèrent à Tournan-en-Brie, en Seine-et-Marne. Nous vivions à 35 kilomètres à l'est de la capitale, au cœur de ce qu'on nomme aujourd'hui pudiquement la « grande banlieue ». Mais il faut se reporter à l'époque et aux années soixante : la Seine-et-Marne, c'était la campagne. Vraiment la campagne.

Mes parents louaient un appartement dans un immeuble de quatre étages. Nous logions au troisième. Sans ascenseur. Mais il me suffisait de descendre les escaliers pour me retrouver en pleine nature. A une centaine de mètres, bois et champs me tendaient les bras. Avec les copains, on y édifiait des cabanes, on les démolissait, on les rebâtissait. Les journées s'éternisaient. Quand venait l'heure de manger, ma mère me hélait par la fenêtre. La plupart du temps, elle devait s'armer de patience. J'avais autre chose à faire. Je me rendais introuvable. J'arpentais la forêt dans les moindres détails. Heureux d'être dehors. Le goût de l'aventure et de l'indépendance.

Il n'y avait aucun sportif pratiquant dans ma famille. Mon père possédait bien un vélo de course, qu'il avait utilisé, jeune, juste pour se promener. Le sport, c'est donc mon histoire. Rien que mon histoire. A l'école, j'ai touché à tout : foot, hand, athlétisme, volley, etc. Tout ce que je pouvais faire, je n'hésitais pas. J'étais le gars idéal pour les profs de gym.

Mais je ne faisais du sport que le jeudi, dans le cadre des

activités scolaires. Tous les week-ends, je vivais un véritable traumatisme : les repas de famille. Ils se déroulaient en particulier les dimanches, chez mes oncles, mes tantes, chez ma grand-mère aussi, qui habitait à Paris dans un trois pièces sombre où je ne pouvais pas bouger sans me cogner aux meubles. C'était l'horreur intégrale et ça m'a laissé de mauvais réflexes : j'ai même gardé une certaine aversion de la famille. Mon frère, plus jeune de trois ans, est tout le contraire de moi.

Femme « au foyer », ma mère n'avait pas le permis, ce qui ne facilitait pas l'autonomie des uns et des autres. Mon père, lui, était chef d'atelier dans une usine de tôlerie-mécanique. Issu d'un milieu ouvrier, il gagnait plutôt bien sa vie et incarnait à lui seul toutes les valeurs qu'on peut imaginer dans une famille modeste. Le goût du travail, l'esprit de sacrifice, une certaine dureté dans sa manière d'être et de se comporter avec les autres. En somme des valeurs simples qui ne sanctifiaient rien mais délivraient, même maladroitement, l'essentiel de ce qu'il convient d'inculquer à des enfants.

Il partait très tôt le matin, vers 6 heures. Et il ne rentrait jamais avant 20 heures. Comme de nombreux pères, on ne le voyait pas beaucoup. Mais quand il était présent, sa sévérité le guidait. Sa main était aussi lourde que pouvaient l'être beaucoup de mes bêtises. J'ai donc pris beaucoup de taloches. Et des sévères encore... Je n'aspirais à rien d'autre que d'être moi-même à chaque instant, sans contrainte d'aucune sorte. Turbulent et agité, je testais mes limites. J'adorais jouer avec le feu ; limite pyromane. Mais à la moindre connerie, mon père était toujours en rage contre moi. Un jour, il a décidé de me punir une semaine de rang et dès qu'il rentrait le soir, il me fessait. Je serrais les dents. Je ne disais rien. Quand il arrêtait, je le regardais dans les yeux et lui lançais : « C'est fini ? » Puis je remontais mon froc sans rien dire. Sans pleurer. Aucune trace de transpiration sur mon visage. J'étais dur au mal.

L'image de l'autre n'est souvent qu'une façade. Mais cette image de soi, aussi éloignée soit-elle de la vérité, colle à la peau – difficile de la déchirer. J'ai toujours porté des lunettes. J'ai toujours eu cette tête-là. Reconnaissable entre toutes... Aux yeux de tous, mon visage est donc immuable et mon regard définitivement cerclé de l'appareillage obligatoire. Chacun comprendra que pour un coureur cycliste ce n'est pas qu'un détail sans intérêt. Les rares qui furent dans ce cas, contraints au port des lunettes en un temps où les verres de contact n'existaient pas, l'ont toujours avoué : c'est un handicap.

Depuis l'âge de 6 ans, ces lunettes ont constitué une partie de mon être, de mon physique, de mon apparence, de ma reconnaissance par tous au premier coup d'œil. Gamin, je les perdais tout le temps. Surtout dans les bois voisins... Combien de fois ai-je vu mon père partir à leur recherche, avec une lampe-torche, tard le soir à se casser les reins pour les retrouver. Etonnamment, il les retrouvait toujours...

Avec ma bande de copains, on jouait beaucoup au foot : c'était d'ailleurs ma seule vraie passion sportive. Sauf que plusieurs d'entre eux – une forme de destin – pratiquaient le vélo. Ils s'appelaient Rosario Scolaro, Olivier Audebert, les frères Olivier et Bernard Chancrin, Stéphane Calbou... Je ne me souviens pas bien des circonstances, mais ils m'ont donné envie d'essayer. Je voyais bien qu'un gars comme Rosario s'y épanouissait, s'éclatait.

C'était en 1975. Jusqu'à ce jour, jamais je n'avais songé à monter sérieusement sur un vélo. Je ne saurais en donner la raison. Toujours est-il que, à la cave, le vieux « biclou » de mon père, de marque « Vigneron », n'attendait que moi. Il me l'a méticuleusement remis en état. Et j'ai eu de la chance : c'était un vélo hyper léger, avec des haubans fins et des fourches élégantes pour l'époque. J'ai aimé cette machine un peu ringarde, qui ne manquait pas d'allure et me conférait un statut particulier. Certains se moquaient de moi. Faut dire, il y avait encore deux porte-bidons à l'avant. Une antiquité. Mais qu'importent les railleries. Rien ne m'impressionnait.

La première fois que j'ai roulé avec les potes, ce fut presque une révélation. Non seulement j'ai aimé ça quasi immédiatement, mais, dès le début, à ma grande surprise et à la stupéfaction générale, j'ai réussi à suivre le rythme des autres. Je me montrais maladroit, un rien lourdaud, mais dès qu'il fallait appuyer sur les pédales je n'étais pas le dernier à cravacher. Un jour, ils ont voulu me mettre à l'épreuve : personne ne m'a largué. Dans les mini-sprints qu'on organisait entre nous, il m'arrivait de plus en plus souvent de faire jeu égal, parfois de glisser une roue victorieuse.

« Pourquoi ne prendrais-tu pas une licence ? » a fini par me demander Rosario. Lui, il créchait dans le village voisin, à Gretz, et il arborait déjà le maillot vert et blanc du club « La Pédale Combs-la-Villaise ». J'ai dit « oui ». Le jour où j'ai pris ma licence, en 1976, le président Dumahut m'a dit : « C'est un sport difficile, tu sais, très difficile même. Tu as 16 ans, tu es déjà âgé, d'autres ont commencé bien avant toi. Avec le cyclisme, fini la rigolade, fini les bêtises. Tu es sûr que tu le veux ? » Le type se voulait impressionnant. Comme s'il voulait me dissuader. Manqué. D'autres à ma place auraient pu reculer après semblable discours. Moi, ça m'a encore plus motivé. Et je me suis retrouvé à Combs-la-Ville avec Rosario et un entraîneur, Monsieur Lhomme, qui m'a laissé un souvenir impérissable... Sans lui, ma passion aurait-elle grandi ?

L'envie de participer à des courses se manifesta rapidement. Mes parents s'y opposèrent. C'eût été pour eux un trop grand sacrifice de remettre en cause les repas dominicaux. Surtout pour des futilités comme le cyclisme... Ils n'avaient qu'une obsession : mes études. Alors, dans leur dos, je me suis mis d'accord avec les copains pour que leurs parents m'emmènent les jours de course. Mis au pied du mur, mes parents n'ont pas pu s'y opposer. A cette période-là, ils n'imaginaient pas encore à quel point la passion allait m'accaparer et progressivement occuper toutes mes pensées. Par contre, ils savaient que quand je montrais de la détermination pour quelque chose, il était compliqué de me convaincre du contraire.

Lors de ma première course officielle, ce fut ce qu'on appelle un coup de maître. Elle se déroula à Vigneux-sur-Seine. C'était le « Prix de la tapisserie Mathieu », disputé sur 50 kilomètres, une espèce de tourniquet à répéter un nombre incalculable de fois. Je suis parti à l'assaut d'un monde inconnu, sur ma seule valeur physique. Jusqu'à ce jour, je n'avais connu que des entraînements assez peu sérieux, à cinq ou six, les jeudis. Tous les jours de la semaine je prenais le bus à 7 heures du matin pour me rendre au lycée à Lagny et comme mes parents ne voulaient pas que je roule à la nuit tombée, je n'enfourchais mon vélo qu'une fois par semaine. On faisait des jeux entre nous. On s'organisait des petites courses. Des sprints. Des attaques. Des contre-attaques. Ce côté anarchique n'était pas pour me déplaire.

Aussi, le jour de la course à Vigneux, en présence d'une soixantaine de cadets, je m'aperçus vite que là aussi rien n'était structuré. Sans savoir pourquoi, ça accélérait, puis ça ralentissait, je n'y comprenais rien, mais ça convenait bien au « chien fou » que j'étais encore. Vers la fin de course, je me suis retrouvé échappé avec Scolaro, Audebert, mes potes, et d'autres garçons. Comme nous le faisions à l'entraînement, avec la même insouciance, j'ai placé une attaque assez sèche, pour voir, pour m'amuser. A ma grande surprise, je me suis retrouvé seul. J'ai regardé derrière moi, étonné. Une fois. Deux fois. Puis je me suis résolu à rouler sans me poser de questions. Personne ne m'a rejoint ! Et, lorsque j'ai franchi la ligne d'arrivée en vainqueur, avec 45 secondes d'avance sur Audebert, je n'ai même pas levé les bras. J'ai cru que j'avais fait une connerie et que l'entraîneur allait m'engueuler. Quand celui-ci est venu me voir pour me féliciter, je lui ai demandé : « J'avais le droit de gagner ? » Il a souri.

Une chose était sûre. J'avais gagné en jouant. Jouer, ça a toujours été important. La course, c'est sérieux à partir d'un certain point, mais au fond de moi, toujours, est restée l'envie du jeu. Aimer l'attaque, la tactique. Sinon, je m'ennuie assez vite. Ce qui m'avait plu par-dessus tout ce jour-là à Vigneux, c'était l'esprit de compétition. La possibilité de gagner. Sans ce but, je ne suis plus tout à fait moi-même, je me sens moins concerné, je suis moins dans le coup. Une belle course, c'est toujours quand il y a du mouvement.

Après cette victoire inattendue, j'étais irrésistiblement poussé vers l'avant. A tous les entraînements, toutes les courses (j'en ai gagné trois autres, pas de quoi pavoiser !), je ne me sentais bien qu'en tête du peloton. Je n'arrivais pas à « traîner » derrière. C'était antinomique pour moi. Un non-sens. Inutile de dire qu'après ce premier épisode victorieux, mes parents ont décidé de s'occuper de moi et plus jamais ils n'ont participé à des dimanches en famille... La greffe fut rapide et très vite ils ont appris à aimer l'univers des courses, le contact avec les autres parents, les odeurs d'embrocation aux petits matins frileux sous l'œil hagard des premiers lève-tôt, les effluves de café chaud, les voitures sens dessus dessous, ravagées par le bordel, ce côté bohémien, ces parkings où les jeunes cyclistes errent... Pas de quoi prendre la grosse tête. C'était le temps où on se levait à 5 heures du mat' pour engloutir un steak et des kilos de pâtes trois heures avant la course : la diététique n'en était qu'à ses prémices.

Triomphe de l'adolescence. Avec ses conneries. En 1977, en première année juniors, je me suis pris pendant plusieurs mois pour un expert en mécanique, ce qui, toute ma carrière, n'a jamais été le cas pourtant... Avec Scolaro, on avait fait un pari stupide : celui qui aurait le vélo le plus propre, le plus beau, le plus reluisant ! Alors, tous les samedis, je le démontais de fond en comble, pièce par pièce, avant de le remonter. Sauf que je n'étais pas un mécano... Conséquence : les dix ou onze courses qui ont suivi, j'ai systématiquement cassé quelque chose. Une chaîne, un câble, une pédale, un rayon... Sans le savoir, je me suis mis en danger. Il a fallu que mon père se fâche et qu'il m'interdise de traficoter ma bicyclette. Il a eu raison. Résultat : j'ai remporté la course suivante, sans aucun ennui mécanique. Ma seule victoire de l'année.

Je dois admettre qu'à l'époque je ne savais pas faire de vélo : je tombais souvent, je courais n'importe comment, je ne voyais rien venir, je n'anticipais pas grand-chose. J'étais en apprentissage, sans comprendre bien sûr que j'apprenais mon futur métier. Cela me plaisait énormément et il m'arrivait, en pleine possession de mes moyens, de flirter avec des moments de grâce absolue, ces quelques rares instants, furtifs, où l'on se sent en harmonie avec soi-même, les éléments qui nous entourent, la nature, le bruit du vent, les odeurs… Gardons-nous des mots. Mais quand même, je dois l'avouer : j'étais heureux.

On n'est pas sérieux quand on a 17 ans !

Mais à chaque fois que je me montrais sérieux, je gagnais assez facilement. Je ne m'explique pas cette aisance. Mais elle était bien là.

Il y avait à l'époque trois catégories juniors : A, B et C. Les filières jeunes s'organisaient beaucoup mieux qu'aujourd'hui. En 1978, j'ai un souvenir précis du championnat d'Ile-de-France contre-la-montre par équipe, qui se disputait sur 42 kilomètres. Pendant presque toute la course, au moins sur 25 kilomètres, personne n'a pu monter à ma hauteur pour me prendre un relais. Je volais littéralement. Ce jour-là, contrairement à ce qu'on pourrait croire, je n'ai absolument pas pressenti un possible avenir. Je n'imaginais pas que le cyclisme, dont le vrai moteur reste la passion de jeunesse, se transformerait pour moi en promesse de longévité, faisant chavirer mes sentiments au plus grand profit de mon esprit de compétition.

Je vécus alors une sorte de métamorphose complète. Quelque chose permettant la fusion entre mon âme et mes entrailles. Un jour à l'entraînement, j'ai eu un pressentiment à la fois merveilleux et totalement déroutant. En regardant les autres autour de moi, je me suis dit : « Mais je suis meilleur qu'eux ! » Allez expliquer cela ! C'était là. En moi. Telle une certitude. Et cette conviction alimentait mon ardent désir de progresser aussi vite que possible.

En 1978, j'ai participé à une quarantaine de courses. J'en ai gagné dix-huit ! En fait, je levais les bras presque tout le temps et je m'amusais de ce destin sympathique. Tout me réussissait. Je gagnais au sprint. En solitaire. Sur le plat. Dans les côtes. Quelle que soit la configuration, j'attaquais, je gagnais. Un jour, un entraîneur m'a glissé : « Tu es doué. » Je venais de gagner cinq courses de suite.

Heureusement, j'étais protégé des rêves de gloire. Jamais je ne me suis dit que j'allais « faire carrière », « devenir pro » ou je ne sais quoi. La soif de vie me servait de carapace.

A mes chères études

Les grands sages sont rarement de grands sportifs ; faut-il en conclure que les sportifs sont rarement sages ?

Jusqu'à la fin de l'adolescence, la timidité fut mon talon d'Achille, ma grande faille visible. Je rougissais pour un rien. Je m'enfonçais en moi. Bref, pendant longtemps je ne parvins pas à canaliser mes émotions. Progressivement, sport et notoriété me guériront et m'inculqueront une méthodologie simplifiée : pour vaincre sa timidité il faut oser. Et oser, n'est-ce pas l'une des qualités essentielles pour un sportif qui entend réaliser des exploits ?

Je ne connaissais pas l'histoire du cyclisme. Mon père s'intéressait peu aux événements sportifs et il ne lisait pas les journaux. A la maison, la télévision ressemblait pour moi à un meuble : je la regardais vraiment très peu et il ne me serait jamais venu à l'idée de l'allumer alors que je pouvais aller dehors ! Et puis, rappelons-nous qu'à l'époque c'était la préhistoire, il n'y avait que deux chaînes…

Même le Tour de France avait peu éveillé mon attention, encore moins attisé ma convoitise. Je n'ai que deux souvenirs de gosse associés à la Grande Boucle.

Le premier, en 1969, le 15 juillet exactement. Nous étions en voiture avec mes parents, la radio crépitait dans l'habitacle et un commentateur dont je ne connais pas le nom racontait en direct les premiers exploits d'un certain

Eddy Merckx dans le Tour, parti en solitaire entre Luchon et Mourenx. Le gars hurlait dans le micro, parlait d'un « Belge phénoménal » et le ton de sa voix m'avait fortement impressionné, même si, je dois bien l'admettre, le petit garçon que j'étais, âgé alors de 9 ans, se demandait comment on pouvait se montrer aussi enthousiaste pour une performance sportive qui ne changeait pas la face du monde. J'étais jeune. Je ne comprenais rien à ces débordements. D'autant que, six jours plus tard, Neil Armstrong allait poser le pied sur la lune… c'était quand même autre chose !

Mon second souvenir me ramène au début des années soixante-dix, mais je ne saurais le dater exactement. Nous étions en Vendée et le Tour passait dans la région. L'aveu m'est pénible, mais c'est ainsi : je ne me souviens d'aucun coureur précisément… j'en ai presque honte aujourd'hui.

Il a fallu que je prenne une licence et que je gagne mes premières courses en cadet pour que je commence à lire la presse spécialisée. Mais la greffe fut rapide ! Hermétique j'étais, passionné je devins. En un temps record ! J'ai fini par dévorer tout ce qui tombait sous mes yeux, ça me fascinait. *L'Equipe* tous les matins, *Miroir du Cyclisme*, *Vélo magazine*, toutes les revues… Non seulement j'ai rattrapé mon retard mais je me suis transformé en quelques mois en (modeste) spécialiste du genre. Peu à peu, le grand puzzle du cyclisme se constitua dans mon esprit et je pris conscience que ce sport était l'un des plus anciens, l'un des plus prisés, l'un des plus respectés, l'un des plus populaires. J'appris aussi que le Tour de France avait quelque chose à voir avec l'histoire de France du XXe siècle, que l'un croisait souvent l'autre. Le sport pouvait donc être autre chose qu'un résultat sportif publié dans *L'Equipe* !

Il faut dire que, déjà, j'étais un grand lecteur : mon autre manière de m'évader. J'ai toujours beaucoup lu et cette ardeur ne m'a jamais quitté.

Pendant ce temps-là, à l'école, j'ai poursuivi mon chemin jusqu'au bac, cahin-caha. Sans être très sérieux. Je me suis d'ailleurs retrouvé dans la filière D. Disons les choses : je n'apprenais quasiment jamais rien. Le cyclisme, dans ses exagérations, accaparait mon esprit. Toutefois, je n'étais pas du tout dans le « calcul » du vélo. A l'âge de 18 ans, devenir pro n'était pas un objectif, je n'y pensais même pas, pour être honnête : je m'entraînais, je courais, je gagnais des courses, j'aimais ça et c'était tout. J'étais déconnecté de toute possibilité d'avenir en ce domaine. C'était peut-être un bien.

Je me suis donc présenté au bac avec l'assurance de me planter. Dans les dernières semaines, j'avais révisé sans trop réviser… et j'ai eu la chance de ma vie ! Je suis tombé sur beaucoup de sujets que je connaissais à peu près bien. En géographie, l'économie du Japon : je maîtrisais sur le bout des doigts et pour cause, on l'avait eu au bac blanc. En physique, l'électricité : le seul truc dans mes cordes.

Pour l'espagnol, il était prévu, sur la liste, que je passe en dernier. Le problème, c'est que le soir même j'avais une course pour la Saint-Jean. J'ai vaincu ma timidité et je suis allé voir les examinateurs pour leur expliquer à quel point c'était « dramatique » pour mon club de manquer cet événement pour lequel j'avais été préparé, que personnellement ce serait un « moment cruel » pour ma jeune carrière et que cela constituerait assurément un « coup d'arrêt » aux yeux de mes entraîneurs. La professeur, bluffée par tous ces arguments, compatissante, a décidé de me faire passer dans les premiers. Manque de chance, je ne connaissais pas du tout le texte proposé : panique. Me voyant dans l'embarras, elle a été très sympa et m'a questionné sur le cyclisme français et espagnol. Je m'en suis sorti. Et là aussi j'ai eu la moyenne.

Et tout a été comme ça. Une longue suite de coups de bol.

Bac en poche, l'été me tendait les bras. Je pouvais aller faire du vélo l'esprit tranquille.

Seulement voilà, mes parents continuaient de me mettre la pression. Eux pensaient à mon avenir. « Les études », « les études », claironnaient-ils. Avec un bac D, je ne pouvais pas faire ce que je voulais. Il me fallait donc un Deug. Mais lequel ? Jusqu'à l'adolescence, ce qui m'attirait, c'était la nature, les animaux. Devenir vétérinaire ou ornithologue, voilà ce à quoi j'étais destiné assez naturellement. Avec un bac D, plus la peine d'y penser. Alors, comme j'aimais bien l'électricité, je me suis lancé dans un Deug « science des structures de la matière ». Un titre pompeux qui impressionnait. Il n'y avait pas de quoi.

A la rentrée 1978, je me suis ainsi retrouvé à l'université de Villetaneuse. Entre le fin fond de la Seine-et-Marne et le bout de la Seine-Saint-Denis, j'aime mieux vous dire qu'il y avait du chemin. Pour être à l'heure au début des cours, à 8 heures, je partais à 6 heures de Tournan-en-Brie. Une véritable épopée urbaine quotidienne. Sauf que, cette année-là, un grave conflit avait éclaté à la fac : le ministère voulait délocaliser l'université. Souvent j'arrivais le matin, les cours étaient annulés. J'enrageais. Alors je repartais immédiatement pour refaire le chemin inverse, je n'attendais même pas de savoir si les profs allaient finalement se diriger vers les amphis. J'étais énervé. Un peu désabusé.

Une mauvaise période s'annonçait. Je me sentais très mal. Car « l'esprit » d'une fac, son fonctionnement, ses mécanismes, ne me convenaient pas du tout ! Moi, j'ai toujours eu besoin d'être structuré, dirigé, canalisé, sinon le naturel revient au galop, ma nature reprend le dessus. L'appel de la liberté. Si on ne me force pas à travailler, je ne travaille pas, c'est aussi simple que ça. A la fac, il fallait que je m'organise seul, les profs n'avaient aucune rigueur à notre égard. Ils donnaient des cours qu'on pouvait suivre ou non, mais il n'y avait aucun suivi véritable, aucun contrôle de l'assiduité des uns et des autres…

J'ai craqué. Explosé en plein vol. Si l'on cherche une preuve éclatante que le système était quand même laxiste et aléatoire, il faut savoir que du jour au lendemain j'ai décidé de ne plus me rendre aux cours, sans prévenir, et pourtant pas une seule fois les responsables de l'université n'ont cherché à connaître la raison de ma disparition. J'aurais pu être malade ou mort, c'était pareil ! Pour les partiels de février, je n'ai reçu aucune convocation et aucune réprimande de n'y être pas allé. Délirant… On pouvait sortir de la route volontairement ou simplement déraper, quoi qu'il advienne c'était loin des regards de l'institution.

Alors ? J'ai pensé « vélo ». De plus en plus. Comme une exclusive qui gagnait chaque jour tout mon être. Mon échec à la fac explique-t-il ce « transfert » inévitable ? Ou la passion du cyclisme avait-elle grandi en moi au point de tout balayer progressivement ?

Du matin au soir je pensais vélo, en effet.

Et dès le réveil je me voyais sur le vélo.

Le soir je me couchais en m'imaginant sur le vélo.

Le vélo. Toujours le vélo.

Alors j'ai pris mon courage à deux mains. Un soir, j'ai osé parler à mes parents. Je leur ai dit : « J'arrête les études. » Ils ont été sonnés. « A la fin de l'année, je fais mon service militaire », ai-je ajouté. Après une discussion serrée, ils ont eu l'intelligence d'accepter ce que je leur proposais. Un monde s'effondrait pour eux. Il faut comprendre, ils avaient toujours placé les études au-dessus de toutes les préoccupations. Mon père a fermement annoncé : « D'accord, mais si tu ne vas pas à l'armée comme prévu, tu iras bosser ! »

Ça sonnait comme une sentence. Je savais à quoi m'en tenir désormais. Non sans appréhension. Une porte sur l'inconnu venait de s'ouvrir devant moi. La plus belle inconnue qui soit : la vie.

Vélo ou boulot ?

Des détrousseurs de vie. Des voleurs de feu. Des braqueurs de temps. Des pirates de générosité…

Voilà ce que nous étions vraiment en cette époque bénie. Le monde grimaçait dans l'après-choc pétrolier, la France découvrait le chômage de masse, mais, allez savoir pourquoi, notre jeunesse, la mienne du moins, vivait sur le tard une espèce de période débraillée. Tout était prétexte pour croquer l'existence à pleines dents, le moindre événement, la moindre sortie avec les potes, le moindre jupon, tout sonnait le rappel. Nous étions montés sur ressorts. Le ressort de la vie.

Être pleinement. Tout être. Et être tout à la minute… Ce n'était surtout pas une philosophie, mais une manière de vivre.

Et lorsque je montais sur mon vélo, l'appel du large me refilait des bouffées d'émotion. J'avais l'impression qu'on pouvait, qu'on voulait tout conquérir, sans savoir ni comment ni pourquoi, aspiré par cette seule tentation, comme l'aurait fait n'importe quel explorateur. Notre imaginaire était peut-être moins entamé que celui de nos enfants. Le virtuel est devenu leur norme quotidienne. Nous, par la force des choses, nous étions plus ancrés dans le réel. Et puis, merveille du vélo : c'est grâce à la seule force propulsive de ses jambes qu'on s'octroie de grands emportements de liberté. Juste les jambes. Voilà le petit miracle de la bicyclette, qui, à la frontière de l'homme et de la machine, reste une invention unique en son genre. Fusion de l'homme avec lui-même.

Époque bénie donc. Surtout pour les apprentis cyclistes. A la fin des années soixante-dix, les clubs regorgeaient de jeunes coureurs et on dénombrait une quantité incalculable de courses en France, pour toutes les catégories. Au plus fort de la saison cycliste, la France ressemblait certains week-ends à une course géante ! Quant au système de participation, il était extrêmement simplifié : il y avait encore des sélections départementales et régionales. Hélas tout cela n'existe plus de nos jours, au profit d'une redistribution uniquement par clubs. C'est bien dommage. Car le mode d'organisation de l'époque, même si tout n'était pas parfait, permettait non seulement une égalité des chances, quel que soit son club d'origine, petit ou grand, mais aussi un brassage des générations rendu ainsi plus aisé. En somme, il était plus fréquent de se confronter à de nouveaux coureurs. On se mélangeait. Bref, on s'ouvrait plus à la diversité, à la différence.

C'est dans cette ambiance qu'il me fallut honorer la parole donnée à mes parents : « Si tu ne vas pas à l'armée comme prévu, tu iras bosser. » Une demande fut donc faite pour entrer au Bataillon de Joinville et, à ma grande surprise, je fus immédiatement accepté. Dix-huit victoires chez les juniors, puis une dizaine lors de ma première année chez les seniors avaient certainement convaincu les recruteurs.

J'étais de la « 79/10 ». Traduction pour ceux qui n'entendent rien aux us et coutumes militaires : j'ai été incorporé en octobre 1979. Dès mon arrivée au Bataillon, j'ai retrouvé quelques compères de courses. Je n'étais pas dépaysé le moins du monde. C'est d'ailleurs là que j'ai connu Alain

Gallopin, qui allait devenir bien plus tard l'un de mes amis intimes. Lui, il venait de rempiler. Caporal-chef. On l'appelait la « rampouille ». Sur le vélo, il avait un talent fou. Il ne savait pas que le destin allait bientôt ruiner ses rêves cyclistes et briser la carrière à laquelle il se destinait.

Dans cet univers, dès les premiers mois, j'ai vite compris qu'il s'agirait d'une année quelque peu « bâtarde » pour moi. On imagine mal quelle fut ma surprise. Bien qu'installé dans un cadre militaire, avec des règles strictes et une discipline imposée, paradoxalement je me sentis rapidement comme à la fac : livré à moi-même, pas assez surveillé. Je n'exagère pas. Bien sûr, je ne rentrais chez moi que les week-ends, pour participer aux courses. Certes, il nous fallait respecter les programmes d'entraînement prévus spécifiquement pour les cyclistes – et on les respectait scrupuleusement. Mais en dehors de ces impératifs-là, le moins que l'on puisse dire c'était qu'on nous foutait royalement la paix ! Trop.

Du coup, il s'est passé ce qui devait se passer entre militaires de notre âge. On faisait un peu les cons, juste ce qu'il fallait pour ne pas sortir des clous, mais assez quand même pour s'amuser et s'évader un peu. Dès que les supérieurs avaient le dos tourné, autrement dit tous les jours (!), on sortait, on allait marcher dans Paris, on commençait à fréquenter quelques bars, on draguait de-ci, de-là, on fricotait. Des occupations de jeunes hommes quoi. Mais attention, on restait quand même sérieux avec l'alcool, sauf que toutes ces sorties étaient quelque peu contre-indiquées à des aspirants sportifs de haut niveau comme nous. D'autant qu'on mangeait n'importe comment, n'importe quoi, à n'importe quelle heure…

Je garde néanmoins de bons souvenirs de ces virées nocturnes. Côté sportif, l'équipe cycliste du Bataillon formait un ensemble collectif soudé, une belle armée de copains. Ce fut pour moi une sorte d'année de transition, profitable pour l'esprit d'équipe. J'avais en moi les mêmes caractéristiques, toujours un peu chien fou, attaquant intarissable mais tactiquement peu structuré. Quel fut mon seul vrai moment de grâce au Bataillon ? Le souvenir d'une magnifique course, sur l'île de Man. Un contre-la-montre par équipes, à trois, avec Alain Gallopin et Pascal Guyot. Ce fut une entente parfaite, une belle harmonie de jeunesse. On avait gagné. Et on avait lu dans nos yeux respectifs autre chose qu'une victoire ! Allez expliquer ça à ceux qui n'ont jamais fait de sport…

Quand je fus démobilisé, l'incertitude de la vie me tendait toujours les bras, mais plus tout à fait de la même manière. Malgré les vicissitudes et les écarts du parcours militaire, mon amour du cyclisme en sortait renforcé et ma conviction, jadis fugitive, était cette fois massive.

Mes parents n'avaient rien oublié de nos discussions. Moi non plus. Ils m'ont sondé : « Alors, comment vois-tu ton avenir ? » Sans réfléchir, j'ai aussitôt répliqué : « Je fais du vélo, c'est décidé et définitif ! » Mon père a précisé : « D'accord, mais il faut que tu trouves du boulot. »

Ce ne fut pas très difficile. Ni de trouver un nouveau club. Ni de trouver le boulot qui allait avec. Ma toute petite renommée en Ile-de-France m'avait précédé : j'ai signé un beau contrat à l'US Créteil, qui, jadis, avait déjà formé de grands champions comme Barone, Moucheraud, Trentin, Morelon…

Mon contrat était totalement adapté à mes besoins. Le matin, j'avais une activité d'employé à la mairie de Créteil. Les après-midi étaient réservés aux entraînements avec le club. Au début, je n'avais pas d'attribution concrète à l'hôtel de ville : autant dire que je ne faisais rien. Alors, pour absorber les heures en douceur, je traînais de service en service, ce qui, à l'occasion, ne déplaisait pas à certaines secrétaires. Le premier édile, qui me voyait tourner autour de la sienne (je parle de sa secrétaire), s'est alors résolu à… m'éloigner. Mais pour mieux m'occuper bien sûr : une mutation administrative interne ! On m'a changé de service.

Une mission exceptionnelle m'a été confiée : je devais aller de gymnase en gymnase, en mesurer la longueur, compter le nombre de portemanteaux, vérifier que les accès comportaient bien des poignées, m'assurer de la souplesse des tapis de gymnastique, etc. Mon orgueil n'avait même pas été ébranlé : je trouvais plutôt drôle cette situation.

Le bon côté des choses, c'est que ça m'a recentré exclusivement sur le cyclisme. Je « marchais » de mieux en mieux. Les envies d'autres choses s'estompaient. Et dès le début de l'année 1981, j'ai intégré l'équipe de France amateur. Je ne me souviens pas d'avoir été particulièrement heureux de cet honneur. Sans doute signifiait-il, pour moi, la suite logique de mon évolution. Mon « cyclisme intérieur » atteignait sa majorité.

Je me frotte au Blaireau

Nous étions de grands bavards sans pudeur. Je cherche aujourd'hui encore le souffle de ces paroles d'hommes en devenir, hommes qui aimaient tant le sens des mots qu'ils n'attendaient pas les calendes grecques pour les transformer en actes.

En 1981, dans les sélections en équipe nationale, j'ai fini par retrouver régulièrement un copain que j'avais connu en cadets, un grand copain, bientôt un intime : Pascal Jules. Lui dans un club du Val-d'Oise, moi à Créteil, nos routes hélas s'étaient peu croisées chez les seniors… Les retrouvailles furent immédiates : il y avait chez nous comme une évidence, même s'il était d'un milieu beaucoup plus ouvrier que moi. Nous sommes de la même génération, Parisiens tous les deux, résolument effrontés l'un comme l'autre, avec comme caractéristique essentielle une boulimie de vie insensée. Nos tempéraments s'additionnaient – et brûlaient les tempêtes ! Sans se le dire, entre nous se scella un pacte d'amitié si intense, si inviolable, presque sacré, qu'il dura tant que la vie durerait. La vie ne dure pas toujours.

A notre grande surprise, peu après le premier stage de la saison à La Londe-les-Maures, dans le Var, le sélectionneur tricolore nous annonça que nous participerions au Tour de Corse, l'une des courses dites « open » qui permettaient aux amateurs que nous étions de nous confronter aux professionnels. Le grand saut.

Sur l'île de Beauté, le favori portait un nom redouté dans le cyclisme mondial. Il avait déjà remporté deux Tour de France, le Giro, Liège-Bastogne-Liège, un nombre incalculable de courses prestigieuses et cette année-là, non seulement il arborait le maillot de champion du monde conquis de manière prodigieuse à Sallanches, mais depuis son abandon à Pau quelques mois auparavant dans la Grande Boucle chacun pronostiquait, le concernant, une année de revanche et d'orgueil. Et pour les autres, des larmes… L'homme s'appelait Bernard Hinault.

Peu volubile, devant nous il ne crânait pas. Tout juste montrait-il la puissance de son menton. Tout son être respirait l'assurance. Tout son être disait en permanence : « Je sais qui je suis. »

Nous autres, nous n'avions pas grand-chose à faire valoir, sinon notre jeunesse. Outre Julot et moi, Marc Gomez, Philippe Chevallier, Philippe Leleu et Philippe Senez formaient le noyau dur d'un équipage n'ayant pas froid aux yeux. Je n'avais qu'une envie. Regarder. Apprendre. Comprendre. Et profiter le plus possible de la présence du Blaireau. Alors, dès la première étape, devinez quelle fut mon attitude ? Je me suis résolument calé derrière Hinault. Dès que les circonstances de course nous éloignaient, je revenais systématiquement dans son sillage. Au bout d'un moment, il s'est demandé à quoi rimait ce manège. Pas dupe, il s'est écarté et m'a dit : « Que fais-tu toujours collé à mes basques ? » Je lui ai répondu : « Je n'ai jamais roulé derrière un champion du monde, je voulais savoir ce que ça faisait. »

Le même genre de scène s'est répété, bien après la fin de ma carrière. Lors d'une cyclotouriste, à laquelle participait

Eddy Merckx, je me suis collé derrière lui. Pour voir si on distinguait encore l'empire sous sa roue…

Arriva la première étape de montagne. Deux amateurs seulement suivirent le rythme imposé par les pros dans les derniers kilomètres des ascensions, Rostolan et moi. Je me comportais plutôt bien. Sauf dans certaines descentes, prises à tombeau ouvert. C'était impressionnant, terrifiant. Ma technique laissait à désirer : dans chaque virage je croyais que j'allais mourir. Et puis, comme aspiré, protégé par les autres, ça passait… 7e à l'arrivée, plutôt pas mal pour un amateur inexpérimenté.

Les organisateurs avaient conçu un contre-la-montre nocturne. Juste avant le chrono, il se passa quelque chose de providentiel. Cyrille Guimard en personne vint me voir. Directeur sportif de l'équipe Renault, donc d'Hinault, l'ancien coureur était à l'époque la science du cyclisme à lui tout seul, incarnation vivante du métier et de l'art d'être cycliste. Dès qu'il prenait la parole, allez savoir pourquoi, un siècle de savoirs cumulés semblait sortir de son cerveau. Il avait alors une telle aura que le moindre de ses gestes valait commandement pour tout un peloton guidé à vive allure.

Guimard me parla, mais de quoi ? Je ne sais plus. Puis, énigmatique, il me regarda longuement, comme pour piquer ma curiosité. Il finit par murmurer : « Pour ce soir, tu sais comment ça se passe ? » J'ai dit : « Plus ou moins. » Il reprit la parole : « Voilà mon conseil. Ecoute bien. Dans un contre-la-montre, tu pars vite, tu accélères au milieu et tu finis à fond. » Quelle étrange attitude : je crois qu'il n'avait rien trouvé de mieux à me dire ! Je n'avais pas osé rigoler. Une heure après, au milieu de tous ces pros, mon classement tombait : 15e. Prometteur.

Au bout de quatre jours, je m'étais vraiment bien acclimaté à cet environnement, à l'ambiance des pros, à leur manière de se comporter dont je n'entrevoyais que la partie visible, à leur rigueur aussi, leur sérieux apparent. Surtout, le rythme des courses me convenait admirablement bien. Les débuts d'étape glissaient en douceur, à des moyennes assez basses qui me laissaient le temps de chauffer la machine, puis, sans prévenir, tout s'accélérait, ça flinguait d'un coup ! Des conditions idéales pour moi. Pas de doute : j'étais dans mon élément. Attaquant. Puncheur. Un peu rouleur. Et surtout résistant aux cadences endurées… le cyclisme était fait pour moi.

Le dernier jour, Guimard est revenu me voir. Pascal Jules, qui s'était lui aussi superbement comporté toute la semaine, était présent. Il avait demandé à nous voir, ça ne se refusait pas. On était au garde-à-vous avant l'heure dite. « Voulez-vous que je suive votre saison… » a-t-il lancé. Nous étions pétrifiés d'envie. Après un léger temps d'arrêt, il a poursuivi sa phrase : « … dans le but, peut-être, de passer pro un jour ? » Il n'y avait rien à répondre à Cyrille Guimard. Il parlait, disposait, agençait. On a dû bredouiller un vague et inutile : « Bien sûr monsieur Guimard. » Il avait voulu nous impressionner. C'était réussi.

Pendant ce Tour de Corse, il avait été le seul directeur sportif français à être venu nous voir. Etait-ce un hasard ? Evidemment pas. Nous étions des amateurs au sang chaud, nous courions pour la première fois avec des pros et, chacun avait pu le constater de près : nous n'avions pas manqué d'audace… Pourtant seul Guimard avait éprouvé l'envie de nous parler.

Ses paroles envers nous – pour ne pas dire son engagement – étaient synonymes de contrat. Au moins contrat moral. Guimard avait dit. Il n'y avait plus rien à ajouter.

C'était à nous désormais de lui prouver qu'il ne s'était pas trompé. L'honneur nous y obligeait. En quelque sorte.

*
* *

On a toujours raconté énormément de choses sur le petit microcosme hermétique du monde amateur. Sujet de bien des fantasmes. Certaines histoires sont vraies, bien sûr, à condition de les expliquer, de les resituer dans leur période, dans leur contexte. Mais beaucoup d'affabulations méritent la contradiction.

Ce que j'ai vu chez les amateurs – je parle bien de mon époque – ne ressemble en rien à un univers de « tricheurs éhontés » capables de « vendre père et mère » pour gagner un peu de fric. En ce temps-là, tout était codifié par les « anciens », souvent des ex-pros qui finissaient ainsi leur carrière. Ils édictaient des règles de conduite que personne n'était obligé de respecter. Sauf que si on voulait vraiment participer aux courses, être devant, avoir une chance de gagner si on en avait envie, il était parfois obligatoire en effet d'accepter leurs petites combines, de jouer le jeu. Pour eux la morale n'était pas vraiment bafouée ; comme la terre tournait autour du soleil, c'était simplement comme ça et pas autrement.

Je ne parle pas là de dopage. Evidemment je ne dis pas que chez les amateurs il n'y avait pas de tricheurs : je suis même sûr du contraire et, quand j'y repense, ils étaient sûrement nombreux à marcher aux amphétamines puisque les contrôles n'existaient alors que chez les professionnels. Mais moi, j'étais jeune, je ne connaissais rien à tout cela et pour dire la vérité : ça ne m'intéressait pas. Je faisais du cyclisme pour m'éclater, pour la compétition, pour progresser par moi-même, pour gagner. Ce que je sais, par contre, c'est que, pour participer à une victoire, des alliances se nouaient. Elles se réglaient soit au départ, soit pendant la course.

Peu de temps après le Tour de Corse, je me suis retrouvé, un dimanche, à Châteaudun. Il y avait là des seniors comme moi, des vieux de la vieille, dans une ambiance plutôt fraternelle. Je me souviens qu'il y avait un vent à ne pas se dresser sur un vélo. Le vent : le pire ennemi du cycliste.

J'étais en pleine forme. J'aimais ces courses, car on y apprenait vraiment à courir. Rien à voir avec celles des pros, mais c'était quand même du sérieux. Les gars étaient durs au mal, ça roulait formidablement bien en peloton et j'apprenais toujours quelque chose à observer leur comportement. Seulement voilà, quand des coalitions se mettaient en place entre « anciens », autant dire que c'était réglé : il fallait être très fort pour les empêcher de tout régenter. Et puis comprenons bien : les amateurs y gagnaient leur vie…

Donc, ce jour-là, les anciens pros ne manquaient pas. Les Muselet, Van Vlaesser, quelques vieux Normands, etc. Je m'en souviens comme si c'était hier : ils étaient tous dans le coup. Moi, comme je marchais comme un avion, je n'ai pas arrêté d'être devant, de frotter, de relancer, de contrer. Bref, je perturbais leur manœuvre bien préparée à l'avance.

Au bout d'un moment, voyant surtout que je n'étais pas un feu de paille et que je risquais de leur faire perdre la course, le chef de cette petite est venu me voir pour me dire : « Mets-toi avec nous. » J'avais compris la combine. Je n'ai même pas réfléchi avant de répondre : « D'accord, mais à l'arrivée, c'est moi qui gagne ! » Ils ont proposé que je mette 3 000 francs au pot. C'était beaucoup pour moi. Mais c'était le seul moyen de rouler avec eux et de sceller un pacte de non-agression. Il fallait que j'apprenne. J'ai dit « oui ».

La course se déroula alors comme prévu. Ensemble nous étions imbattables. Preuve que j'étais vraiment en forme, je me suis retrouvé avec le chef en personne aux avant-postes. Nous étions de mèche tous les deux. Il fallait maintenant régler ça à la loyale. Je n'ai pas eu de chance. Dans une petite montée où se jugeait l'arrivée, mon dérailleur a sauté et j'ai fini deuxième. La poisse. J'étais déçu de perdre dans ces conditions.

Peu après la course, nous nous sommes retrouvés pour le partage des gains, comme c'était convenu. C'était la première fois pour moi. Et là, stupéfaction. Formant un arc de cercle, ils étaient tous présents à me dévorer du regard avec leur air supérieur, sûrs d'eux et de leur bon droit. Le chef, un peu méprisant, m'a regardé en me disant : « Finalement je ne donne que 1 500 francs. »

Non seulement il avait gagné, mais il mettait moitié moins au pot commun. J'ai trouvé cela injuste ! Sans doute voulait-il éprouver le jeune que j'étais, voir si j'allais réagir, préparer mon futur asservissement. Peut-être faisaient-ils ça avec tous les autres. Ils pouvaient se le permettre : ces gens-là tenaient tout d'une main de fer. Mais tout cela ne me plaisait guère. Je n'ai pas hésité longtemps. L'impulsif s'est réveillé en moi : je me suis fâché. Je n'acceptais pas cette injustice. On s'était mis d'accord sur le principe d'une collaboration et d'un montant pour la satisfaire. Pourquoi le remettre en cause ? Je me suis dressé face à eux et j'ai hurlé : « Vous me donnez mes primes et je me casse. Et je vais vous dire un truc : plus jamais vous ne me baiserez la gueule ! » Ils ont rigolé. Moi, fou de rage, j'ai ajouté : « Vous ne gagnerez jamais plus une course en ma présence. Allez vous faire foutre, salut ! »

Une fois tourné les talons, je les ai entendus se moquer de moi. Ils avaient dû me trouver arrogant et ridicule. C'était normal. J'étais jeune. J'avais tout à prouver. Et eux, du haut de leur ancienneté, avec pour tout bagage leur expérience et leurs blessures à l'âme, ils n'avaient qu'une envie : m'éreinter, m'humilier, me vassaliser. Je respectais ce qu'ils étaient. Je ne respectais pas ce qu'ils voulaient m'imposer.

Certains d'entre eux n'avaient pas réussi à rester pros, d'autres espéraient le devenir. On aurait pu aisément les trouver pathétiques, ces bougres, ces figures pâles... Quand j'y repense, je me dis que ces hommes étaient un mélange de bizarrerie et de noblesse. La bizarrerie : essayer de survivre là et nulle part ailleurs, dans un univers de souffrance physique, à éprouver leur organisme jusqu'à l'épuisement total. La noblesse : aimer à ce point le cyclisme, quoi qu'on en pense, et l'honorer à leur manière…

Donc. Ils avaient voulu se moquer de moi. Ils ne connaissaient pas mon caractère de cochon ! Alors, à chaque fois que cette joyeuse bande se retrouvait dans une course à laquelle je participais, je m'en tenais à la même règle de conduite : ou je gagnais moi-même ou je faisais en sorte qu'ils perdent ! Je peux dire que je ne ménageais pas ma peine pour parvenir à mes fins. Une seule fois ils ont réussi à me piéger, un jour où je me suis retrouvé isolé. Sinon, c'était réglé comme du papier à musique. J'étais devenu leur bête noire. Ils ont bien essayé de renégocier un pacte avec moi. Je ne mangeais pas de ce pain-là. Ils avaient voulu m'abaisser – c'était tant pis pour eux.

Sans le savoir, en forçant ma personnalité de la sorte et en affirmant une forme d'autorité, je me devinais en champion. Dans le clair de l'âge. Quoi qu'on en pense, ces mœurs m'ont endurci. Cela m'a appris à courir !

Mai 81. Tandis que la France vivait dans le fracas des espérances le séisme politique que l'on sait, moi, c'est un simple coup de téléphone qui allait changer mon destin. Du jour au lendemain. De l'autre côté du combiné, Cyrille Guimard. C'était très tôt dans la saison. Mais je l'ai distinctement entendu me dire : « Je te prends l'an prochain, tu signes chez moi. » Un étrange frisson a parcouru tout mon être, je crois que j'ai eu furtivement les larmes aux yeux. C'était fait. Le temps de réaliser, j'ai appelé Pascal Jules. Mon bonheur fut doublement plus grand. Guimard venait de l'appeler, lui aussi. Nous avons hurlé de joie ! Un cri d'union figé dans ma mémoire…

Le patron de l'équipe Renault nous avait donné rendez-vous en juillet, de bonne heure, le lendemain de la dernière étape du Tour de France, à l'hôtel Sofitel, porte de Sèvres. Nous étions là très tôt, le cœur battant la chamade. Le temps passa, pas de Guimard. On se regardait avec Julot, inquiets. Puis il a fini par arriver, très en retard, en survêtement. L'air un peu embrumé. Disons fatigué. Fin de Tour, soirée de fête… Il a peu parlé. Puis il a sorti les contrats. Inutile de préciser que nous n'avons rien relu de ce qui y était mentionné. On savait l'essentiel, c'est-à-dire notre salaire de néo-pros, 4 500 francs de l'époque. De toute façon, on n'aurait rien discuté avec Guimard : il nous aurait demandé de dormir avec des menottes, on aurait signé quand même !

Nous avons apposé nos belles signatures. Puis nous lui avons rendu les contrats, fiers de nous. Là, avec fermeté, il nous a dit : « Vous venez de commettre votre première erreur. » Stupéfaction. On ne comprenait pas ce qui se passait. Et lui, il s'amusait à laisser filer le temps, à laisser traîner le suspense. Au bout de longues minutes, il a fini par nous avouer : « Vous avez signé les contrats, vous me les avez rendus, mais vous n'en avez gardé aucun ! Erreur. » Il parlait comme s'il prenait la chose au sérieux. J'ai répondu du tac au tac : « Mais monsieur Guimard, on vous les a rendus parce que vous ne les avez pas signés. Pourquoi vouliez-vous qu'on garde un contrat que vous n'aviez pas signé ? » Il m'a regardé, étonné de cet aplomb. Il n'a trouvé qu'à dire : « Oui, mais quand même. » On retrouve tout Guimard dans ce dialogue. Toujours ce besoin de montrer une supposée supériorité, impressionner, s'affirmer.

Voilà. Nous étions sur un nuage. Non seulement j'allais devenir professionnel, mais Julot, qui était convoité par l'équipe Peugeot, courrait à mes côtés. A Créteil, j'étais désormais considéré comme une petite gloire locale (comme tout amateur venant de signer un engagement chez les pros). La fin de ma vie amateur se profilait sous les meilleurs auspices.

Guimard, qui avait déjà une sorte d'autorité morale sur nous, voulait absolument qu'on participe au Tour de l'Avenir. Avec Julot, on a préféré participer au Tour de Nouvelle-Calédonie…

Venir au monde sans le laisser nous dominer. Ainsi nous fûmes. Ainsi nous serions.

Les aigles de la Régie

« Où le danger est grand, c'est là que je m'efforce. » J'ai souvent pensé à ces mots de Jacques Anquetil. Anquetil-le-géant. Le magnifique. Anquetil-le-réprouvé-du-peuple. Sonner l'histoire. D'abord avec humilité. Puis par effraction.

Au croisement de ma propre histoire, qui s'ébauchait en première classe, je savais où j'arrivais en signant chez Renault. J'allais chez Guimard. Aux côtés d'Hinault. C'était comme entrer à l'ENA ou à HEC !

Avec Pascal Jules, nous réalisions donc le rêve de tout cycliste français qui débutait dans la carrière. Le plus beau passeport qui soit pour entamer non seulement une collaboration avec Cyrille Guimard, mais, aussi, porter les couleurs de la Régie. Je ne sais pas si on se rend bien compte aujourd'hui de ce que signifiait encore la place symbolique qu'occupait Renault à l'époque. Le lien quasi charnel qui unissait la Régie aux Français !

L'air du temps n'avait pas encore été emporté par l'air du vent.

A l'échelle du cyclisme, le prestige de la marque rehaussa encore les exploits d'Hinault et l'aura de Guimard. Les couleurs de guêpe, reconnaissables entre toutes, faisaient aussi peur qu'on peut l'imaginer. En quelques saisons, Hinault et Guimard avaient tout empoché. Grands Tours, grandes classiques, championnat du monde. Hinault régala le populo en égalant les aînés. Pour les jeunots que nous étions, le moindre de ses regards nous adoubait sans pour autant nous impressionner. Mais quand même, ça nous invitait à la modestie. Pour l'instant.

Lors du tout premier stage avec l'encadrement de l'équipe Renault-Elf-Gitane, à Rambouillet, nous avons été rassurés. Une bonne humeur, franche et libre, régnait entre tous. On aimait d'autant ça qu'on n'était jamais les derniers à rigoler ou à relancer la plaisanterie. On s'est fondus dans le paysage et notre humour très parisien a tranché avec les habitudes. Avec Pascal, notre complicité se voyait et faisait sûrement tache d'huile car l'ambiance était très agréable. Notre appréhension n'était plus qu'un lointain souvenir.

Il y avait beaucoup de jeunes autour de nous. La saison précédente, Pascal Poisson et Marc Madiot étaient passés pros. Et cette année-là, en plus de Pascal et moi, Martial Gayant, Philippe Chevallier et Salomon faisaient partie de la nouvelle garde. Une vingtaine de coureurs en tout. On ne connaissait personne et il fallait tenir son rang modestement. Mais il n'y avait pas de cérémonial particulier. Je suis bien conscient que, déjà à l'époque, malgré la fébrilité de ma jeunesse, j'avais un drôle de caractère. Beaucoup sans doute m'ont vite considéré comme un *effronté*, un emmerdeur, comme quelqu'un ayant un sale caractère.

C'est à l'occasion d'un stage dans le Sud, à Opio dans les Alpes-Maritimes, qu'on a fait vraiment connaissance, qu'on a commencé à se parler, à échanger des idées. Enfin, des idées… C'est beaucoup dire. Nos discussions avec Hinault n'allaient jamais bien loin à cette époque. Le soir, à table, le Blaireau jouait plutôt les grands frères et c'était assez sympathique. Il racontait ses exploits, la manière qu'il avait de se comporter dans un peloton quand il était en forme. Lors de ces repas collectifs, avec Julot, il n'était pas rare qu'on balance une vanne ou deux. Un jour, Hinault nous a dit, avec sa manière de parler, mélange de calme et de fermeté, genre si tu n'es pas d'accord on règle ça demain sur le vélo : « Rappelez-moi votre palmarès, les gars ? »

On rigolait bien. Et puis Guimard nous a vite composé notre programme d'entraînement. C'était du sérieux. Il était vraiment à la pointe. Il avait des fiches sur tout. Il s'intéressait à toutes les nouvelles méthodes. Il scrutait le moindre détail de ses poulains, le moindre de leurs défauts, les corrigeait et savait comment s'y prendre pour livrer à chacun le meilleur matériel qu'on pût alors trouver, des vélos sur mesure, des fringues dernier cri, etc. Dès 1982, il essayait même de se spécialiser dans les biorythmes : c'était son grand dada. Une passion passagère, comme on le verra plus tard…

Avec Julot, on savait à quoi s'attendre. En général, quand des jeunes débarquaient dans de grandes équipes, ils arrivaient pour se mettre au service de deux ou trois leaders, selon les objectifs primordiaux de la saison. Là, chez Renault, il y avait Hinault et seulement Hinault. Au moins c'était simple. On était tous des équipiers de Bernard Hinault. Et c'était comme ça pour tous les grands objectifs de la saison !

Les jeunes générations du XXIe siècle, nourries par la télévision et les mœurs cyclistes d'aujourd'hui, ne se rendent sans doute pas compte que, à l'époque, les grandes équipes et les grands champions ne se contentaient pas d'une seule course dans l'année, à savoir le Tour de France. Hinault, quand il en avait la force, écrasait tout sous sa roue et il gagnait tout ce qu'il pouvait du début à la fin de la saison, en mars comme en novembre. En ce temps-là, le champion ne faisait pas dans le petit, dans le modeste. Quand il gagnait, il gagnait vraiment.

Ainsi nous n'étions que des équipiers. Mais d'ambitieux équipiers. Car il y a une chose dont on était sûrs avec Pascal Jules : on savait qu'on allait gagner des courses ; mais on ne savait pas lesquelles. On avait montré ce qu'on savait faire chez les amateurs. Pas froid aux yeux, on ne doutait pas de notre niveau. Mais pour gagner, il y avait une condition préalable. Il fallait que Bernard Hinault ne décide pas de lever les bras le même jour, parce que, sinon, il n'y avait pas photo !

Quand Hinault était au sommet, il atteignait des altitudes que seuls les aigles pouvaient survoler. Et encore. Pas tous.

Faire le métier

« Il faut comprendre pour juger. Mais comment peut-on juger quand on a compris ? » Je ne saurais dire où j'ai entendu ces mots. Sans doute dans la bouche d'un juriste. Ou celle d'un avocat. En tous les cas de quelqu'un qui a réfléchi à la complexité de la vie…

Dès les premiers mois chez Renault, quelque chose me frappa particulièrement. Les « vieux » ne voulaient pas tout dévoiler aux jeunes. Il y avait comme des mystères, des messes basses, des cachotteries. C'était assez diffus, bien sûr, pas clairement affiché, mais très vite j'ai compris que les jeunes étaient tenus à l'écart de certaines discussions. Je trouvais ça normal ; et pourtant assez injuste. Il y avait un côté « tradition » qui nous sautait aux yeux, comme si on pratiquait des choses ancestrales et qu'on ne faisait que les répéter, parce qu'il fallait les répéter, parce que c'était ainsi.

On en parlait beaucoup avec Pascal Jules. On voulait percer ces mystères, les comprendre, d'autant que nous, on avait plutôt l'habitude de ne rien cacher, d'être dans des relations humaines plus directes. On s'en amusait aussi, de ce qu'on voyait, car on imaginait des trucs un peu cons. En même temps, on savait qu'on devait faire nos preuves. Une période d'apprentissage assez ordinaire, un passage obligé, comme pour tout le monde. On était des profanes, on devait donc devenir des initiés, progressivement, patiemment... Sauf que, au bout d'un moment relativement court, notre impatience avec Julot se transforma en volonté d'en découdre : on avait envie de forcer les portes, de précipiter notre enseignement ! On voulait tout connaître. On avait soif d'être intégrés.

Bernard Hinault, fidèle à lui-même, assez hiératique dans ses comportements mais d'une grande simplicité dans les rapports humains, se comportait vraiment bien avec nous. Bien sûr, il lui arrivait de nous fermer la porte de sa chambre, comme le faisaient tous les anciens, mais il ne refusait jamais un bon mot, un conseil, dès qu'on le sollicitait. Cela étant, on n'osait pas lui parler de ses méthodes d'entraînement. On aurait eu trop peur qu'il se braque. Parfois, il était aussi fermé que les autres. Breton, hypercrack : il nous impressionnait à plus d'un titre !

Souvent, on surprenait des bouts de discussions. Dans la bouche de gars de l'encadrement, des masseurs, des kinésithérapeutes, des adjoints de Guimard, on entendait le mot miracle de l'époque : « préparation ». Ou alors : « Celui-là il fait le métier. » « Faire le métier » : combien de fois dans ma vie ai-je entendu cette expression fourre-tout qui signifie tout et son contraire ? Préparation : on en parlait fréquemment avec Pascal Jules et je me souviens comme si c'était hier que, au début, on ne savait pas trop ce que signifiait ce mot énigmatique. Qu'on me croie ou non aujourd'hui, j'assure que c'est la vérité : on ne pensait pas du tout « dopage » quand on entendait « préparation ». Était-ce parce qu'on était jeunes ? Ou étaient-ce les conventions qui ne mettaient pas forcément certains mots à la bonne place ? Qu'importe au fond. Je découvrirais tôt ou tard que ladite « préparation » était un ensemble de choses et que l'aspect médical, là-dedans, ne tenait une place que très secondaire.

Quand on voit ce qu'est devenu le cyclisme un peu plus tard, on peut dire que c'était vraiment une autre époque…

Puisque nous n'avions pas accès à tout, nous étions donc à l'affût de la moindre information. On traquait le plus petit indice et il nous fallait des trésors de patience et beaucoup d'attention pour décrypter le sens de ce qui se disait parfois. Néanmoins l'intégration se passait assez bien. Nous étions rigoureux dans le boulot, dans les séances d'entraînement. Le cyclisme, c'est simple : à partir du moment où tu respectes le travail de chacun, tu fais assez vite ton trou. Et dès qu'on est mis en confiance, on ose certaines questions. Mais les anciens renvoyaient toujours à « plus tard ».

Tout cela manquait d'explications. Avec le recul, je me dis que c'était à la fois bien, car ça protégeait les jeunes, mais que c'était quand même un danger de ne pas expliquer. Car quand tu n'obtiens pas d'explication, tu comprends ce que tu veux, tu fantasmes. Quand il y a explication franche, au moins tu peux te déterminer et faire un choix. En connaissance de cause.

Osons poser une question qui brûle les lèvres de tout le monde, puisque certains journalistes, après ma carrière, m'ont confirmé que ça se disait beaucoup. J'ai donc entendu dire ici ou là que le dopage était fréquent chez Guimard et qu'il incitait lui-même ses coureurs à y recourir. C'est complètement faux ! Et même assez minable d'affirmer ce genre de chose ! Dire que tout le monde prenait « tout et n'importe quoi », c'est tellement ridicule et tellement éloigné des mœurs que j'ai connues, que j'ai un peu honte qu'on puisse comparer les époques aussi naïvement. D'autant qu'à notre époque, je dois le rappeler avec fermeté, la quasi-totalité des produits qui existaient sur « le marché des sportifs » (et pas seulement des cyclistes) étaient détectables lors des contrôles antidopage et les cas positifs sont assez nombreux pour le démontrer. Ce n'est qu'au début des années quatre-vingt-dix que les produits « miracles », comme l'érythropoïétine (EPO), ont fait leur apparition dans le sport. Chacun sait bien, dès qu'il investigue un peu, que les époques ne sont nullement comparables.

Au fond la vérité est la suivante. Elle tient en deux phrases :

— de mon temps, les formes de dopage étaient dérisoires et les exploits étaient considérables ;

— depuis une quinzaine d'années, c'est tout le contraire, les formes de dopage sont énormes et les exploits, eux, sont dérisoires.

Dans mes années, le dopage n'était pas généralisé. On gagnait encore beaucoup de courses à l'eau claire ! Que voulait dire « se préparer » ? Il y avait deux manières. D'abord l'entraînement, le physique, l'alimentation, le repos. Ensuite la préparation médicale, qu'on ne peut même pas appeler « scientifique » tant elle était encore empirique et artisanale ! Les coureurs y venaient naturellement, dès qu'un coureur était néo-pro, et tâtonnaient dans leur coin pour voir ce qui leur convenait ou non. Bien sûr, les directeurs sportifs posaient toujours la même question : « Tu fais quoi en ce moment ? » Cela signifiait : « Que prends-tu ? » Cela ne concernait pas que le dopage, d'ailleurs, mais aussi les vitamines, les fortifiants, pour ne pas se créer des carences en quoi que ce soit, etc. Mais, sous-jacente, la question était bien là : « Est-ce que tu te prépares bien ? » Là, ils parlaient bien sûr des produits qui améliorent le rendement. Si on voulait être le meilleur, il fallait apprendre à s'améliorer sur tous les plans. Et forcément, les préparations faisaient partie du décor. Au minimum les coureurs se renseignaient. Et faisaient leurs choix… C'est la « méthode cycliste ». C'est « faire le métier ».

Avec Pascal Jules, nous aussi on a cherché à comprendre, à savoir pourquoi les anciens se cachaient dans leurs chambres. Nous n'étions pas naïfs à ce point-là. Quand on se « préparait » médicalement, ce n'était que pour les grandes courses, contrairement à aujourd'hui. A l'époque les produits interdits les plus fréquents étaient connus de tous.

Les amphétamines, qui circulaient beaucoup dès qu'il n'y avait pas de contrôle, mais qui avaient une durée de vie très limitée et une efficacité aléatoire selon les cas. Elles étaient aussi utilisées de manière « festive », comme dans les critériums par exemple, où c'était une véritable tradition, une manière de vivre. C'était vraiment pour s'amuser : on y faisait la fête tous les jours…

Les anabolisants, qui ne se prenaient déjà quasiment plus car détectables très longtemps dans les urines. Et il n'y avait pas encore de testostérone, ni d'hormones de croissance, qui viendront plus tard, ni de manipulation de sang (à ma connaissance), ni d'EPO…

Toutefois, le produit qui dominait alors, c'était la cortisone. Pour une raison simple : cet anti-inflammatoire était non détectable. Il faut donc bien comprendre que nous n'avions pas du tout le sentiment de tricher : chacun s'arrangeait avec sa conscience. Et puis tout le monde le faisait ! Moi, je ne prenais jamais de risque. Ni physiquement, ni sportivement. J'étais dans le système, à ma manière. Mais ça ne m'a jamais paru étonnant de « faire le métier ». Sachant qu'à toutes les époques il y a des sportifs raisonnables et d'autres totalement inconscients.

N'oublions jamais que dans toutes les équipes, au début des années quatre-vingt, on ne parlait jamais de « dopage ». Le mot était évidemment banni, interdit de séjour. On ne parlait que de « soins ». Car évidemment, on prenait beaucoup de vitamines, par exemple de la B12. C'était même assez systématique. Avec Pascal, nous étions plus persévérants que patients. Dès qu'on voyait que certains cherchaient à s'isoler, on rentrait dans leur piaule, on s'asseyait sur un lit et on attendait. Eux, gênés, n'osaient plus bouger ni prononcer le moindre mot. « Expliquez-nous », lançait-on. Ça les emmerdait. Mais nous, on trouvait tout cela absurde. Nous nous sommes juré avec Pascal de ne jamais nous conduire ainsi avec les jeunes.

Heureusement, Cyrille Guimard tentait de rééquilibrer les choses. Lui au moins parlait beaucoup aux néo-pros, transmettait énormément, interrogeait les gars, les sondait, leur demandait si ça allait, s'ils avaient des problèmes, bref, il ne se contentait pas de piloter une voiture le jour et de faire la fête le soir ! Lui au moins se sentait redevable de ses coureurs, de leur santé, de leur psychologie, de leur mental.

Et puis, pour bien comprendre que les époques n'ont rien de comparable entre elles, il faut savoir que, jamais, dans toute ma carrière, on n'a parlé avec moi ou autour de moi de « dopage ». Parfois on demandait : « As-tu pris quelque chose ? » Mais c'était tout. Et la plupart du temps, on ne considérait pas cela comme de la tricherie, ce qui peut paraître incroyable de nos jours ! Dans l'ambiance et le contexte de l'époque, où l'on croisait encore dans les courses Thévenet, Zoetemelk ou Van Impe, le système avait tout intégré, tout digéré. Sans doute qu'aux yeux de certains tout cela paraissait normal, ordinaire, approprié à ce que devait être le sport.

Dans ces années-là, moi, je n'ai jamais parlé à un autre toubib que celui de l'équipe, Armand Mégret. Ça ne me serait même pas venu à l'idée d'aller voir ailleurs comme l'ont fait tous les coureurs par la suite ! C'étaient de vrais médecins, ils s'occupaient de notre santé et de rien d'autre.

Telles carences réclamaient telles vitamines. Après, les coureurs n'avaient pas les mêmes réactions selon les cas. Moi, sauf quand j'étais malade, j'ai toujours détesté les médicaments et mon organisme les supportait mal. Imaginez un peu. De simples prescriptions pour la grippe ou une angine pouvaient me rendre encore plus malade, alors…

D'autres étaient différents. Dans cet univers ultramédicalisé où les valises de médicaments sont abondantes et nombreuses, la tentation était grande de prendre toujours quelque chose, des vitamines, des fortifiants, etc. Pour se rassurer. Anticiper je ne sais quels maux. Objectivement, il y a des périodes de la saison, quand il fait froid en particulier, où en effet il faut bien se soigner pour monter sur le vélo ! Et ça, forcément, ça crée des habitudes qui peuvent dégénérer, je l'admets. Pour bien faire notre métier, on finit par croire que le médicament est aussi irremplaçable que la bicyclette. J'ai connu des gars qui réagissaient ainsi. Ceux-là ont souvent exagéré.

Côté ambiance de vie et provocations verbales, avec Pascal, on évitait toutefois d'aller trop loin. On respectait quand même l'essentiel des règles du milieu. Jusqu'à un certain point. Il fallait voir la tête de Maurice Le Guilloux, Hubert Arbes, quand on se permettait, à table, de charrier Hinault ! Ils plongeaient le nez dans leur assiette, honteux à notre place… Mais nous, on ne s'en privait pas. Car il n'y avait rien d'irrespectueux, c'était juste un changement d'ambiance, on participait à la désacralisation d'un monde ancien. On bousculait l'ordre établi. Après tout, moi aussi j'ai connu ça, bien plus tard. Il faut accepter qu'un monde en renverse un autre. La roue tourne.

Cette année-là, avec Julot, nous étions loin de nous poser tant de questions. Nous pensions plus aux plaisirs de la course qu'à ses travers. A propos de « plaisirs ».

Lors du premier stage à Rambouillet, en présence de tout le monde, coureurs et encadrement, Cyrille Guimard a pris la parole. Beaucoup plus solennel que d'ordinaire. Un silence impressionnant se fit dans la salle. Là, c'était bien le patron de l'équipe qui prenait la parole, pas le confident ou le copain. Il finit par prononcer cette phrase incroyable : « Ceux qui seront chopés avec des gonzesses pendant les courses seront immédiatement virés de l'équipe ! »

On s'est immédiatement regardés avec Pascal : grosse panique ! On n'était pas visés, puisqu'on était tout nouveaux dans l'équipe, mais aussitôt on s'est dit : « Mince, pas de filles… » On se doutait bien que quelques-uns avaient dû déconner la saison précédente et on cherchait du regard ceux qui rougissaient le plus. Mais nous, on anticipait déjà. On pensait à nous. On était au paradis du cyclisme, mais le prix à payer était-il de ne plus croiser de filles ? Ça nous paraissait un peu cher…

Le sexe : un autre tabou du cyclisme. Pourtant, ça ne nous a jamais empêché de gagner une course et, de temps en temps, un peu de bien-être, comme pour tout le monde, aide à la stabilité psychologique. Rien de plus logique. Sauf que Guimard, là, nous faisait son Guy Roux…

On a vite assimilé le fait que Guimard n'avait jamais viré personne à cause de la présence d'une fille dans une chambre. Pourtant il a toujours plus ou moins su ce qui se passait. Il mettait juste en garde pour que les dérapages n'aillent pas trop loin. Autant le dire. Rapidement, avec Julot, on a oublié les menaces pour laisser s'installer nos envies. Quand on voulait voir des filles, on inventait toujours quelque chose et on se couvrait l'un l'autre. D'ailleurs, le fameux soir où Guimard nous avait foutu la trouille en proférant des menaces publiques, il nous avait néanmoins délivré une information importante, qui ne nous avait pas échappé. Si l'année précédente il avait constaté des dérapages, c'est bien que c'était possible. Pascal m'avait glissé à l'oreille : « Au moins ça prouve qu'il y a des gonzesses. » Il avait bien raison, Julot.

Faire le métier. Oui. Mais pas au détriment de tous les plaisirs. Quand même.

Dignes et droits

Les hommes, à vélo, ressemblent toujours à ce qu'ils sont : on ne triche jamais bien longtemps. Le vélo est ce par quoi l'homme se trouve et se prouve. Il dévoile des travers, des richesses, divulgue des appétits immenses. Rien à voir avec la gloire : parlons plutôt de plénitude. Le vélo donne à toucher le fond de nos âmes.

Pour moi, l'exemple emblématique, vu et revu, est saisissant et porte un nom : Bernard Hinault. L'hiver, il s'entraînait si peu que lorsqu'il arrivait parmi nous lors des premiers stages, on avait l'impression qu'il avait pris un an de vacances. Du surpoids. Disons simplement qu'il grossissait. Au premier coup d'œil, ça ne trompait pas. Et ceux qui n'avaient pas l'habitude de côtoyer le Blaireau, ce qui était notre cas, se demandaient sérieusement combien de temps il faudrait à cet homme pour redevenir ce qu'il était. Mais nous commettions une erreur grossière : l'homme Hinault et le cycliste Hinault ne faisaient qu'un. Comme allait le prouver le début de cette année 1982.

Ainsi, l'homme qui se présenta en stage devant nous n'avait qu'un lointain rapport avec le champion qui avait remisé son vélo à la cave trois mois plus tôt et qui, la saison précédente, avait encore tout raflé. Dès les premiers tours de roue en groupe, il avait la tête des très mauvais jours, en grande difficulté à la moindre accélération, il suait de tout son corps et pestait beaucoup, hurlait parfois qu'on allait trop vite. Et quand il voyait que certains d'entre nous montraient sinon de l'énervement du moins de l'étonnement, il criait : « C'est ça, faites les malins. Vous verrez dans trois mois où vous en serez par rapport à moi ! » Il pouvait tout se permettre. Et justement, moins d'un mois plus tard, il gagnait la première course de rentrée. Quand il avait décidé de mettre sa roue devant vous, il allait puiser en lui une force humaine née de la rage et de la fierté. C'était Hinault…

Que dire de mes premières courses sous le maillot Renault ? D'abord, une impression : quoique jeunes au caractère débridé, et même si peu de choses nous impressionnaient, nous étions quand même, Julot et moi, fiers d'appartenir à ce clan si resserré du gratin mondial. Sans nous transformer en gentils agneaux, cela calmait un peu nos ardeurs. Il fallait voir, apprendre et devenir pleinement ce que nous étions dès que l'occasion se présenterait. On ne bombait le torse que quand on était légitime pour le faire.

On a commencé à connaître pas mal de monde et, rapidement, nous avons eu des affinités au sein de l'équipe, puis dans le peloton. Beaucoup d'anciens amateurs venaient comme nous de passer pros et on était contents de se retrouver chez « les grands ». Et puis, cette fois, on roulait à côté des noms connus, surtout les Néerlandais, les Jan Raas, coureur à lunettes lui aussi, comme son compatriote Gerrie Knetemann, qui firent les beaux jours de l'équipe Ti-Raleigh de Peter Post. N'oublions pas qu'à cette époque-là, les Hollandais et les Belges gagnaient sans arrêt toutes les épreuves du calendrier. Du moins celles qu'Hinault ou Moser ne glanaient pas…

Au moins une évidence : je ne changeais pas de comportement. Je restais fidèle à ma manière de vivre le cyclisme.

Je voulais toujours m'amuser autant, je voulais jouer, je voulais prendre du plaisir. Et puis les courses s'enchaînaient à un rythme infernal. Cyrille Guimard nous engageait énormément mais ne nous demandait rien de particulier : il y avait chez lui une grande sérénité, une grande confiance dans les qualités de son équipe, ce qui, évidemment, le prémunissait de tout comportement oppressif. En début de saison, il ne nous mettait jamais la pression. On était là pour progresser, protéger Hinault autant qu'on le pouvait, et voilà. Les vrais objectifs de Renault avaient été cochés pour plus tard dans le calendrier. Les enjeux économiques, même dans les grandes formations comme Renault, étaient encore très raisonnables et il était hors de question que des intérêts autres que sportifs viennent perturber la bonne marche d'un groupe. Je dois dire qu'en ce domaine, les dirigeants de Renault, pour ce que j'en sais, étaient des personnes à la moralité exemplaire.

Car chez Guimard, on avait affaire à des hommes dignes et droits, qui eux-mêmes formaient des hommes… pas seulement des sportifs. Personne ne faisait du cyclisme pour gagner du fric mais pour gagner des courses et vivre pleinement sa passion. Repenser à ces moments d'insouciance a quelque chose d'émouvant pour moi, le monde ayant tellement changé… Aujourd'hui, à voir l'état des mentalités, je me demande vraiment si les nouvelles générations savent encore faire la différence entre un vainqueur et un « gagneur » ? Nous, nous étions des vainqueurs. Les « gagneurs », ceux du show-biz qui trustent les prime-time, arriveraient un peu plus tard dans les bagages de Bernard Tapie…

Toute ma carrière j'ai détesté le froid ; les débuts de saison, par vent et sous la pluie, à des températures très basses, me mettaient toujours en danger physiquement.

J'étais souvent malade. C'était ma principale faiblesse : les rhumes, les angines, les rhinos, etc. Tous mes organes se situant du côté du visage montraient une inaptitude aux conditions climatiques hivernales. J'abandonnais souvent. Transi. Mais Guimard ne râlait pas et nous faisait confiance. Nous n'étions pas des tire-au-flanc, bien au contraire. Nous bossions comme des dingues, ce qui ne nous empêchait pas de nous amuser dès que l'occasion se présentait. Pour Guimard, il suffisait simplement que notre progression soit visible : autant sur le vélo que dans nos comportements dans la vie du groupe. On devait se montrer, faire des efforts, apprendre vite. Il avait l'œil pour tout ça.

Moi, dès février-mars, j'étais dans le coup. Mes bons entraînements payaient. Au Tour Méditerranéen, où j'ai fini meilleur grimpeur, j'étais tout le temps devant, à boucher les trous, à placer des attaques, à frotter. Certains protestaient et se demandaient qui était ce jeune type effronté. Il arrivait même que Michel Laurent ou Raymond Martin, qui comptaient parmi les capitaines de route du peloton, se sentent obligés de me le faire comprendre. Même le grand Joop Zoetemelk, vainqueur du Tour en 1980, avait fini par râler auprès de moi. Faut dire, je lui touchais le cul dans les montées ! Il n'était pas content que je le frotte de si près… Moi, je trouvais ces situations ludiques et enrichissantes.

En ce temps-là le cyclisme offrait aux coureurs durs au mal, ce que j'étais, la possibilité de s'éprouver dans des courses beaucoup plus longues que de nos jours. Même sur un Tour Méditerranéen, il y avait encore des étapes de 180, 200, parfois 220 kilomètres. Aujourd'hui on crierait « au fou » et aux « cadences infernales ». Mais personne n'a rien compris en ce domaine : les étapes n'étaient pas longues pour martyriser les coureurs, mais au contraire pour que les meilleurs, les plus résistants, soient vraiment devant.

Les habitudes de course n'avaient rien à voir. Ça roulait peu vite les débuts d'étape. Et puis, quand une échappée était partie et qu'elle était vraiment considérée comme « la bonne », derrière, on ne tergiversait pas : on se relevait vraiment et on finissait les étapes à 30-35 km/h. C'était comme ça. Personne n'y trouvait à redire. Evidemment, aujourd'hui il serait « scandaleux » d'assister à ce genre de méthode de course. Je me demande bien pourquoi !

Voici une anecdote, qui en dit long à la fois sur notre désinvolture avec Pascal Jules mais aussi sur notre manière de nous croire, parfois, plus forts que nous ne l'étions vraiment… Dans la première étape du Tour Med, vers Port-Leucate, tout en bordure de mer, Pascal m'avait dit dès le départ : « Chouette, il y a un vent pas possible. On est les rois de la bordure, on va leur faire voir ce qu'on sait faire. » On avait juste oublié un détail : l'équipe Raleigh était présente au grand complet et si nous, nous étions des spécialistes des bordures, les Néerlandais les avaient inventées !

Que nous étions jeunes et insouciants ! Eux aussi, donc, avaient repéré le bon coup. Dès les 10 premiers kilomètres, ce sont eux qui ont lancé la bordure, très tôt, sans prévenir. On n'a rien vu venir, on était mal placés. J'ai dit à Julot : « Pas de panique, on va rentrer. » La bonne blague. On est revenus à quoi ? 30 mètres derrière le premier groupe en éventail, puis 20 mètres, 10 mètres enfin, pas plus. Je vous assure qu'il ne nous manquait pas grand-chose pour recoller comme on l'avait prévu. J'ai hurlé : « Encore un effort, on y est ! » Ces 10 malheureux mètres, on ne les a jamais bouchés malgré nos efforts et deux énormes relais de l'un et de l'autre. Incroyable. On a reperdu 20 mètres, 40 mètres… et puis on a explosé ! Littéralement explosé ! Nous n'étions pas les seuls. Résultat : 20 minutes de passif à l'arrivée… Le soir, atterrés, nous nous sommes regardés avec mon Pascal et puis on a éclaté de rire : « Ça y est, on est chez les pros. » Nous étions de bons coureurs, bien préparés, plutôt en forme. Mais on avait sauté comme des débutants.

Cela dit, on n'a pas changé pour autant. Le même soir, on s'est dit : « Le Tour Med est fini pour nous. On va leur montrer ! » Et tous les jours on était devant. J'avais décidé de prendre le maillot du meilleur grimpeur. Je l'ai eu et conservé jusqu'à la fin. Et même dans le chrono en solitaire dans le mont Faron, près de Toulon, je me suis amusé comme un gamin. J'étais parti juste devant Zoetemelk et je savais qu'il me rejoindrait assez vite, puisque, lui, il disputait toujours les chronos à fond. C'est exactement ce qui se produisit. Je me suis mis dans son sillage, juste ce qu'il fallait pour éviter l'intervention des commissaires, et je l'ai suivi sans difficulté. Et vous savez quoi ? Dans la montée finale, je l'ai rejoint, dépassé, largué. Il râlait, le Zoetemelk ! « Pousse-toi ! » criait-il. Et moi, quand je l'ai doublé, je lui ai dit : « Allez, suis-moi ! » Il n'était pas content. Cela dit, il avait fini 2e du chrono. Et moi 6e. Ce fut profitable pour nous deux.

Mais soyons sérieux : j'étais un bon néo-pro, mais pas un cas particulier en 1982. Sauf que, peu après, j'ai gagné le Grand Prix de Cannes. C'était ma sixième ou septième course chez Renault, j'étais vraiment content. Pour dire la vérité, je ne pensais pas que je lèverais les bras aussi vite. C'était un samedi. Et le lundi suivant, j'ai récidivé dans la Flèche Azuréenne, qui arrivait à Nice. Dans des circonstances assez particulières. J'étais tout le temps en tête, je frottais comme à mon habitude, j'attaquais souvent. Puis, à un moment, un, deux, trois, quatre coureurs sont partis les uns après les autres. Comme pour se moquer de moi, ou étonné que je n'y aille pas, Raymond Martin m'a charrié : « Alors le Fignon, c'est maintenant qu'il faut y aller, c'était pas avant ! » Je l'ai regardé. Je me suis dressé sur les pédales et je lui ai dit : « Ah d'accord, OK, j'y vais ! » Et j'y suis allé. Du coup, à une trentaine de kilomètres de l'arrivée, nous nous sommes retrouvés à cinq en tête de course avec Pascal Simon, René Bittinger, Charly Bérard, Marc Madiot. Ces deux derniers étaient aussi chez Renault. Nous étions en force. A priori, la course devait revenir à Bérard, qui était niçois et rapide au sprint. Mais, surprise, Guimard est venu à nos côtés pour nous dire : « Laurent, tu ne roules pas. Les autres, vous roulez tous pour lui. » Ça m'a glacé le sang. Je n'étais qu'un néo-pro ! Je me suis entendu lui dire : « Non, monsieur Guimard. » Mais c'était trop tard. Il nous a rétorqué : « C'est comme ça. » Guimard avait parlé, décidé : ça ne se discutait plus. Madiot et Bérard se sont mis « à la planche », moi dans leur roue. Sérieux, je tremblotais ! Sous le poids de la responsabilité, je flagellais littéralement. La trouille de décevoir Guimard. D'autant que le peloton revenait dangereusement, 1 minute, puis 50 secondes, 35 secondes… on a tenu bon.

Dans le sprint final, Madiot et Bérard étaient lessivés. Il fallait maintenant battre Bittinger et Simon, qui n'étaient pas les premiers venus et avaient de la bouteille. A 1 kilomètre de l'arrivée, plus de jambes ! La peur. Une vraie manifestation du stress. C'était impressionnant et très nouveau pour moi comme sensation, jamais avant je n'avais ressenti ça. Et puis, Simon a lancé le sprint, Bittinger a pris la roue. Et là, allez savoir pourquoi, en me dressant sur les pédales, j'ai retrouvé ma force de conviction et la rapidité nécessaire. Le stress était passé. Je suis revenu à leur hauteur sans problème et je les ai déposés. Avant de franchir la ligne, ils étaient à une vingtaine de mètres ! C'était assurément une belle et probante victoire. C'est peut-être ce jour-là que j'ai appris à canaliser l'angoisse des grands événements, à maîtriser la tension pour la transformer en atout.

Guimard, qui exprimait peu sa joie, voire jamais, est venu me voir. Il m'a regardé dans les yeux et plutôt que de me féliciter pour cette victoire, il m'a glissé ces mots d'explication : « Tu étais le plus en forme, il ne fallait pas casser cette spirale de victoires. » Son choix avait été le bon et il ne serait venu à l'idée de personne dans l'équipe de le contester. Et puis j'avais gagné et montré que je pouvais assumer une décision.

Quelques semaines plus tard, après ma première participation au Tour d'Italie, Guimard, homme de science et d'intuition, déclara : « Laurent Fignon ? Un futur très bon coureur par étapes. C'est du solide. Il m'a surpris par sa résistance devant les efforts répétés. Il roule fort, il sait se placer, il grimpe. Quand il débouche à 1 500 mètres d'une arrivée, il fait preuve des qualités de grand finisseur. Il mange énormément, il dort bien, il récupère vite, il ne se plaint jamais, il est bien dans sa peau. Il a une belle mentalité d'équipe. Nous en reparlerons pour le Tour 83… » Néo-pro, j'avais fini 15e au général, totalement dévoué à Hinault. J'avais acquis la certitude que, en roulant pour moi, je pouvais facilement finir dans les cinq premiers d'un grand Tour. C'était évident. A quelques jours de l'arrivée, j'avais déclaré en rigolant : « Hinault a de la chance. Si ne j'étais pas dans son équipe, je n'arrêterais pas de l'attaquer. » Beaucoup y avait vu de la prétention. Mais pour moi, ce n'était qu'une certitude.

Ma personnalité ne se manifestait pas par procuration.

Au contraire elle s'extériorisait pleinement.

C'était un temps où le vélo nous mettait à nu. Nous dévoilait. Nous révélait. Pleinement.

Bacchus haut la main

Les fiançailles avec son corps prennent parfois des tournures réjouissantes et rien ne vaut l'expérience personnelle pour donner à comprendre la nature profonde des choses. Et parfois leur complexité. En mars 1982, au Tour d'Armor, je vécus ma première embardée festive chez les professionnels. Pas de quoi en être fier. Pas de quoi en être honteux non plus.

Bernard Hinault jouait à domicile et voulait absolument gagner cette épreuve devant les Bretons. Nos rapports de travail étaient excellents : on peut dire que j'étais un équipier fidèle et loyal, à aucun moment le Blaireau n'avait eu à se plaindre de moi. Pendant ce Tour d'Armor, Hinault était tellement énervé et désirait tant la victoire qu'il était rarement dans son état normal. On le voyait avec des yeux si pleins d'envie, exorbités, qu'on finissait par se demander s'il dormait la nuit.

Confusément, je commençais à percevoir une tension entre lui et Guimard. Bien sûr, nous étions alors tenus à l'écart de toute discussion sérieuse entre eux, mais nous sentions comme une gangrène qui pourrissait l'ambiance chaque jour un peu plus.

Le soir de l'étape de Saint-Brieuc, Hinault était rentré chez lui mais avait dit à tout le monde : « Après le repas, je reviens avec des bouteilles. On va fêter la Bretagne ! »

Toujours partants pour s'amuser, on était joyeusement étonnés de voir notre leader dans d'aussi bonnes dispositions d'esprit, lui d'ordinaire assez strict et austère. L'air breton lui faisait le plus grand bien.

Le soir venu, promesse tenue. Hinault est revenu les bras chargés de caisses de bouteilles de vin. Problème, une grande partie de l'encadrement avait déserté l'hôtel. Soit ils ne voulaient pas festoyer avec le Blaireau, soit ils avaient tous trouvé de bien plus sympathiques occupations. A l'époque, le soir, selon l'importance des courses, c'était parfois dispersion des rangs !

Pour la première fois de ma vie, j'ai vu Bernard Hinault se mettre en colère. La rage au ventre, il hurlait tout ce qu'il pouvait. « Les cons, aucune parole ! criait-il dans les couloirs. Et ce Guimard, jamais là quand il le faut, quel enfoiré ! » Quand il était dans cet état-là, Hinault faisait franchement peur : se dégageait de lui une force et une conviction telluriques. Puis, toujours hors de lui, il a ajouté : « Pas grave, on va les boire entre nous, ces bouteilles. »

Et nous nous sommes mis à boire. Beaucoup. Hinault du coup s'est détendu et sa colère s'est transformée en plaisir communicatif. C'était sympathique. Je ne saurais dire combien de bouteilles nous avons éliminées des caisses. Dix, douze, plus ? Le plus incroyable, c'est que nous n'étions que quelques-uns. Il y avait là Jules, Chevalier, Hinault, moi. Peut-être un ou deux de plus, je ne sais plus. Fallait voir la tête de Chevalier, cloué à une chaise, incapable de se lever, les yeux dans le vague à marmonner des phrases incohérentes. Bref, on est partis « en sucette » …

Nous sommes montés dans les chambres. Madiot, qui était tombé le jour même, ressemblait à une momie dans son lit, bandé de la tête aux pieds. Il était brûlé de partout. Et nous, on n'a rien trouvé de mieux que de mettre son lit en cathédrale. Il hurlait ! Ivres morts, on a jeté des bouteilles vides par les fenêtres, on chahutait, on chantait à tue-tête. Le bordel général !

Evidemment, le directeur de l'hôtel a pointé le bout de son nez pour nous demander de nous calmer, menaçant l'équipe Renault de représailles. « Va te faire foutre, on est chez moi ici ! » lui a répondu le Blaireau. Nous étions hilares.

Problème, nous n'étions pas les seuls coureurs dans cet hôtel. Beaucoup d'autres équipes y passaient la nuit. Couchés vers 5 heures du matin, nous n'avions pas dormi beaucoup : mais les autres non plus. Tous avaient profité de notre java d'enfer. Inutile de préciser qu'ils avaient, comment dire ? une sérieuse envie d'en découdre après cette nuit agitée à cause de nous.

Le lendemain, dès le départ de l'étape, badaboum ! Deux ou trois équipes s'étaient passé le mot pour nous faire rendre gorge, d'autant que notre taux d'alcoolémie devait être encore très élevé… On en a bavé toute la journée ! Il fallait non seulement protéger Hinault, qui était dans le même état que nous, mais en plus nous devions répondre à toutes les attaques. Guimard n'avait rien dit. Mais il n'en pensait pas moins. C'était à nous de lui montrer que les écarts de la nuit ne modifiaient en rien ni notre volonté ni notre capacité à cadenasser la course. Avec Julot, on n'a pas lâché le manche. A un rythme infernal, les vapeurs de Bacchus s'estompèrent et personne ne nous prit en faute pendant cette étape. Et vous savez quoi ? Bernard Hinault remporta son Tour d'Armor, comme il le souhaitait tant. On avait juste fêté cette nouvelle victoire un peu prématurément…

Expliquons-nous du mieux possible. Cette petite fête, malgré les apparences, n'avait rien d'une beuverie entre poivrots. Pas du tout. Cette mise en danger – car en effet nous avions pris des risques inutiles avec notre santé – nous avait mis en joie. Elle n'avait altéré en rien notre capacité au labeur, comme notre faculté à découvrir par nous-mêmes l'envergure qu'on peut avoir quand on aspire à enlacer le présent. Au contraire même. Ces côtés festifs, qui n'avaient heureusement pas tous la même déclinaison, ressoudaient les liens entre nous et forgeaient nos solidarités. Nous vivions des choses ensemble, pas seulement sur le vélo. On se connaissait mieux. On réagissait mieux les uns pour les autres. Et quand il fallait faire un effort surhumain pour boucher un trou, on ne le faisait pas seulement pour son leader ou son équipier, mais aussi pour un ami, un frère de route, un compagnon du métier. Le sacrifice de soi prenait alors tout son sens. Et les victoires, aussi, avaient plus de signification collective.

Et puis. Un type comme Hinault n'oubliait rien : on avait déconné ensemble et c'est ensemble qu'on l'avait aidé à gagner, on avait souffert pour lui et il était bien placé pour juger la hauteur de notre abnégation comme de nos sentiments amicaux à son égard. Car il fallait en avoir de la volonté, ce jour-là, pour s'arracher les tripes à ce point. Je savais au plus profond de moi-même qu'Hinault était un homme d'honneur. En effet, cinq jours plus tard, il renvoyait l'ascenseur avec un altruisme qui forçait l'admiration, m'aidant à gagner le Critérium International : la cour des grands.

Quels coureurs oseraient aujourd'hui, pendant une course à étapes, participer à une fête vécue sans entrave et quasiment sans limites ? Se hasarderaient à une nuit blanche de la sorte sans en payer physiquement le prix fort ? Nous, au moins, nous avions le physique de nos tempéraments…

Il fallait aussi avoir le moral. Car pendant ce Tour

d'Armor quelque peu épique, j'avais compris autre chose : les amphétamines, pourtant détectables par contrôle urinaire, circulaient encore beaucoup dans le peloton. Les plus anciens s'en étaient fait une spécialité et leurs pratiques s'adaptaient aux règlements de l'époque, qui ont beaucoup changé depuis. Il faut savoir, par exemple, que le dernier jour d'une course à étapes seuls les deux premiers de l'étape et les trois premiers du classement général étaient contrôlés. Je ne dirais pas que c'était une incitation à la diffusion sous le manteau d'amphétamines – pour l'instant je n'entendais pas parler d'autres produits – mais en tous les cas la faiblesse du risque ouvrait des portes. D'ailleurs, après des observations savantes, j'ai fini par être persuadé que nombreux étaient les coureurs dans ce cas-là. Sans pour autant aspirer aux victoires ni à un rôle de leader. Comme quoi.

A force de harcèlement, quelques-uns m'expliquèrent même que des tricheries étaient possibles pendant les contrôles. Malgré le scandale au sommet de l'Alpe d'Huez dans le Tour de France 1978, au cours duquel Michel Pollentier fut mis hors course pour fait de tricherie pendant un contrôle antidopage, l'usage de « poires à urine » dont le Belge avait fait la publicité involontaire était encore très répandu. Quand j'y repense aujourd'hui, j'ai la conviction qu'il m'est arrivé de perdre des courses face à des gars qui avaient les yeux injectés d'amphétamines et qui s'arrangeaient aux contrôles. Néanmoins, pas une seule fois je ne me suis dit : « Untel a triché, c'est pour ça que j'ai perdu. » Je ne cherchais jamais d'excuses ni de faux-fuyants. Si je perdais, c'était de ma faute, pas de la faute (éventuelle) d'un produit quelconque. J'ignorais leurs pratiques, je ne voulais pas les connaître, cela ne m'intéressait pas. Bien sûr, on peut dire que c'était une manière d'acceptation de ma part. Mais c'était comme ça. On ne disait rien. On ne protestait pas. On ne se révoltait pas. Il y avait une raison à cela : jusqu'alors ni les amphétamines ni aucune substance n'avaient jamais bousculé la hiérarchie. Ce temps béni ne durerait pas, comme chacun le sait désormais…

Au début des années quatre-vingt, ce que l'on appelle sommairement « l'engrenage de la dope » était à l'image du dopage lui-même : à la fois limité et, surtout, considéré comme peu important. Il faut bien comprendre. Beaucoup considéraient qu'ils ne faisaient que respecter les règles du métier, qu'il fallait en passer par là pour être « correct » avec son milieu. C'était ainsi. Le contexte incitait certains à franchir le pas. Ce n'était pas tricher pour tricher, mais de la tricherie sans avoir l'impression de tricher. Acceptons une chose simple : dopé ou non, un grand champion en forme était imbattable. Dopé ou non, un coureur moyen ne pouvait pas battre un grand champion.

C'était la loi du cyclisme. Et c'était ça la réalité du dopage de cette époque. Rien d'autre.

Code d'honneur

Le vélo ne connaît pas le temps. Le cyclisme ne connaît que l'Histoire. Parfois hélas de petites histoires.

Ne tournons pas autour du pot : les critériums n'existent que pour le spectacle ; d'ailleurs les organisateurs paient les participants à l'engagement. Tout se déroule donc selon des « règles » bien établies qui ont très peu varié depuis quarante ans. Doivent toujours être en « démonstration » les coureurs les plus en vue du moment. Le public n'est pas dupe. Il vient pour cela et aime ce simulacre de compétition. Tout n'est pas arrangé à cent pour cent, mais les conventions stipulent que les deux ou trois leaders du peloton se disputent la victoire finale.

Critérium de Camors, en 1982, peu avant le Tour d'Italie. Cette année-là, Bernard Hinault, fâché avec l'organisateur, était absent. Récent vainqueur de l'International, je me retrouvais, en quelque sorte, en position de « leader » chez Renault. Le champion de France en titre s'appelait Serge Beucherie. Lui, il avait eu la particularité assez rare d'avoir fait l'ascenseur : passé pro, il était redevenu amateur avant de remonter parmi l'élite. Carrière en dents de scie donc, toujours à la limite. Je l'avais croisé quand j'étais amateur. Hospitalier, souriant, il nous parlait sans rechigner et glissait parfois quelques jeunes dans des bons coups. Et puis, peu après son titre de champion de France professionnel, il changea du tout au tout. Non seulement il ne nous adressait plus la parole mais il montrait à l'égard des jeunes une attitude qui en disait long sur la teneur en sucre du melon qui avait remplacé sa tête…

Dans ce critérium, outre Beucherie, était également inscrit Marc Gomez, récent vainqueur de Milan-San-Remo, ce qui n'était pas rien. On pouvait considérer qu'ils étaient les deux « vedettes » du jour. En tous les cas, dans l'esprit de Beucherie c'était une évidence. Il est venu nous voir et a dit sur un ton sans appel : « Vous les Renault, vous ferez le boulot derrière. » Hinault n'était pas là, je ne voulais pas d'histoires. Mais Pascal Jules, irrité par l'attitude de Beucherie, m'a marmonné dans le creux de l'oreille : « Dis, tu as quand même gagné l'International, toi aussi tu mérites d'être devant. » Après des négociations serrées, le « régent » du jour accepta finalement que je prenne une petite place parmi les meilleurs : 6e. Je n'avais pas obtenu mieux. C'était injuste.

Quelques semaines plus tard, toute la fine équipe se retrouva dans un autre critérium, à Garancières-en-Beauce. Fief de qui ? De Beucherie évidemment. Un endroit très verdoyant, en pleine campagne. Il n'y avait qu'un seul problème, c'est que c'était en Ile-de-France, chez moi aussi… Cette fois, Hinault était bien présent. Beucherie est allé le voir : « Je veux gagner. » Le Blaireau lui a dit : « D'accord. – Moi, je ne suis pas d'accord, ai-je annoncé. Cette fois, c'est moi qui gagne. » Beucherie était ivre de colère : « Ne fous pas la merde. » J'ai ajouté : « A Camors, on a été réglos parce que tu l'avais demandé. Mais cette fois, tu ne feras pas la loi. »

Qu'avais-je à gagner, sinon des ennuis ? Mais c'était plus fort que moi. Je n'aimais pas la partialité et je considérais que le « mérite » devait tourner. J'ai vu mon Hinault totalement se dégonfler, fuyant le conflit : au fond ça l'ennuyait profondément. Je vois encore le Beucherie, pleurnichard, courant après Hinault – mais le Blaireau s'était finalement gardé d'intervenir. Ce qui revenait à me donner « carte blanche ». Beucherie était furieux et pendant toute la course il allait négocier à droite à gauche pour convaincre une majorité de leaders de rouler pour lui. A un moment, il est venu à ma hauteur : « C'est moi qui gagne, c'est réglé. » Et moi de lui répliquer : « Non, tu ne gagneras pas. » Je rappelle mon statut : néo-pro… Même Jan Raas me demanda des explications. Je l'ai envoyé sur les roses : « Ce ne sont pas tes oignons, c'est un truc entre Français. » Ainsi, avec Beucherie, nous avons passé autant de temps à échanger des amabilités qu'à se concentrer sur la course… Au comble de l'agacement, j'ai fini par lui expliquer le fond de ma pensée : « Tu étais quoi, toi, avant d'être champion de France ? Pas grand-chose. Eh bien ce soir tu vas redevenir ce que tu as toujours été : pas grand-chose… »

Hinault, Raas et les autres ont finalement assisté en spectateurs – plutôt amusés – à la fin du duel. Qui n'en fut pas vraiment un… Il y eut bien quelques attaques dans les derniers kilomètres, mais j'ai contrôlé assez aisément les événements. Je voulais rester maître d'œuvre. C'était mon choix et je devais assumer. Non seulement j'étais bien plus fort que lui, mais, je l'ai appris par la suite, Beucherie n'était pas très aimé et encore moins respecté dans le peloton. Et quand je l'ai décidé, je l'ai largué. A ma main. Tranquillement. Je l'ai laissé à une centaine de mètres derrière moi, pour le voir agir et s'énerver… Je suis conscient du côté humiliant de cette scène. Mais moi, je m'amusais, je jouais, je jubilais.

Sans le savoir, j'avais quand même pris ce jour-là un sacré risque en contestant une décision de Bernard Hinault ! Du coup, ce critérium fut quasiment une vraie course et il se disputa à la pédale, ce qui était rare pour un critérium !

L'aspect positif de cette petite histoire, c'est que, évidemment, elle fut racontée dans le peloton, dans toutes les équipes, enjolivée sans doute. Ma réputation était définitivement établie. Chacun savait à quoi s'attendre. Non seulement j'étais un coureur qui ne se laissait pas faire, mais, en plus, j'avais des moyens de rétorsion. Je voulais qu'ils se souviennent de mon nom. C'était réussi au-delà de mes espérances. Dans le cyclisme, les « lois » qui s'installaient durablement naissaient des rapports de force, eux-mêmes toujours en action. Il était rare qu'un ordre nouveau puisse renverser un ordre ancien. Mais ça arrivait. Même un leader devait montrer à ses équipiers comment et pourquoi il était bien un leader. Moi aussi, plus tard, il me fallut de la fierté et de la supériorité physique pour résister à l'insolence des jeunes. Dans les stages, en montagne, il fallait parfois que je largue mes équipiers : juste pour leur montrer que j'étais là, à ma place, et eux à la leur. C'était alors dans le caractère de chacun de marquer au fer son territoire.

*
* *

En tout champion d'exception sommeille de la méchanceté. De la brutalité. De la violence. Du goût pour la domination. Les faibles, eux, errent en soumission. Dans le cyclisme, on souffre souvent le martyre – physiquement et psychologiquement. On souffre parfois d'injustice…

Lors de Blois-Chaville, la première classique à laquelle je participais, j'allais l'éprouver durement. En cette toute fin de saison, Hinault avait fait savoir qu'il n'était pas intéressé par la victoire. L'adjoint de Guimard, Bernard Quilfen, avait demandé : « Qui veut faire la course ? » J'avais aussitôt répondu : « Moi ! Je cours pour gagner ! » Tout le monde avait souri. Mais, avec Julot, nous connaissions ces routes par cœur. C'était chez nous. Et les bordures, comme il s'en produisait souvent, ne nous faisaient pas peur. Justement. Arrivés à Etampes, en haut d'une côte balayée par le vent, toute l'équipe Raleigh se déploya en éventail : une bordure mémorable. Ça a frotté, on s'est monté les uns sur les autres… puis ça s'est refermé brutalement. Tellement que Jan Raas en personne fut surpris et me tomba littéralement sur le dos en perdant l'équilibre ! Je n'ai eu qu'un réflexe : je l'ai éjecté de la main ! Evidemment, il est tombé. Pas moi. Je fus très exactement le dernier à intégrer le groupe de tête. De justesse.

Nous étions une douzaine pour la victoire finale. A 30 kilomètres de l'arrivée, après la côte de la Madeleine, au cœur de la vallée de Chevreuse, j'ai placé une attaque franche. Personne n'a pris ma roue et j'ai compté jusqu'à 45 secondes d'avance. A 15 kilomètres du but, j'allais récupérer du vent favorable : c'était quasiment gagné. Et puis, me dressant sur les pédales pour relancer la machine, j'ai chuté lourdement au sol, sans même comprendre ce qui venait de m'arriver. Un choc terrible. Axe de pédalier brisé. Course perdue. J'étais écœuré par la malchance : j'étais déjà tombé au Tour de l'Avenir, puis à Paris-Bruxelles… Raison technique cette fois : les axes en titane s'étaient montrés défaillants quelques semaines plus tôt et les mécaniciens les avaient tous changés. Sauf le mien : j'étais parti en vacances avec mon vélo…

Ce jour-là, le Belge Jean-Luc Vandenbroucke l'avait emporté. Mais chacun avait vu de quoi j'étais capable. On ne me regardait plus de la même manière.

Tête de pioche

« Mon vieux, tu n'as qu'à t'entraîner, tu seras moins à fond. » Je m'entends encore prononcer ces mots, avec une légèreté qui ne réclame aucune circonstance atténuante. Ces mots étaient destinés à Bernard Hinault. J'ai bien dit Bernard Hinault, en personne…

Nous étions en Italie, en ce début de saison 1983, et notre Breton était vraiment à la peine : son entraînement hivernal avait dû, une fois encore, laisser à désirer… Aussi, un soir à table, après qu'il nous eut molestés verbalement parce que nous avions mené grand train pendant un contre-la-montre par équipes, je n'avais pas résisté à l'envie de lui dire ce que je pensais. D'où cette phrase un peu agressive. Sortie de ma bouche sans aucune préméditation. Cette prise de parole jeta un grand froid autour de la table collective. Et l'incroyable se produisit. Alors que je m'attendais à une réaction violente du quadruple vainqueur de la Grande Boucle, il piqua du nez dans son assiette.

Guimard m'a raconté bien après cet épisode que, dès cet instant, il avait été persuadé qu'il y aurait des problèmes entre lui et moi. Il n'y en eut jamais. Le destin se chargerait bientôt de séparer nos routes… mais lui comme moi ne le savions pas encore. On a du mal à comprendre aujourd'hui l'audace qui fut la mienne ce soir-là. Chez Renault, personne n'osait rien dire à Hinault. C'était Hinault. Se fâcher avec lui était synonyme de mort sportive. Mais moi, je n'étais dans aucun calcul. Je ne m'étais pas dit avant de parler : « Que risques-tu ? » Ou encore : « Je vais lui montrer un peu qui je suis. » Pas du tout. Je lui avais dit simplement ce que je pensais au moment où je le pensais. Mieux, je lui disais la vérité, comme je l'aurais fait avec Pascal Jules, auquel j'avais souvent beaucoup de choses à reprocher et auprès duquel je m'épanchais sans risque. Hinault ou pas, je m'étais adressé à un compagnon, rien de plus, rien de moins. Ce n'était pas Hinault comme personne que je visais par ces quelques mots, bien au contraire.

Toutefois, au sein de l'équipe, beaucoup me racontèrent par la suite que quelque chose avait changé après cet événement. Ce fut manifestement ce qu'on appelle un « moment charnière », que je n'avais pas perçu clairement. Un moment qui, indirectement, symbolisait à lui seul les tensions que l'on pouvait ressentir entre Guimard et Hinault. Comme si leur discorde, à force de s'imprégner en moi, avait fini par me désinhiber. Comme si me revenait le droit d'affirmer devant tout le monde – et avant tout le monde – qu'Hinault n'était plus le dieu intouchable de l'équipe.

Car c'était vrai : Guimard et Hinault s'étaient vraiment fâchés. Moi, j'avais plutôt occulté ces problèmes, je voulais me concentrer sur mon vélo, sur ma condition. Mais on voyait bien qu'il se tramait en coulisses quelque chose d'inquiétant entre les deux ténors du cyclisme mondial. Jusqu'à cet incident où il resta muet, sans réponse, le Blaireau avait montré beaucoup d'irritation, bien plus que l'année précédente. Guimard avait toujours été plus ou moins autoritaire, mais Hinault, qui se rebiffait toujours de manière épidermique, transformait les provocations en force, en motivation. Quand il était aiguillonné, il réagissait à l'orgueil. En général ça faisait mal ! Mais les temps changeaient : d'un côté Hinault en avait peut-être ras le bol des méthodes Guimard et pensait à changer d'air ; de l'autre côté Guimard s'était peut-être persuadé que son Hinault ne retrouverait plus la hargne de ses 20 ans et qu'il devait anticiper l'avenir…

Cette discorde palpable s'atténua durant le Tour d'Espagne 1983, où Hinault s'alignait en grand favori. Il n'avait pas encore ses problèmes de genou. Mais mes relations avec lui prirent une tournure inattendue. Au cours de la 4e étape, alors que j'étais resté jusque-là dans un strict rôle de protecteur, j'ai vu l'Espagnol Antonio Coll prendre la poudre d'escampette. Que devais-je faire ? J'ai sauté dans la roue… mais j'ai emmené avec moi Marino Lejaretta, l'un des principaux adversaires pour la victoire finale. Le problème, c'est que le peloton n'est jamais rentré et que, dans l'affaire, Hinault avait perdu 17 secondes sur Lejaretta. Il n'était pas content, mais pas content du tout. Sitôt passée la ligne, je l'ai entendu râler. Pourtant j'avais gagné l'étape…

Equipier fidèle, je n'avais absolument pas participé au succès de cette échappée, au contraire. J'avais juste allumé la poudre pour franchir la ligne d'arrivée en vainqueur. Comment me le reprocher ? Je dois avouer que je n'ai pas répondu aux reproches. Cela prouvait que je n'étais pas à l'aise, même si, aujourd'hui encore, il peut témoigner : il n'a pas connu beaucoup d'équipiers aussi loyaux que moi. Mais lui non plus n'était pas très à l'aise, pour se comporter ainsi. Quand on s'appelait Hinault, on félicitait plutôt un équipier qui venait de gagner une belle étape et, surtout, on ne prêtait pas attention à 17 malheureuses petites secondes… non ?

Mais il n'était pas serein sur cette Vuelta, je le voyais bien. Dans les premières étapes de montagne, il se comportait anormalement. J'avais l'impression qu'il ne dégageait pas la même puissance que d'habitude. J'étais bien placé pour le savoir : dans les ascensions, j'étais l'un des rares chez Renault à l'accompagner et depuis l'épisode de la 4e étape, je ne quittais plus sa roue.

Tout le monde a oublié cette époque. L'Espagne sortait à peine du franquisme. Là-bas c'était le tiers-monde. Ceux qui y sont allés au début des années quatre-vingt savent que je dis la vérité. Pour les coureurs que nous étions, les conditions d'accueil et d'hébergement se révélèrent très complexes. Limite acceptables parfois. Les cyclistes professionnels d'aujourd'hui n'imaginent même pas ce que pouvait être un hôtel en Espagne en 1983, au fin fond des Asturies ou dans les Pyrénées… On mangeait mal. Parfois il n'y avait pas d'eau chaude soir et matin.

Mon moral ne resplendissait pas. Puis un jour, j'ai appris une nouvelle inquiétante : visiblement, Hinault souffrait d'un genou. Rien n'était officiel. Au point qu'il voulut abandonner. Nous étions tous inquiets. Il avait concédé du temps sur le balcon de Penticosa, bousculé par Marino Lejaretta, Alberto Fernandez et Julian Gorospe. La victoire finale semblait s'envoler. Mais notre Hinault tenait bon, tout en douleur, raclant jusqu'à l'os, chaque jour, ses dernières forces. Le voir endurer de telles douleurs – car ça se voyait quand on était à ses côtés ! – forçait le respect de tous, à commencer par le mien.

Il ne restait qu'une seule grande étape de montagne pour renverser la vapeur, entre Salamanque et Avila. Cyrille Guimard mit au point une stratégie. Un véritable traquenard. Certains parleront de chef-d'œuvre tactique. Nous devions escalader trois cols dont les pentes du puerto de Serranillos. Gorospe était leader. Guimard m'avait évidemment choisi pour être le dernier étage de la fusée pour propulser Hinault vers le sommet et la reconquête. J'étais l'un des acteurs privilégiés d'une mise à la raison légendaire...

Dès les premières rampes du Serranillos, il me revenait d'enchaîner. A fond. Mais absolument à fond ! C'est simple, je me suis jeté dans la pente à corps perdu, grand plateau, durant 5 ou 6 kilomètres. Hinault était dans ma roue. Là se jouait la Vuelta, là se jouait une tragédie sportive dont le dernier acte allait livrer son verdict. Lejaretta fut en difficulté. Gorospe s'accrochait. Mais bientôt, harassé par le rythme imposé et assommé par nos relais successifs, j'ai vu Gorospe vraiment dans le rouge. L'instant fatidique était venu. J'allais vraiment voir de près, en première classe, ce dont était capable ce Breton époustouflant. Et je vis la signature du chef-d'œuvre. Hinault frappa le coup mortel. J'avais l'impression, soudain, qu'il avait tout oublié. La douleur. La blessure qui s'incrustait chaque jour un peu plus dans ses chairs. Ses adversaires. Et même ses doutes. Ne restait là, dans la force de l'âge, qu'un homme libéré par la hauteur de ses sentiments, si orgueilleux en diable qu'avec lui l'insolence du champion d'exception devenait une expression sublimée... Hinault est parti seul avec Belda dans son sillage. Un raid épique et irréel de 80 kilomètres. Nous avions renversé la Vuelta. Et envoûté les esprits.

Notre allégresse ne dura qu'un temps. La mauvaise nouvelle se confirma bien vite. Hinault était gravement blessé au genou. Dans l'entourage de Cyrille, on nous dit : « C'est fichu. » Qu'est-ce qui était « fichu » ? Sa saison ? Sa carrière ? Nous avions pour ordre de ne rien dire à personne et pendant des semaines, dans un jeu ridicule du chat et de la souris avec les journalistes, chacun racontait n'importe quoi. Guimard faisait l'autruche. Hinault faisait l'idiot. Les deux ne se parlaient plus du tout. Et nous, on assistait à ce spectacle insolite sans pouvoir s'en mêler. Un jour, on me dit : « Son tendon est abîmé, il sera opéré. » Je venais de prendre conscience qu'il serait absent sur les routes du Tour…

La plus belle fleur du cyclisme

L'émotion. Le lustre du merveilleux. Gravir un bout de légende…

J'ai toujours été rétif aux mouvements de foules. Mais j'ai toujours trouvé étrange qu'il existe des hommes rétifs au charme des ferveurs populaires. Ces beaux esprits n'admettent pas qu'un grand concours de peuple se réunisse au long des routes pour suivre la plus belle épreuve du monde.

Juillet retrouvé, chaque année, offre à la France sa célébration. Elle porte un nom : Tour de France.

En 1983, j'étais impatient de le découvrir, même si, au plus profond de moi, je ne me fixais aucun objectif démesuré. Pour Renault, une grande incertitude dominait, pour ne pas dire plus. Bernard Hinault au repos forcé, c'était la première fois depuis 1978 que la Régie se lançait dans la Grande Boucle sans son leader incontesté, sans l'assurance d'y disputer les premiers rôles.

Moi, je me disais d'abord qu'il me fallait apprendre et qu'une première participation pourrait m'offrir assez d'expérience pour penser à l'avenir. Mon objectif ? Quelque chose qui m'apparaissait comme raisonnable : gagner une étape, ramener à Paris le maillot blanc du meilleur jeune et finir dans les dix premiers au général. Cela étant, la Vuelta m'avait conforté dans mes convictions : bien que jeune, je n'avais rien à envier aux Van Impe, Van der Velde, Winnen, Agostinho et même au vieillissant Zoetemelk, qui composaient le plateau des favoris étrangers. Et même de Pascal Simon, le leader de chez Peugeot, qui avait remporté le Dauphiné (il sera déclassé quelques mois plus tard après y avoir subi un contrôle positif).

Durant la semaine précédente, Cyrille Guimard nous avait beaucoup parlé à tous, comme s'il voulait nous protéger, renforcer nos convictions, distiller les meilleurs conseils possibles. Sans doute redoutait-il une réaction psychologique collective peu conforme au rang qui était le nôtre jusque-là. Dans son esprit, Madiot et moi étions plus ou moins leaders. En tous les cas les coureurs protégés de l'équipe Renault. A nos côtés avec Madiot, citons : Jules évidemment, Becaas, Bérard, Chevallier, Gaigne, Poisson, Vigneron, Didier… Je me souviens d'une phrase de Guimard : « Oublie le Tour d'Espagne. Le Tour de France, c'est dix fois plus complexe à gérer. La difficulté du parcours, le rythme, la pression : tout y est démultiplié… »

Cent quarante coureurs prirent le départ et le prologue se déroula pour moi quasiment à domicile, à Fontenay-sous-Bois. Je ne peux pas dire que j'étais vraiment dans mon état normal. Crispé. Tendu. Je me sentais paradoxalement trop près de chez moi, l'air était trop familier. Je n'avais pas l'habitude d'être entouré, sollicité. Me faire mal aux jambes, affirmer un rôle et l'assumer, ça je savais. Jouer à ce que je n'étais pas, c'était plus compliqué. Voilà pourquoi je ne me berçais d'aucune illusion déplacée et mon mauvais résultat dans le prologue n'avait rien d'illogique. Même si j'avais glissé dans ma valise plusieurs livres de Robert Merle, tout le monde a oublié que je n'avais alors que 22 ans…

Aucun journaliste n'imaginait alors que Renault pouvait gagner ce Tour. Et quand arriva le premier chrono, un contre-la-montre par équipes de 100 kilomètres, notre 4e place fut plutôt considérée comme un bon présage en l'absence de notre maître rouleur. Mais moi j'avais frôlé la correctionnelle. Très vite, après une vingtaine de kilomètres, plus rien. Le vrai coup de fringale qui pouvait tout compromettre en quelques minutes. Et il restait 80 kilomètres ! J'étais à l'arrêt, je n'avançais plus. Guimard fit ralentir l'équipe pour m'attendre et récupérer. J'avais déjà englouti mon ravitaillement, sans effet. Heureusement, Bernard Becaas vola à mon secours et me donna ce qu'il avait encore en poche. Je repris pied petit à petit. Mais cette mésaventure faillit me coûter cher et je ne dus ma survie sportive qu'à ce reste de musette... Becaas « paya » pour moi : peu après, victime lui aussi d'une fringale dont j'étais en partie coupable, il ne put suivre notre rythme. Irrémédiablement lâché. Je n'oublierai jamais son geste...

Que s'était-il passé ? Explication simple mais terrible de conséquences. A cette époque, avant une épreuve aussi exigeante qu'un chrono par équipes, nous prenions des rations d'attente composées essentiellement de glucose. Mon organisme ne les supportait pas et provoquait dans l'heure suivante une décharge d'insuline pour brûler l'excédent de sucre dans le sang : l'hypoglycémie. Imparable. Mais l'inexpérience qui me caractérisait ne s'arrêta pas là. La troisième étape, entre Valenciennes et Roubaix, me laissa en ce domaine un souvenir impérissable. Nous franchissions quelques secteurs pavés et je découvrais, en miniature, une partie de l'Enfer du Nord. Sauf que je ne savais absolument pas m'y comporter. Personne ne m'avait dit une chose simple : il ne faut jamais serrer son guidon de toutes ses forces. Ce que j'ai fait au-delà du raisonnable, par peur de tomber, de glisser, alors que la stabilité ne vient évidemment pas de la fermeté de ses poignets mais de l'équilibre général allié à une souplesse naturelle… J'étais pourtant en bonne forme et j'avais passé la journée aux avant-postes sans trop de difficultés. Mais après l'étape, en enlevant mes gants, mauvaise surprise. J'avais d'énormes cloques aux deux mains, dues au frottement. Je ne pouvais plus fermer le poing.

Le lendemain, c'était l'horreur intégrale. 300 kilomètres au programme et des pavés pour finir au Havre. J'ai souffert le martyre, je ne pouvais plus serrer les doigts et je pouvais à peine poser les mains sur le guidon. Et mon calvaire ne s'arrêta pas là. La veille du contre-la-montre individuel, allez savoir pourquoi, j'ai contracté une conjonctivite assez sérieuse et si tenace que je ne voyais plus rien d'un œil. L'assistance médicale d'urgence, pendant les étapes, n'était pas ce qu'elle est aujourd'hui. Si ça n'avait pas été le Tour, bien sûr j'aurais abandonné. Je n'ai pas pu voir mon équipier Dominique Gaigne placer une attaque à 6 kilomètres de l'arrivée et gagner l'étape. Au-delà de nos espérances. Et une belle occasion d'improviser une petite fête à l'hôtel. Lorsque se présenta le premier contre-la-montre individuel, sur 60 kilomètres, une distance que je n'avais jamais testée seul, je n'en menais pas large. Je franchissais des terres ignorées de moi et mon angoisse était paraît-il palpable. Résultat : 16e, à plus de 3 minutes du Néerlandais Bert Oosterbosch, mais à moins de 2 minutes de Sean Kelly par exemple, ce qui, vu le contexte (un œil fermé par la conjonctivite) et contre toute attente, eut le loisir de me réjouir. En y réfléchissant, j'étais même pleinement rassuré. Pendant les trois quarts du parcours, à aucun moment je n'avais forcé et, n'ayant aucun repère dans cet exercice, je n'avais pris absolument aucun risque.

Sauf dans les 15 derniers kilomètres où, résolu à puiser dans mes ressources, je m'aperçus que j'en avais sous la pédale. Mieux, j'avais fini le chrono sans même montrer d'essoufflement.

Mon enthousiasme fut de courte durée. Dès le lendemain, vers l'île d'Oléron, je fus aux prises avec un trouble intérieur si étrange que je n'en eus jamais explication. Un calvaire physique. Mes mains allaient bien, mes yeux guérissaient, mais je n'avais plus de jambes. Incapable de me dépasser. Toute la journée j'ai risqué la moindre bordure, la moindre accélération véritable, ce qui aurait été fatal. Les circonstances de course décidèrent à ma place : ce fut un train soutenu mais assez régulier pour ne pas provoquer d'à-coups irrémédiables. Blotti au cœur du peloton, je suis arrivé à bon port dans un état second, le ventre creux et les jambes en flanelle. J'avais une nouvelle fois caressé le précipice. Cyclisme, maîtresse ingrate. Si proche de soi et parfois si lointaine…

La grande étape Pau-Luchon, par Aubisque, Tourmalet, Aspin et Peyresourde, m'apporta beaucoup de confirmations. Guimard m'avait conseillé judicieusement : « N'essaie pas de rester avec les meilleurs dans les derniers kilomètres des cols. Les Colombiens accéléreront pour les points du meilleur grimpeur et tu ne pourras pas répondre. Pas grave. Pas de panique. Tu les reverras dans les descentes. Mais essaie de profiter d'une échappée qui se formera immanquablement dans la vallée. » J'ai scrupuleusement respecté ces prédictions, accompagnant la grande fugue du jour formée entre l'Aubisque et le Tourmalet. Il n'y eut aucune prudence superflue. Je suis resté longtemps avec Patrocinio Jimenez, Robert Millar et Jacques Michaud. Mais entre Aspin et Peyresourde, j'ai senti une petite défaillance et je n'ai pas voulu me mettre dans le rouge. C'est à ce moment précis, alors que je gérais ma souffrance, que Pascal Simon est passé à mes côtés sans me regarder. Le soir, il a endossé le maillot jaune. Toutes les cartes avaient été rebattues. Je me retrouvais 2e au classement général, à 4'30" de Simon et avec le maillot blanc du meilleur jeune sur les épaules. C'était à la fois beaucoup et peu. Beaucoup, car Simon était manifestement dans une belle année sportive. Peu, car l'équipe Peugeot était loin de pouvoir dominer sans merci comme pouvait le faire jadis Renault avec Hinault… D'ailleurs, Guimard était très satisfait de mon comportement. J'avais été téméraire et n'avais fait aucune faute.

Le vélo provoque le destin. Et le destin allait cruellement malmener Pascal Simon. Entre Luchon et Fleurance, vers le début de l'étape, le maillot jaune se retrouva à terre. Une chute ridicule, comme ça se produit souvent. Fêlure de l'omoplate. Le lendemain, Guimard, plus prudent que jamais, m'ordonna de rester caché et il fit valoir un argument : « Si c'est aussi grave qu'on le dit, le maillot jaune va te tomber dessus tôt ou tard. Il y aura alors beaucoup d'efforts à consentir. Préserve-toi pour l'instant. »

Dès lors, au fond de moi, j'avais l'intime conviction que j'allais gagner le Tour. C'était pour moi une telle évidence que j'en ai parlé à Pascal Jules. J'avais besoin de le lui confesser…

Et le Tour a poursuivi sa route avec un Pascal Simon toujours présent. Il attirait à lui toutes les attentions, tous les flashes. Cela me convenait parfaitement bien. Pendant ce temps-là, je me concentrais sur les Delgado, Van Impe, Arroyo et autres Winnen, qui tous avaient sans doute l'illusion d'être encore les maîtres du jeu avant les Alpes.

Le mérite médiatique et l'estime populaire revenaient bien sûr à Simon, qui, chaque jour, repoussait l'échéance

– pourtant inévitable – de son abandon et avait même résisté, pour quelques secondes, au chrono en solitaire sur les rampes du puy de Dôme où les Espagnols m'avaient dominé et s'étaient replacés dangereusement. Non seulement je devais me préparer à recevoir bientôt sur moi tous les projecteurs et à répondre aux attaques des grimpeurs, mais, et ce n'était pas le moins, il me fallait convaincre tous mes coéquipiers que je pouvais être à la hauteur de l'immense tâche qui se profilait à l'horizon.

Depuis quelques jours, leurs regards sur moi avaient quelque peu changé. J'y voyais poindre de la crédibilité. Julot était d'un précieux réconfort à mes côtés, toujours prêt à m'épauler. Et seul Guimard, dans la position inattendue de l'ultraprécautionneux, refusait d'admettre que j'étais vraiment le leader et que tous les autres devaient se mettre résolument à mon service. En effet, comme s'il misait sur deux chevaux en même temps, il continuait de protéger aussi Marc Madiot. Moi, ça me fâchait. Peut-être pensait-il que je pouvais craquer dans la dernière semaine et pourquoi pas dès l'Alpe d'Huez. Peut-être le faisait-il pour m'énerver et me contraindre à aller chercher au-delà de moi une suprême inspiration, une hargne insoupçonnée.

Je compris alors à mes dépens – cela se vérifiera souvent – que Guimard possède en lui un trait de caractère assez pénible : il est incapable de dire vraiment ce qu'il pense, même à ses proches. Il compose toujours, il calcule, il dit des bribes à l'un, puis une version différente à l'autre. Guimard en adepte du demi-secret, en maître des demi-mots. Je n'avais pas envisagé cet homme sous cet angle… Un soir, j'en avais eu tellement marre de voir Guimard se moquer de moi en refusant d'admettre que je pouvais gagner le Tour, que j'ai presque voulu rendre mon tablier. Pascal a fait ce qu'il fallait pour me calmer et me convaincre d'éviter une décision irréparable. Abandonner le Tour sur un coup de tête m'avait en effet traversé l'esprit. Quand j'y repense, je m'aperçois que ça en disait long sur mon invraisemblable insouciance d'alors…

Et voilà. Entre La Tour-du-Pin et l'Alpe d'Huez, au kilomètre 92, je devins leader du Tour. Pascal Simon, à bout de force, en larmes, abandonna un combat devenu impossible pour lui. J'étais préparé mentalement. Mais je commis immédiatement une erreur. Dans la descente du col du Glandon, j'eus la faiblesse de laisser partir Winnen, qui venait de profiter d'une attaque à l'arrachée de Jean-René Bernaudeau. Bien qu'ayant fini 5e de l'étape, le Néerlandais m'avait repris plus de 2 minutes. Je portais désormais le maillot jaune. Avec une avance de 1'08" sur Delgado.

Pour le premier jour en jaune de mon existence, entre Bourg-d'Oisans et Morzine, 18e étape, 247 kilomètres par les cols du Glandon, de la Madeleine, des Aravis, de la Colombière et de Joux-Plane. Etape dantesque. Un vrai test. Je sentis sur mes épaules un poids nouveau, un honneur rare, bref une responsabilité remontant du fond des âges. Comme si j'étais enfin adoubé par des générations d'aïeux. Mais le danger subsistait. La preuve. Winnen engagea les grandes manœuvres dans la Madeleine puis dans la Colombière, accompagné par une dizaine de participants, dont Arroyo, Roche, Michaud, Millar, etc. On m'annonça 4 minutes de passif, tandis que Delgado avait déjà perdu pied. Ce fut panique à bord. J'étais à deux doigts de vaciller. Guimard vint à mes côtés : « Calme-toi, Laurent, calme-toi ! Roule, respire, ça va aller… » Marc Madiot et Alain Vigneron m'aidèrent beaucoup mais l'un et l'autre furent décrochés dans la Colombière. Je dus m'atteler à la tâche. L'écart continua de baisser mais il restait ce maudit col de Joux-Plane, dont les pentes comme les pourcentages m'ont toujours fortement déplu.

Je me suis retrouvé seul. L'horreur. Comment exprimer cela ? Je vivais dans les moindres détails cet instant de basculement où les événements peuvent projeter dans le vide votre propre destinée et irrémédiablement vous renvoyer d'où vous venez, comme si de rien n'était. Je ne voulais pas en être victime. Pourtant j'étais à l'agonie, croyez-moi, malgré le maillot jaune sur le dos. A ce propos : ce paletot m'a-t-il aidé en quoi que ce soit ou au contraire m'a-t-il paralysé ? Je me suis accroché comme un damné. Et ce fut plutôt une réussite puisque, au bout du bout de moi-même, j'ai fini par rejoindre Winnen : l'essentiel était fait. Après une belle frayeur, mon emprise sur ce Tour venait de grandir.

D'autant que le lendemain, un contre-la-montre en côte de 15 kilomètres entre Morzine et Avoriaz, je parvins à limiter les dégâts malgré mon manque d'attirance pour cette discipline, strictement réservée aux purs grimpeurs. Me classant 10e, je préservais plus de 2 minutes d'avance sur Winnen. Pas de quoi s'affoler. Guimard voyait ça d'un autre œil. Lors de l'étape de transition vers Dijon, il eut l'idée de me demander d'aller chercher toutes les bonifications sur le parcours ! Moi, me frotter dans tous les sprints intermédiaires avec le maillot jaune sur le dos ? On devinait aisément l'anxiété de Guimard. Alors j'y suis allé à contrecœur. Et les observateurs, un peu ahuris, m'ont vu disputer les sprints à Kelly, qu'il a régulièrement gagnés évidemment. Mais dans l'affaire, j'avais récupéré une petite trentaine de secondes… Un bien précieux, pensait le boss, avant l'ultime contre-la-montre sur le circuit de Dijon-Prenois.

Car pendant ce temps-là, certains commentateurs commençaient à parler d'un « Tour de dupes », d'un

Tour « à la Walko » du nom du vainqueur 1956, Roger Walkowiak, qui avait bénéficié d'une échappée-fleuve... Je n'aimais pas ça ! Mais je restais calme. Admettons en effet que, jusque-là, je n'avais rien montré d'extraordinaire, sauf bien sûr ma valeur naissante à la croissance rapide. Avant le chrono, Guimard m'avait dit : « Tu vas faire exactement ce que je te dis. D'abord tu pars doucement. Après, on verra... » Aujourd'hui encore, ma mémoire ne me trahit pas : sur la rampe de lancement, quelques secondes avant de m'élancer, j'avais la certitude de gagner. Pas le chrono, mais le Tour...

Après quelques kilomètres seulement, Guimard venait souvent à mes côtés et n'arrêtait pas de crier : « Doucement ! Tu es en tête ! » J'ai su bien plus tard que, en fait, il me mentait. Dans ce début de course, je perdais légèrement du temps. Je l'écoutais scrupuleusement et j'avais de la réserve. Arrivé à mi-course, dans une petite bosse, il a hurlé : « Vas-y Laurent, tu peux y aller ! » J'ai lâché les chevaux ! A tous les temps de passage j'avais pris la tête. Mais je ne le savais pas. Comme Guimard ne me disait plus rien depuis un bon moment, si ce n'est quelques encouragements, j'avais compris que tout allait bien pour le général. Aussi, quand j'ai franchi la ligne d'arrivée, j'ai levé les bras. Je ne savais pas que j'avais gagné le chrono, je savais que j'avais gagné le Tour. Personne à ce jour n'avait jamais levé les bras à l'issue d'un contre-la-montre. Personne n'a cru en ma sincérité mais c'était pourtant la vérité : je ne savais absolument pas que j'avais remporté cette étape. Ma première dans le Tour !

Ce qui se passa ce soir-là, à Dijon, demeure un mystère. Je n'en ai aucun souvenir. Il a fallu que je me replonge dans la lecture des articles de l'époque pour apprendre que j'étais passé brièvement à la télévision et que j'avais eu le droit à une coupe de champagne avant d'aller au lit. Rien de plus. De même, il fallut que je lise longtemps après les mots du grand journaliste Pierre Chany, dans *L'Année du Cyclisme*, pour comprendre pourquoi plus personne, au lendemain de Dijon, n'osait plus parler d'un Tour « à la Walko ». Chany écrivait sans détours : « Fignon a auréolé sa juste victoire sur l'ensemble du Tour d'une démonstration propre à désamorcer toutes les tentatives de minimisation. Une production moyenne de sa part, dans ce test chronométré, eût ranimé des souvenirs encore frais – le renoncement d'Hinault, la chute de Simon –, la tentation d'établir des parallèles se fût imposée et l'image de Laurent Fignon en eût souffert en quelque manière. Au lieu de cela, il a su maîtriser le problème avec une autorité garante d'un parfait équilibre du corps et de l'esprit ; et il s'est affirmé, non point comme un vainqueur de circonstance, mais bien comme le meilleur de tous les éléments en présence, aucun des grands absents ne pouvant prétendre qu'il se fût hissé au niveau de Fignon. »

Voilà. C'était écrit et signé par une autorité morale incontestable. Je venais donc de cueillir la plus belle fleur du cyclisme mondial. Elle avait une odeur si douce que je la comparais à une rose sans épines. Privilège rare. Comme Coppi, Anquetil, Merckx ou Hinault, ma première tentative fut la bonne.

Mes objectifs personnels fixés avant le départ étaient tous honorés : j'avais gagné une étape, je ramenais à Paris le maillot blanc et j'avais fini dans les dix premiers au général…

Emporté par l'ardeur de ma jeunesse, j'avais juste, en plus, allumé le lustre du merveilleux pour éclairer la légende.

Quelle émotion.

La face sombre de la lumière

C'est dans la nature humaine de n'entrevoir que le meilleur. Mais quand la réalité s'emploie à enfoncer les barrières de notre imagination, une grande menace nous guette : se croire maître du monde…

Après l'étape des Champs-Elysées, à la fin de ce Tour de France 1983, j'ai touché du doigt ce qu'on peut appeler une forme de démesure. Je ne savais pas que l'ivresse de la reconnaissance pouvait réserver le meilleur comme le pire. Je ne m'étais jamais posé la question. En effet, comment préparer un jeune homme de 22 ans à remonter la plus belle avenue du monde auréolé du « triomphe des triomphes », celui dont tout cycliste digne de ce nom – et pas seulement les Français – ambitionne de se voir parer ? Cyrille Guimard aurait pu me donner des conseils, m'avertir, me mettre en garde. Par des mots simples et amicaux, il m'aurait prémuni contre quelques comportements peu en rapport avec ma personnalité… Hors de la tactique et de la compréhension d'une course, Guimard n'était pas un confident capable d'éveiller la psychologie des autres. Il me faudrait apprendre par moi-même : ça me convenait bien après tout.

Ce soir-là, au pub Renault, Bernard Hinault était présent. Le plus grand champion français depuis Jacques Anquetil n'avait pas pu défendre ses chances, je redoutais presque nos retrouvailles. Pourtant, à aucun moment je n'avais eu le sentiment de « prendre sa place » ou de « voler » quoi que ce soit à qui que ce soit. On ne choisit pas les circonstances et personne, en 1983, n'aurait pensé à rabaisser Bernard Hinault, bien au contraire. En 1980, il avait abandonné à Pau avec le maillot jaune sur le dos, ça ne l'avait pas empêché de revenir tout aussi fort. Et puis moi aussi je connaîtrais la déconvenue de la blessure, deux ans plus tard. Et c'est Hinault en personne qui bénéficierait de mon absence ! Au passage, ayons l'honnêteté de poser la question : aurait-il gagné son cinquième Tour, en 1985, si j'avais été là ? De même aurais-je gagné celui de 1983 s'il avait été là ?

Donc, ce 24 juillet 1983, le Blaireau avait l'air coincé dans sa tenue de ville, comme distrait, absent, peu concerné et pour cause par cette fête qui se préparait. Disons qu'il semblait loin du cyclisme et des trois semaines qui, sans lui, venaient d'ouvrir un nouveau chapitre ! Je percevais ses regards. Ils étaient fuyants. Pas à mon égard. Il traquait visiblement la présence de Guimard, la redoutait, l'esquivait. En le voyant à ce point gêné d'être là, lui le quadruple vainqueur du Tour, lui ce roc connu de tous pour la fermeté de son caractère et parfois la brutalité de ses actes, j'ai immédiatement compris que la cohabitation que tout le monde redoutait désormais entre lui et moi n'aurait jamais lieu. Tout dans son attitude me laissait penser qu'avec Guimard le divorce était consommé. A l'évidence, je voyais en Bernard Hinault un étranger à l'équipe Renault. Déjà le Breton savait qu'il signerait dans une autre équipe. Mais laquelle ?

Au moment où il m'a vu, son attitude fut immédiatement chaleureuse. Il est venu me féliciter comme l'aurait fait un grand frère, avec les mots qui s'accordaient parfaitement bien aux conditions, « j'ai toujours pensé que tu pouvais le faire », « tu l'as mérité », etc. Je ne saurais dire si ma victoire lui avait fait plaisir – je n'irai pas jusque-là évidemment – mais rien dans ses mots ni dans sa gestuelle ne m'a laissé penser le contraire. Je l'ai déjà dit. Hormis un épisode ridicule au Tour d'Espagne, jamais Hinault n'eut de griefs contre moi, bien au contraire. Lui était bien placé pour le savoir et l'entrain avec lequel il m'avait accueilli en témoignait.

Non, je sentais chez Hinault autre chose : il anticipait déjà les combats sportifs qu'il aurait bientôt contre les coureurs de Guimard. Pas les coureurs de chez Renault. Je dis bien contre les coureurs estampillés « Guimard ». Cela sautait au visage : tout dans son être rejetait Guimard et quand il a enfin perçu sa présence, ce fut extraordinaire de constater que le Blaireau redevenait en une fraction de seconde le Breton taciturne et fermé qu'il était parfois. Sa mâchoire au carré semblait mastiquer son amertume… Entre eux, rien n'allait plus. C'était physique : ils ne se supportaient plus. Je me disais qu'il avait dû s'en passer, des événements, des drames et des fâcheries, pour rendre ennemis deux hommes jadis si proches… j'étais loin d'imaginer qu'un jour, moi aussi, je passerais dans ce laminoir-là avec Guimard.

Mais revenons à ce fameux soir de victoire. Je dois à chacun une confession : la fête du Tour d'Armor n'était rien à côté de ce que j'ai vécu cette nuit-là. « Partir en vrac » est même une expression un peu faible. Un envoyé spécial de la presse à scandale aurait pu écrire : « Laurent Fignon s'est mis à l'envers ! » Que voulez-vous. Après les honneurs du podium, après la joie collective et la passion populaire, j'ai bu, j'ai dansé, j'ai festoyé jusqu'à la limite de mon corps et on avait tous fait ce qu'il fallait pour ne pas défaillir avant l'heure.

Avec toute l'équipe, on a fini sur une péniche pour danser. J'ai connu, là, par ricochet, les premières conséquences de ma « starification », on dirait aujourd'hui « pipolisation ». J'étais un peu ivre et, sans même m'en rendre vraiment compte, pendant un slow, je me suis retrouvé dans les bras d'une superbe fille. Je ne l'avais évidemment jamais vue avant. Il n'y avait rien de particulier à signaler, sauf que, le lendemain matin, en « une » de *France-Soir*, la France entière pouvait découvrir cette photo immortalisant l'instant, avec cette légende : « Le vainqueur du Tour se délasse avec sa fiancée. »

Problème : ce n'était pas ma fiancée… A l'époque, ma fiancée s'appelait Nathalie et elle deviendrait par la suite ma première femme. Nathalie travaillait pour Radio-France et nous ne voulions pas que notre relation soit connue, pour la protéger professionnellement. C'est la raison pour laquelle elle n'avait pas participé à la fête. Inutile de dire qu'elle ne se priva pas de me réveiller au téléphone pour me hurler dans les oreilles : « Qui c'est cette pétasse ? » J'avoue que je me souvenais à peine de ce slow… alors de la fille !

Après cette nuit dans les étoiles, je n'eus pas le temps de savourer, de me reposer, de réfléchir un peu. Un vainqueur du Tour, surtout un Français, se doit à son peuple et le « peuple du vélo » l'attendait de pied ferme dans les critériums. Je crois en avoir éclusé environ vingt-cinq. Evidemment, comme la « règle » du milieu le stipulait, j'en ai gagné beaucoup. A l'image des contrats d'engagement, dont les montants remplissaient les caisses.

J'aimais l'ambiance des critériums. Ils prolongeaient en quelque sorte la fête d'après-Tour, qui, du coup, durait presque un mois. On faisait sa course et le soir, comme le voulait la coutume, les agapes de la veille se poursuivaient là où on les avait laissées. C'était excitant mais fatigant. La vie monacale du sportif de haut niveau est peu compatible avec l'ambiance débridée des boîtes de nuit…

Il m'a fallu du temps pour comprendre pourquoi il y avait eu si peu de champions du monde français dans l'histoire. A l'époque, le Mondial se courait fin août/début septembre, et non fin septembre/début octobre, et après un mois à tournicoter dans les critériums, à dormir peu et à boire un peu d'alcool pour faire comme tout le monde, les Français, plus sollicités que les étrangers, y ont toujours usé leur santé. Moi, après les critériums, j'étais presque plus fatigué qu'après le Tour, c'est dire !

Et puis, à cause en partie de ces critériums où les organisateurs en rajoutent dans la confusion des genres et dans la starification des vainqueurs, j'ai connu le très mauvais côté de la gloire. La face sombre de la lumière. Après les Champs-Elysées, je n'ai vécu pendant des semaines qu'une longue procession à ma gloire. Pendant de nombreux jours, je n'ai plus réussi à distinguer le vainqueur du Tour (en somme celui que les gens venaient acclamer) du Laurent Fignon « intime » (mon « moi » intérieur, l'homme que je savais être). Pendant que le vainqueur du Tour faisait son show jusqu'à la caricature, le Laurent Fignon « intime » sombrait dans un personnage qui n'était plus conforme à ce qu'il avait toujours été.

Je dois vous rassurer : je n'ai rien fait de grave, comparé aux agissements de certains dans les mêmes circonstances. Disons-le, j'ai simplement pris le « cigare », comme on dit. J'ai commencé à composer le rôle d'un type prenant les gens un peu de haut. Vous savez, le genre de gars arrivé au sommet et qui, dans chacune de ses paroles, chacun de ses actes, le signifie à ceux qui l'auraient oublié. J'avais souvent des exigences ridicules vis-à-vis des autres. Des paroles déplacées. En fait, j'avais l'impression d'être le centre du monde. Et je dois l'admettre : à un moment on y croit vraiment ! On me sollicitait de partout, on m'emmenait partout. Je vous assure qu'à force d'illusion on pense que le soleil tourne autour de soi…

C'était ridicule, grossier, dégradant pour soi-même…

Les regards des autres avait changé, eux aussi. C'était troublant. Tout le monde se montrait si admiratif… Quand je croisais le regard d'un cycliste, je le savais jaloux. Quand je surprenais le regard d'une femme, je l'imaginais attirée. Il suffisait de claquer des doigts. Au vrai, je ne touchais plus terre : j'avais ni plus ni moins basculé dans un monde parallèle.

J'aurais pu y laisser ma personnalité…

Car tout cela n'est que paillettes et fausseté. A aucun moment je n'étais le centre du monde, tout au plus, et encore juste quelques jours, le centre du cyclisme. C'est tout. Aux yeux de quelques proches, je suis sans doute devenu, temporairement, imbuvable. Un jour, le Néerlandais Gerrie Knetemann, champion du monde en 1978, m'avait dit : « Après mon titre, j'ai eu une tête énorme, mais énorme crois-moi ! Au fond c'était normal. Ce qui est anormal, c'est de la garder longtemps, cette grosse tête. »

Le plus beau. Le plus fort. Commander. Ordonner. Pour le plaisir. Que ton plaisir…

Quand j'ai commencé à lever la tête, à ouvrir les yeux, tout cela m'a fait horreur. Je me sentais minable. C'était de l'orgueil très mal placé. Un petit orgueil de petit parvenu, de petit merdeux. C'était nul. J'ai honte de cette période.

Combien de temps dura ce « passage » ? Je dirais un mois, pas beaucoup plus. Chez certains champions, les symptômes durent toute une vie : je peux dire que j'ai échappé au pire. A ma décharge, je pourrais citer à la barre les copains : mon comportement vis-à-vis d'eux n'avait pas varié d'un centimètre. Avec Julot, par exemple, avec lequel j'étais en intimité, rien, absolument rien ne s'est modifié. J'étais heureux ; il était heureux pour moi ; et j'étais heureux de le savoir heureux. Rien ni personne ne souillera nos sentiments.

Il y avait un bon côté à cette victoire : la grande sérénité qui se dégageait de moi désormais.

J'avais franchi un seuil, quelque chose qui faisait de moi un sportif différent. L'équivalent à la voile du cap Horn, un 8 000 sans oxygène pour un alpiniste… Car dès que j'ai repris les entraînements sérieusement, c'était une évidence, une sensation fabuleuse. C'était comme si l'aura de cette victoire avait fini par rejaillir de tout son éclat sur mon coup de pédale. Mon assurance physique était telle que tout me paraissait plus aisé ! D'ailleurs, juste après les critériums, j'ai remporté la 3e étape du Tour du Limousin. Comme ça, juste pour m'amuser. J'avais retrouvé mon plaisir antérieur. Courir pour courir. Le combat d'homme à homme. Le goût de la bagarre. Le cyclisme a ceci de formidable, qu'il nous oblige à être toujours sur la brèche. Je n'aurais jamais pu faire de l'athlétisme ou préparer quatre ans à l'avance des Jeux olympiques : quelle horreur !

Et puisque j'étais pleinement redevenu moi-même, la Route du Berry allait me donner une bonne occasion de me rappeler au bon souvenir de tous. C'était une course qu'on prenait vraiment à la légère. D'ailleurs, nous savions tous les ans qu'il n'y avait jamais de contrôle antidopage. Inutile de préciser que la plupart des gars suçaient des amphétamines : beaucoup abusaient. L'un d'entre eux, qu'on surnommait « Nenesse », était tellement nerveux et inconscient de ses actes qu'il sautait les trottoirs sans freiner ! Il n'était pas le seul. Cette année-là, vingt et un coureurs seulement avaient fini l'épreuve. Moi, j'avais abandonné et, arrivé assez tôt sur le site de l'arrivée, avec l'aide de quelques autres, nous avions confectionné une fausse pancarte accrochée à la devanture d'un petit local : « Contrôle ».

Après avoir franchi la ligne d'arrivée, on tombait forcément dessus : ça faisait son effet. Quel spectacle ! On a vu les gars en panique, ils se décomposaient littéralement. C'était réjouissant. On en a rigolé longtemps…

Dans les habits du maître

A l'image d'un spectacle qui n'est rien s'il n'est pas partagé, un physique en pleine croissance qui tend vers la perfection et l'énergie la plus impressionnante ne sont rien s'ils ne fusionnent avec l'esprit. Parfois, certaines manifestations de son corps ne correspondent pas au silence qu'il impose. On peut souffrir en secret comme on peut jouir de sa domination absolue sans le moindre cri.

A la fin de la saison 1983, à Montjuich, en Espagne, un cyclotouriste venant en sens inverse avait littéralement fini sa course sur moi dans un choc frontal qui faillit me coûter cher. Main brisée, j'avais quand même participé à la course jusqu'au bout. Quinze jours après j'avais déjà oublié. La douleur n'est rien si elle est consentie non comme une possibilité mais comme une évidence. Le cyclisme est plus violent encore qu'on ne l'imagine.

A 23 ans, dur au mal et avide de sensations, mon début de saison 1984, dans la position de leader puisque Bernard Hinault était parti vers d'autres cieux, laissa les « observateurs » pour le moins intrigués. « Où est passé le vainqueur du Tour ? » se demandaient-ils. Le froid, mon pire ennemi intime, avait encore sévi. Une vilaine sinusite m'avait accablé, me contraignant à renoncer à l'International puis à abandonner dans Tirreno-Adriatico et Milan-San Remo. Ma jeune expérience comme ma nouvelle assurance ne bluffaient que moi. Il y avait deux catégories de personnes. Celles qui, en un mot, m'imaginaient en Thévenet 1976, autrement dit en vainqueur du Tour à la peine pour confirmer un succès qui le dépassait. Et celles qui, au contraire, me plaçaient déjà sur la voie royale et voyaient en moi le compétiteur digne des plus grands. Autant l'avouer : chaque jour qui passait me confortait dans la deuxième hypothèse. N'ayant pas le sentiment d'avoir été un vainqueur surprise et encore moins d'avoir dérogé aux règles du métier, je connaissais l'étendue de mes possibilités et l'immense réservoir qui était le mien. Je savais aussi la chance que m'avaient réservée les circonstances. Ce doit être difficile en effet de refréner ses ardeurs quand on sent qu'on marche et qu'on est ambitieux : moi, jusque-là, je n'avais jamais été bridé.

Dans le même temps, je savais aussi qu'il serait plus difficile encore de confirmer. La crainte ne m'habitait pas. Et avec les copains, rien n'avait changé. Sérieux aux entraînements. Loyaux et rugueux en course. Mais toujours aussi insouciants dès que nos dossards étaient arrachés…

Au début de la même année, alors que nous revenions tous d'un cyclo-cross – Guimard nous obligeait à y participer et il ne fallait pas se défiler – nous avions nous-mêmes pris les volants de trois voitures de l'équipe Renault pour rejoindre l'équipe en stage. Dans l'une des voitures, Vincent Barteau et Christian Corre. Dans une autre, Pascal Poisson et Marc Madiot. Dans la dernière, Julot et moi. Après le cyclo-cross, la boue, la gadoue et le froid, nous prîmes le volant comme on le faisait régulièrement à l'époque : pied au plancher et le sourire aux lèvres. Non seulement les radars existaient peu mais les voitures des équipes professionnelles bénéficiaient d'une telle cote de popularité chez les dignes représentants de la maréchaussée qu'il leur arrivait parfois, pour ne pas dire tout le temps, de fermer les yeux contre un autographe pour le fiston ou le grand-père… Forts de cette impunité routière, tous les chauffeurs des équipes, quels qu'ils soient et en tous lieux, n'hésitaient pas à faire chauffer les compteurs. Ce jour-là, en pleine nuit, nous touchions les 200 km/h allégrement. Pare-chocs contre pare-chocs sur l'autoroute, à ne pas mettre un vélo entre deux voitures. Zigzags. Dépassements aux ultimes moments. Coups de klaxon. On se prenait pour Laffite, Prost, Jarier ou le fils Belmondo. Nous étions habitués… mais c'était grotesque. Et dangereux. L'accident survint quand Barteau s'endormit au volant. A pleine vitesse. Aucun blessé grave. Miracle. Barteau s'en tira avec une main dans le plâtre…

Faut-il appeler cela de la chance ? Disons qu'on forçait le destin. Tout le temps. Ce jour-là – il y en eut bien d'autres – nous fûmes comme des rescapés. J'en eus pleine conscience. Il faut dire que j'avais une caractéristique essentielle par rapport aux autres comme Barteau, qui était incapable de se prendre en main, et même Jules, lui aussi fragile mentalement et qui se laissait facilement embobiner par le premier rebouteux venu : j'ai toujours eu une sorte de retenue, quelque chose qui m'a toujours empêché d'aller vraiment au-delà des conneries, comme si une petite lanterne s'allumait en moi et me disait : « Là, maintenant, stop ! » Et ce « stop », quel que soit le domaine, arrivait chez moi toujours avant les autres. Je me suis souvent interrogé : pourquoi avais-je cette faculté à me raisonner toujours au bon moment et, par la force de l'exemple, de permettre souvent aux autres d'en faire autant ? En fait, j'aimais tellement la compétition que tout ce qui pouvait la mettre en danger m'apparaissait comme stupide et puéril. Je me disais intérieurement : « Fais gaffe, tu mets tes victoires en danger. » Au volant, par exemple, je ne pensais pas forcément que je pouvais mourir. Par contre, j'imaginais que je puisse gâcher mon plaisir sur le vélo et ça, ce n'était pas possible…

Surtout en cette saison 1984 ! Bernard Hinault, donc, avait cédé aux sirènes de Bernard Tapie en signant dans une nouvelle équipe intégralement dévolue à sa personne, La Vie Claire. C'était désormais un adversaire. Probablement le plus impressionnant de tous. Je n'en doutais pas. Pour moi, tout changeait et rien ne changeait. Autant le reconnaître : l'Américain Greg LeMond, protégé par Cyrille Guimard depuis ses débuts chez Renault, se trouvait dans une situation inconfortable par rapport à moi et ne se cachait pas pour le faire savoir. Comprenons : c'est lui qui était programmé pour gagner le Tour et ma victoire surprise bouleversait tous ses plans, d'autant que Guimard ne l'avait pas sélectionné en 1983, le jugeant encore « trop jeune ». LeMond, perturbé, tenta de faire du chantage pour renégocier son contrat à la hausse, d'autant qu'il avait décroché, en Suisse, le titre de champion du monde. Renault avait catégoriquement refusé, mais, indirectement, j'ai bénéficié des circonstances : les dirigeants de la Régie eurent la trouille que je réclame des exigences irréalisables et que j'accepte d'autres propositions. Ils voulaient absolument me conserver. Je suis arrivé et j'ai réclamé 1 million de francs annuels, soit 80 000 francs mensuels. Quelle ne fut pas ma surprise ! Au lieu de s'étrangler de stupéfaction, le représentant de Renault a poussé un « ouf » de soulagement. Il s'attendait au pire. Moi, j'ai ruminé longtemps mon échec : pendant des jours et des jours j'ai regretté de ne pas avoir demandé plus ! A titre de comparaison, j'avais fini l'année 1982 à 12 000 francs. Et après le Tour 1983, jusqu'à la fin de saison, je percevais environ 50 000 francs.

Pour l'époque c'était déjà beaucoup. Mais très insignifiant par rapport au tennis ou au football…

Cyrille Guimard, lui, n'avait montré aucune inquiétude. Il était hors de question que je le quitte. Il le savait. Le « système Guimard » était taillé pour moi, l'équipe, la préparation, l'ambiance, et je devais encore prouver beaucoup de choses. Dans son esprit, j'étais désormais un leader incontesté. Dans la tête de toute l'équipe, c'était autre chose. Depuis le départ d'Hinault, les gars paraissaient moins sûrs du coup, moins enclins peut-être à tout donner. Un manque de confiance à mon égard, compréhensible. Hinault, avec son palmarès, en imposait naturellement. Quant à moi, auquel il convenait déjà d'associer LeMond d'ailleurs, puisqu'il était leader « bis », nous avions le même âge que nos coéquipiers. C'était à nous de nous affirmer. De nous imposer à eux. Même si les mœurs, sous mon impulsion, commencèrent à évoluer : nos rapports étaient fondés sur la camaraderie, pas sur la hiérarchie. Mais à la fin, bien sûr, c'était la gagne qui devait souder autour de moi. Rien d'autre.

Et puis j'avais un problème énorme, qu'il me faudrait surmonter quoi que je fasse : je portais désormais les habits d'Hinault et les comparaisons ne manquaient pas. Pour tous. Même Guimard est sûrement tombé dans le piège. Il a totalement adapté la « méthode Hinault » pour moi, trait pour trait. Même programme. Même mots. Tout à l'identique. Trop sans doute. Je n'étais pas Hinault et paradoxalement Guimard ne parvint pas à s'adapter vraiment à moi. Et j'étais trop jeune pour posséder la science de mon corps et lui imposer de nouvelles idées, des conceptions novatrices.

Personne ne pouvait alors imaginer que j'avais besoin d'un autre programme que celui d'Hinault : j'avais gagné mon premier Tour, c'était difficile de parler d' « échec » … Il n'y avait objectivement aucune raison pour modifier quoi que ce soit. On reproduisait ce qui avait porté ses fruits dans le passé.

Alors j'ai payé de ma personne. Heureusement j'étais vraiment sérieux. Je n'avais pas envie de décevoir.

La pression montait et se concentrait sur moi. Et plus elle montait plus j'étais détendu, serein, fort. Jambes et esprit ne faisaient plus qu'un : aussi prétentieux que cela puisse paraître, c'était ainsi…

Coke en stock

J'imagine le flâneur inexpérimenté parcourant d'un trait de plume l'illusion de notre milieu en extrême. Que comprendrait-il ? Sans doute regarderait-il le fatras des corps, et, à la lumière des choses vues, découvrirait-il des agissements aussi stupides que pouvaient l'être leurs auteurs, à la fois jeunes et délurés – parfois à la merci de tentations de leur âge.

Le Tour de Colombie 1984, appelée la Classico RCN, fut, en ce domaine, une expérimentation assez étonnante à laquelle je n'étais pas préparé. Côté course, pas grand-chose à signaler, si ce n'est deux victoires d'étape, une pour Charlie Mottet et une pour moi, le dernier jour. C'était une préparation idéale pour l'oxygénation puisque nous étions toujours au-dessus de 2 000 mètres. Il nous suffisait de prendre du plaisir et d'être sérieux. Et le contrat serait rempli.

Côté ambiance, le récréatif l'emporta parfois sur le sérieux. Mais nous n'étions pas les maîtres d'œuvre, c'est le moins qu'on puisse dire, et j'ai compris pendant cette semaine-là que nous étions, en France, des enfants de chœur vis-à-vis des règlements et des conduites éthiques censées édicter les comportements du cycliste adulte ! Disons-le franchement : les Colombiens avaient une réjouissante faculté à s'accommoder avec la réalité – j'écris réjouissante car ils semblaient heureux d'enfreindre quelques règles, cela se voyait, ils rigolaient tout le temps, heureux de vivre, de pédaler, de traverser leurs contrées devant des foules satisfaites d'acclamer leurs nouvelles stars : les Colombiens, en effet, étaient désormais des professionnels dignes des plus belles courses européennes.

A l'époque, toutes les courses étaient quasiment sponsorisées par la mafia locale. L'argent y coulait à flots et les armes circulaient sous cape. Tout n'était que combines et, plus grave, la cocaïne avait remplacé toutes les friandises connues. Je me souviens d'un suiveur – un narcotrafiquant assurément – qui, dans le coffre de sa voiture, mettait à la disposition de chacun des kilos et des kilos de poudre blanche. Son coffre était immaculé : 10 dollars le gramme. Prix cassés ! Le matin, les acheteurs faisaient la queue. C'était tout juste si les gars n'y venaient pas avec leur dossard déjà accroché dans le dos !

Pris par l'euphorie, les journalistes (dont quelque Français) avaient le sourire du matin au soir. Ça sniffait toute la journée ! Nous aussi on a fait les cons. Une fois. Pour essayer. Ce fameux soir j'aurais pu bousiller ma carrière…

A force d'entendre « c'est la meilleure du monde », « mon dieu qu'elle est bonne », nous nous sommes dits « mince, goûtons ». C'était donc la veille de l'arrivée à Bogota, où la Classico s'achevait traditionnellement. Et puisqu'on ne disputait plus rien de sérieux dans cette épreuve, les risques étaient mesurés. Nous nous sommes retrouvés à quatre dans une chambre d'hôtel. Comme des gamins devant un nouveau jouet. Nous disposions d'un gramme de cocaïne chacun. Nous en avons séparé un en quatre, puis l'avons sniffé.

Rien. Il ne se passait rien. J'ai regardé mon voisin : « Ça

te fait quelque chose ? – Non », a-t-il répondu. Stupéfaction. Déception. Nous avons ressorti un gramme, partagé, recommencé : toujours rien. « C'est ça, de la coke ? » ai-je demandé, désappointé. Je finissais par croire qu'on nous avait revendu du sucre en poudre. Disons que nous ne savions pas nous y prendre. Alors, en désespoir de cause, nous avons tout sniffé d'un coup ! Un gramme chacun. Qui s'évaporait dans nos narines…

Nous n'avions pas été assez patients avec les premières doses. Evidemment, les effets atteignirent enfin nos petits cerveaux d'imbéciles. Mon dieu ! Ouah ! J'ai eu la tête à l'envers. Une sensation invraisemblable, une totale perdition de mes moyens, je ne touchais plus terre. J'avais l'impression que les idées se bousculaient plus vite que mon esprit ne pouvait les analyser. Je ne savais plus comment je m'appelais.

Il fallait qu'on bouge, c'était plus fort que nous. L'état d'excitation était tel qu'on aurait fait n'importe quoi. Nous sommes allés marcher. Puis on a retrouvé Cyrille Guimard avec le journaliste Daniel Pautrat dans un bar. « Déconne pas, va te coucher », m'a dit Guimard. « J'ai envie de m'amuser », ai-je répondu. Je ne l'écoutais plus. Je me suis retrouvé en vrac, dans je ne sais quel bouge…

Un peu plus tard, Guimard, qui n'était pourtant pas le dernier à se distraire, me cherchait partout. Il avait pris peur. J'aurais pu tomber dans un traquenard ou dans de mauvaises mains, c'était pareil… Il a fini par nous convaincre de regagner l'hôtel. Je partageais ma chambre avec Greg LeMond. Sous les effets de la poudre, impossible de dormir. Nous avons parlé le reste de la nuit, jusqu'au petit matin. Rapprochés en camaraderie. Très temporairement.

Le lendemain matin au village-départ, sans avoir pourtant fermé l'œil, j'étais en pleine forme. Et je me suis baladé sur le vélo. Tellement que j'ai gagné la dernière étape adjugée à Bogota. Puis, lorsqu'il a fallu que j'aille au contrôle antidopage, j'ai pris conscience de mon inconscience. En une fraction de seconde, j'ai vu toute ma carrière défiler. Je n'arrêtais pas de me dire : « Mais pourquoi ai-je voulu gagner cette étape ? Pourquoi ? » Forcément, je croyais que j'allais être positif. Comment pouvait-il en être autrement ?

Puis, avant d'aller pisser, j'ai réfléchi deux minutes au contexte, à la course qui s'était déroulée depuis une semaine, à ce que j'y avais vu, à ce qu'on m'avait dit. Les Colombiens avaient gagné pas mal d'étapes et tous, vraiment tous, marchaient à la cocaïne : eurêka ! Les contrôleurs colombiens étaient forcément dans le coup. J'y suis allé un peu inquiet, mais rassuré par mon implacable raisonnement. Et comme prévu, je n'ai jamais eu de mauvaise surprise concernant ce contrôle. Blanc comme neige. Immaculé comme la poudreuse.

En y repensant aujourd'hui, je me dis que j'avais quand même pris un risque inconsidéré. Pas seulement à cause du contrôle. Mais à cause de cette fameuse nuit, où le pire aurait pu se produire. Les spécialistes de la transgression avaient l'habitude des risques. Pas moi.

La tragedia dell'arte

En dernier ressort. Lorsqu'il faut savoir conjuguer le verbe « rouler » à tous les temps. Dans la démesure et les éclats. Il faut que le doute ne soit plus permis et qu'audace et rigueur s'entendent à merveille. Spectacle. Faits d'armes. Parmi les plus étranges cyclistes qui se puissent concevoir, seules les exceptions durent et passent les âges. Je n'en étais pas encore là mais les terres italiennes, dans leur démesure, pouvaient m'offrir un nouveau terrain d'expression à la hauteur de mes attentes. J'avais faim.

Je n'avais conservé que de bons souvenirs du Tour d'Italie, auquel j'avais participé comme néo-pro en 1982. Mes retrouvailles se présentaient sous les meilleurs jours qui soient. Pour tout dire, cette course mythique m'a de nouveau irradié. Dino Buzzati avait vu juste, le Giro « est l'un des derniers hauts lieux de l'imagination, un bastion du romantisme assiégé par les mornes puissances du progrès ». Le grand écrivain ne se trompait pas : le Giro a toujours refusé de se rendre et c'était encore plus vrai à mon époque. Je dois le confesser : j'ai aimé intensément cette ambiance qu'on aurait crue surgie d'une autre temporalité ; j'ai aimé ces spectateurs à la fois survoltés et pourtant imprégnés d'indolence ; j'ai aimé cette chaleur humaine communicative, ces cris, cette langue ; j'ai aimé la beauté des paysages, leur couleur mordorée, l'éclat du jour, la douceur et même la fraîcheur des nuits ; j'ai aimé ces villages figés dans l'espace ; j'ai aimé ces montagnes de mai, ruisselantes et enneigées ; j'ai aimé souffrir sur ces routes. En somme, je me sentais bien en Italie et j'ai par la suite conservé intacte une passion pour ce pays. Mon transfert, bien après, dans une formation transalpine ne devrait rien au hasard…

Quelques semaines plus tôt, il m'avait juste manqué un peu de force pour remporter Liège-Bastogne-Liège et sans cette sinusite chronique, qui m'avait cloué au lit pendant plusieurs jours dans ma phase préparatoire, je n'aurais pas été repris à 5 kilomètres de l'arrivée alors que je voltigeais en tête en compagnie de Phil Anderson.

Ainsi, je n'avais qu'un seul objectif en prenant le départ de ce 67e Giro : la victoire finale. Rien d'autre. Pour y parvenir, avec Guimard, nous avions scrupuleusement composé une formation de baroudeurs et de copains, fidèles à l'heure du sacrifice. J'avais confiance en ces hommes jeunes et ambitieux tout comme moi : Gaigne, Menthéour, Corre, Salomon, Saudé, Wojtinek, Mottet.

Je me souviens bien du contexte. La « menace Fignon » inquiétait les Transalpins, qui avaient fait tout ce qu'il fallait pour que, enfin, leur idole Francesco Moser puisse remporter « son » Tour. Restait un détail : ce nouveau jeune Français qui, après Hinault, venait à son tour défier la patrie de Coppi et de Bartali. Au point que les coureurs italiens, qui n'ont jamais apprécié que les étrangers puissent gagner sur leurs terres, n'hésitaient pas au besoin à nouer l'union sacrée contre l'adversaire. Certaines années, braver les coalitions et vaincre malgré tout tenait du miracle…

Moser m'avait vu arriver et savait à quoi s'attendre. D'ailleurs il avait déclaré la veille du départ : « Pour Fignon, l'enjeu italien est décisif dans la mesure où il se doit de prouver que sa victoire dans le Tour de France n'est en rien accidentelle. On saura très vite s'il sait s'adapter au statut réel de leader car il est évident qu'il ne pourra pas compter, cette fois, sur un quelconque effet de surprise. »

Il avait raison. Avec Guimard, nous voulions au maximum imposer une stratégie de présence continue et quotidienne en tête de la course – ça m'allait bien – en essayant de bénéficier au mieux de la cartographie particulière de l'Italie. Contrairement au Tour de France, en effet, où la configuration géographique imposait d'ordinaire une temporisation très longue entre le point de départ et les Pyrénées ou les Alpes, le Giro offrait tous les deux ou trois jours une étape stratégique. Je me savais plus fort que Moser et Saronni en haute montagne : à moi de justifier cette réputation.

Hélas tout commença mal. Et le premier grand rendez-vous, au cours de la première semaine, fut pour moi un petit échec qui, trois semaines plus tard, aura les plus grandes conséquences. Lors de la 5e étape, une arrivée en altitude au blockhaus de la Majella, je fus pris d'une fringale foudroyante. Une minute trente s'était envolée au profit d'un Moser survolté et au plus grand bonheur des tifosis qui m'avaient déjà enterré. Cette fois encore, le glucose à forte dose en est le responsable. Hypoglycémie déclenchée par une décharge d'insuline. Ce n'est qu'à partir de ce jour que nous avons décelé cette anomalie chez moi et cela ne se reproduira plus jamais. Mais le mal était fait pour ce Giro. Déçu, Guimard s'était alors mis à beaucoup me parler. Chaque soir on regardait les étapes à venir pour échafauder une stratégie de harcèlement. Je me piquais au jeu. J'aimais l'idée de la baston quotidienne, d'autant que Moser, au fil de la deuxième semaine, ne cessait de s'améliorer : la confiance était de son côté, à l'image de tout le peloton italien, qui avait fait allégeance à Sa Majesté le rouleur et lui préparait le terrain en toutes occasions. Dès qu'il y avait un trou à boucher, un Italien sautait pour l'aider, qu'il soit de son équipe ou non. L'équipe Renault devait se battre contre tout un pays… j'exagère à peine. Les compromissions étaient visibles et il se disait beaucoup de choses sur les organisateurs (en particulier sur le directeur, Vicenzo Torriani) qui avaient évidemment choisi leur camp. Je ne sais pas si on imaginerait cela aujourd'hui, mais il faut bien comprendre que dans certaines étapes je recevais des crachats, on m'aspergeait avec du vinaigre et quelques autres douceurs…

Dans mes prévisions, je savais que j'allais encore céder environ 3 minutes dans les deux derniers chronos. Comme prévu, je perdis exactement 1'28" entre Certosa et Milan, 38 kilomètres. Francesco Moser était un rouleur hors normes aux méthodes qui flirtaient avec toutes les frontières du raisonnable. Autant sur le plan technique, puisqu'il bénéficiait de recherches avancées et utilisait des vélos type « record de l'heure », que sur le plan physique, puisque tout le monde savait qu'il collaborait avec des médecins peu regardants sur l'éthique.

Le matin de la 18e étape, que j'avais tout particulièrement cochée dans mon petit calendrier et dont nous avions scrupuleusement étudié les moindres détails avec Guimard (je savais où j'allais porter l'attaque), un coup de théâtre scandaleux se produisit. Au programme de cette étape de montagne dantesque figurait le franchissement du mythique Stelvio (2 757 mètres) où le grand Coppi signa parmi les plus belles de toutes ses prouesses et où les Italiens, pieux du cyclisme, sont persuadés que plus personne depuis n'est capable de hauts faits aussi somptueux… Profitant du froid et de l'altitude, les organisateurs, avec le soutien politique des autorités, inventèrent d'éventuels dangers qui n'existaient pas. L'Agence nationale des routes parla de « risques de neige » et même d' « avalanches ». Ils avaient déjà fait le coup deux ou trois fois avec d'autres cols moins célèbres : les étapes étaient modelées au jour le jour en fonction des intérêts. C'était surréaliste.

Cyrille Guimard a protesté tout ce qu'il a pu. En vain. Vicenzo Torriani gomma ni plus ni moins le Stelvio de l'étape et offrit un parcours de remplacement indigne de réputation. A l'arrivée, à Val Gardena, j'avais terminé 2e et repris un peu de temps à Moser, bien content du coup « politique » qu'il avait imposé à tous. Notre plan de grande offensive avait été ruiné par la duplicité d'organisateurs peu respectueux des règles sportives.

Le soir même, un peu effondrés avec Guimard, nous avons alors imaginé notre va-tout. Le profil de l'étape qui partait le lendemain, entre Val Gardena et Araba, offrait éventuellement une possibilité. Quelques cols se profilaient, Capolongo, Pordoï, Sella, Gardena et retour par le Capolongo. J'étais impatient de tout miser sur une seule attaque. Et le lendemain, exactement à l'endroit prévu, à 55 kilomètres du but, je suis parti seul dans le froid et la brume, que je détestais tant… En gagnant cette étape en solitaire, j'avais renversé la table en m'emparant du maillot rose. Mais Moser, désormais à 1'30'' derrière moi, n'avait pas totalement sombré, contrairement à ce qui aurait pu se produire dans le Stelvio très au-dessus de 2 000 mètres d'altitude… Tout le peloton avait fait en sorte de le ramener, de l'empêcher de perdre trop de temps… des chaînes de supporters s'étaient organisées pour le pousser dans les cols. Les commissaires, eux aussi, en rajoutèrent en me collant 20 secondes de pénalité pour un prétendu ravitaillement hors zone ! Il fallait que Moser gagne.

Il restait alors deux petites étapes. Mais surtout le contre-la-montre du dernier jour : 42 kilomètres entre Soave et Vérone. Un parcours, quoique un peu sinueux, taillé pour Moser. Plat comme une limande. Peu avant le départ, quand j'ai vu qu'il partait avec son vélo du record de l'heure, j'ai compris que c'était probablement cuit. On évaluait alors le bénéfice de ce matériel à 2 secondes au kilomètre. Sachant qu'intrinsèquement je devrais perdre une bonne minute sur lui, le compte était facile. Moser, qui n'avait peur de rien, avouera d'ailleurs par la suite : « Le matin du contre-la-montre, je suis allé faire un test en compagnie de mon médecin, le docteur Tredici. Il m'a alors demandé de rouler au maximum pour voir : je me suis retrouvé dans les temps de mon record de l'heure. J'ai reproduit la même chose l'après-midi, l'esprit tranquille : le docteur m'avait dit de partir à fond et m'avait affirmé que je pourrais conserver le même rythme pendant près d'une heure… et c'est ce qui s'est produit ! »

Moser : les 42 kilomètres à près de 51 km/h de moyenne. Moi : 2e à 2'24". Une minute et trois secondes de passif au général. Je sombrais dans le chaos. C'était d'autant plus difficile à accepter que pendant une grande partie de mon chrono, le pilote de l'hélicoptère de la télévision, pris par sa passion dévorante pour son métier sans doute, s'amusa à venir me filmer de si près qu'il aurait pu lécher mon dossard avec la tête de son appareil. Inutile de dire que les turbulences ainsi provoquées m'envoyèrent assez de vent pour ralentir ma progression. A deux ou trois reprises, au bord de la chute, je me sentis obligé de dresser le poing pour m'en plaindre. Tout était fait pour que Moser puisse gagner. Guimard était ivre de colère. Moi aussi.

Dans des circonstances normales, si toutes les étapes avaient été respectées de même qu'un minimum de règles morales, ce contre-la-montre n'aurait eu qu'une importance secondaire, les écarts auraient été creusés bien avant. Et j'aurais gagné mon premier Tour d'Italie le plus logiquement du monde. Au lieu de cela, une douleur brûlait ma poitrine : celle de l'injustice.

Bien sûr, au soir de l'étape du Stelvio, peut-être aurions-nous dû décider de quitter la course, ce qui aurait été un geste fort. Mais prendre le maillot rose était encore possible, la preuve. Et puis l'équipe Renault possédait le maillot blanc du meilleur jeune avec Mottet, moi je portais celui du meilleur grimpeur, nous étions en tête du classement par équipes… Nous trustions tous les maillots.

Après ces trois semaines particulières, au moins une chose était sûre : j'étais bien le Fignon capable de tout gagner.

Pour triompher sur les terres de Coppi, il n'avait pas manqué grand-chose au cycliste que j'étais.

Mais ce Giro 84 manque toujours à l'homme que je suis.

Comme une douleur.

La douleur a disparu. Mais pas le souvenir de la douleur.

« J'en gagne cinq ou six et j'arrête »

Comme une initiation venue de l'ancien temps. Une marque. Un sceau transmissible par-delà les générations. L'air, l'eau, le feu. La force, l'esprit, le courage. Les grands mythes naissent des rites, quand ils ne les suscitent pas : je commençais à comprendre que figurer au palmarès du Tour de France procurait un sentiment confortable d'éternité. Mais doubler la mise, confirmer, prouver à tous que 1983 n'était qu'une préface approximative à une œuvre bien plus vaste, telle était mon ambition. Et je dois bien le dire : ce n'était alors qu'une ambition très raisonnable, comparée au mental qui était alors le mien. Je savais ce que j'avais à faire. Et je savais exactement où j'allais le faire.

L'épisode traumatisant du Tour d'Italie m'avait rendu plus fort : c'était évident. J'étais prêt désormais à lutter contre toutes les compromissions, préparé à affronter les pires des turpitudes pour éviter que ne se reproduise ce genre de vol manifeste. Et plutôt que de rabâcher cet échec psychologique, plutôt que de chercher jour après jour des coupables pourtant tout désignés, je ne m'en prenais qu'à moi-même. Fuir mes responsabilités ? Me recroqueviller ? Jamais. Je devais donc être encore plus fort et ne plus laisser aux autres le choix des armes. La campagne d'Italie m'avait forgé un beau moral.

Et puis tout le monde savait dorénavant que ma victoire en 1983 n'était pas qu'un hasard. Je me souviens qu'en cette période, quoique sûr de moi, je restais très modeste. Capable de dialectique avec moi-même, je pouvais dire que si Hinault avait été là en 83 je n'aurais évidemment pas gagné la Grande Boucle puisque j'aurais été à son service ; mais je pouvais dire aussi que sans Hinault j'aurais probablement eu « dans les jambes » le Tour d'Espagne 83. Pour résumer : en position de leader, j'aurais pu gagner beaucoup de belles courses à étapes dès 1983. Avec mon physique au long cours jamais aussi robuste que dans de longues étapes, j'avais une faculté supplémentaire : contrairement à beaucoup de coureurs qui sortaient littéralement « lessivés » d'un Tour d'Espagne ou d'Italie et étaient quasiment incapables d'enchaîner avec le Tour de France dans de bonnes conditions, moi, il me fallait deux Tours pour monter en régime et arriver mi-juillet au sommet de ma forme. Avoir participé au Giro, même dans des circonstances difficiles, n'était donc pas un handicap, bien au contraire.

Au départ de ce Tour, les journalistes additionnaient leurs excitations réciproques. Le retour d'Hinault sur son terrain de chasse privilégié exaltait tous les commentaires. C'était un peu la folie. Le « duel » Hinault-Fignon. Celui que tout le monde attendait allait enfin se dérouler sur le plus beau terrain d'expression cycliste du monde. Chacun allait enfin savoir. Je dois l'admettre, une grande partie de la presse avait choisi son camp et rêvait d'un retour triomphal du Blaireau. Le public, lui, se disait très partagé : Hinault avait toujours impressionné mais n'avait pas la popularité d'un Poulidor ou même d'un Thévenet en 1977… du moins pas encore.

Quant à moi, il fallait être vigilant et surtout bien lire la presse spécialisée pour savoir ce que pensaient vraiment les suiveurs attentifs de la chose sportive. Il faut dire qu'une semaine auparavant, j'étais allé chercher le maillot de champion de France à Plouay, sur les routes d'Hinault, avec une facilité déconcertante. J'avais impressionné par mon aisance et la puissance de mon coup de pédale... Pour la plupart des directeurs sportifs ou anciens champions, j'étais de loin le favori du Tour. Gribaldy, Géminiani, Pingeon, Poulidor, Danguillaume, etc. Tous le pensaient à la veille du départ. Et tous l'affirmaient encore après le prologue, en région parisienne... que je n'avais pourtant pas gagné.

Bernard Hinault s'était rappelé au bon souvenir de tous, frappant fort à la porte de sa propre légende. Du moins beaucoup le croyaient. Ces braves gens avaient juste oublié que j'avais fini 2e à 3 petites secondes seulement du Blaireau, ce qui, dans cet exercice, constituait pour moi un genre d'exploit. De même avaient-ils par ailleurs mal compulsé le classement, sinon ils auraient remarqué ce qui sautait aux yeux : parmi les autres « favoris », Roche et LeMond pointaient déjà à 12 secondes, Kelly à 16, Gorospe à 17, Simon à 34, etc. Non seulement j'étais dans le coup, mais certains avaient déjà du souci à se faire...

Moi, j'avais progressé partout. Et Guimard était à mes côtés. Nous savions tous qu'Hinault, à la fois impulsif et colérique, ne brillait pas par sa science tactique. Il rendait coup pour coup ou assommait son monde, mais lorsqu'il fallait calculer, attendre, jouer avec les stratégies des autres, Hinault avait un besoin vital de Guimard et pour l'instant, d'après ce qu'on en apercevait depuis le début de saison, le directeur sportif de La Vie Claire, Paul Koëchli, n'avait pas montré assez de force de caractère pour mettre à ses ordres le Breton. A la décharge du technicien suisse, le patron de l'équipe, Bernard Tapie, avec ses manières de nouveau riche voulant tout régenter à la mode show-biz, ne lui laissait que peu de marge de manœuvre…

La folie médiatique au profit d'Hinault ne m'atteignit pas. Toutefois, un peu plus de sept cents jours plus tard, il enfilait de nouveau un maillot jaune. Je comprends son émotion et la lueur de bonheur qui a dû parcourir son visage sur le podium d'arrivée. Il déclarait d'ailleurs : « C'est marrant, mais j'ai l'impression que rien n'a changé. » Il parlait de ses sensations. Un témoin dira pourtant quelques jours après qu'il l'avait vu « complètement cuit » après son passage sur la ligne, « lessivé », « mort », selon ses propres mots. C'était évidemment exagéré puisqu'il s'agissait d'une belle victoire pour un retour. Hinault avait ajouté, entendant que j'étais donné favori : « Oui, il a fait un beau Tour d'Italie. Mais il a été battu par Moser. Et moi, j'ai dominé Moser quelques fois… » Hinault, quoi. Toujours prêt à dégainer. Toujours partant pour l'entretien façon coup de poing…

Quelle pression. J'adorais ça ! Cela renforçait ma motivation. J'aimais déjà la bagarre qui se profilait. En tous lieux. La bagarre pour être le meilleur. Mais je dois la vérité : la désinvolture qui me caractérisait tant depuis le début de ma carrière ne m'avait toujours pas abandonné. En toute sincérité, alors que la France était coupée en deux, partagée entre lui et moi, j'eus par rapport à ces événements un authentique détachement. Rien ne parvenait pas à me perturber ou à changer quoi que ce soit dans mon comportement. « Toi, tu es un anticonformiste, préserve ça précieusement, c'est une merveille dans le sport français », m'avait dit un jour un ami. Je n'avais pas trop prêté attention à ces mots. Pourtant…

Autrement dit, malgré les clameurs et les paris sur tel ou tel, et en ayant bien conscience de choquer ou de décevoir ceux pour qui tout est sacré, je n'avais pas la conscience véritable de participer à la rédaction d'un grand livre d'histoire… Si je gagnais, je gagnais. Si je perdais, je perdais. Je serais passé à autre chose, un point c'est tout. Et le soir de ce prologue, je me souviens parfaitement bien de ma réaction. Tandis que tous les commentateurs savants se préoccupaient d'Hinault et se focalisaient sur son « retour triomphal », personne ne se doutait que, dans ma solitude idéale, je m'étais dit une chose simple et évidente pour moi : « Je suis au top ! » Je marchais comme un avion. C'était une sensation délicieuse et ce contretemps par rapport à tous n'était pas pour me déplaire. Pendant que les Français imaginaient un Hinault capable de gagner son cinquième Tour, moi, ce soir-là, j'étais déjà sur un nuage. Je me sentais au meilleur de moi-même !

Et puis l'équipe Renault dominait de la tête et des épaules ce peloton. C'était impressionnant. Avec Jules, Barteau, Didier, Gaigne, les frères Madiot, Menthéour, Poisson et le champion du monde en titre LeMond, nous avions toutes les cartes possibles et imaginables pour nous amuser un peu. Et au lendemain d'une première victoire d'étape pour nous, en la personne de Marc Madiot, le contre-la-montre par équipes (3e étape, 51 kilomètres) donna le ton de la symphonie que nous allions répéter chaque jour un peu mieux que la veille. Partis prudemment, nous avions réalisé une fin de parcours en parfaite harmonie. J'appuyais sans problème chacun de mes relais dans un effort presque réjouissant tant les pédales me semblaient légères. C'était notre premier objectif et j'avais osé déclarer avant le Tour que Renault gagnerait ce chrono : c'était fait. De peu par rapport à des équipes comme Panasonic-Raleigh ou Kwantum : 4 secondes. Mais de beaucoup par rapport à La Vie Claire : 55 secondes. Premier round.

Dès la 5e étape, à la faveur d'une échappée-fleuve de

trois coureurs que nous avions bien agencée et que les autres grandes formations avaient laissée vivre, Vincent Barteau, 2e de l'étape, hérita du maillot jaune avec plus de 17 minutes d'avance sur nous tous. Ce fut la fête à notre hôtel. Car la signature du bail avec les maillots jaunes quotidiens ne faisait que débuter. Il nous fallait contrôler la course : c'était idéal. Et moi, je restais bien sagement à ma place.

Mais pleinement dans mon rôle. Je regardais Hinault s'affoler, participer aux sprints bonifications, commencer une guerre qu'il croyait d'usure, tous les jours, sur tous les terrains, mais qui n'était qu'inutile. Du Hinault hargneux, qui ne lâche rien. Cela ne me dérangeait pas. Il avait raison d'essayer. Avec un coureur à la psychologie plus faible que moi, peut-être serait-il parvenu à le faire plier. Moi, j'avais du répondant et surtout, contrairement à ce qu'il entrevoyait, je restais d'un grand calme même si le harcèlement ainsi pratiqué s'avérait parfois un peu lassant, car il fallait toujours être vigilant. Mais je reconnaissais à Hinault un panache qui forçait le respect. Cela m'étonnait d'autant moins que j'avais la même philosophie : moi aussi j'ai toujours essayé de créer de l'insécurité, pour fragiliser les plus faibles et faire plier mes adversaires, leur laisser croire que la moindre occasion était la bonne pour attaquer, qu'ils ne sachent jamais où et quand ça allait se dérouler. Quand un adversaire est sur la brèche en permanence, il se fatigue, il commet des erreurs, il s'affaiblit tout seul…

Guimard savait utiliser le meilleur de l'équipe et de ses compétences. Exemple. Quand une échappée prenait trop d'ampleur, il était à cette époque le seul directeur sportif avec son chronomètre à aller derrière les échappées pour calculer leur vitesse moyenne, avant de donner ses consignes. Il disait : « Accélérez, ralentissez », selon ses calculs, qui s'avéraient quasiment fiables à cent pour cent. Même avec un retard de 9 minutes sur des échappés, il calculait qu'on devait se mettre à rouler à 62 kilomètres de l'arrivée, à telle allure très précisément, et qu'on serait revenus sur eux à… 3 kilomètres du but. Il était impressionnant. Et ainsi nous parvenions à jouer avec les nerfs de toutes les équipes ! Voilà pourquoi Guimard fit école.

Arriva le premier véritable moment de vérité. Le contre-la-montre individuel, entre Alençon et Le Mans, 67 kilomètres. Mon état de forme était visible : sur un tout nouveau vélo profilé Delta, j'ai gagné l'étape en dominant Sean Kelly de 16 secondes et surtout Bernard Hinault de 49 secondes. Quant aux éventuelles velléités de contester au sein de l'équipe Renault ma position de leader, les choses avaient trouvé leur conclusion : Greg LeMond avait perdu plus de 2 minutes. L'éventuel problème était temporairement réglé. J'avais déclaré à son sujet la veille du départ : « Cela ne posera aucun problème, je vous assure. La course se chargera de décider elle-même. Car il y aura bien un jour, forcément, où l'un de nous deux cédera du temps à l'autre… » Ce jour était arrivé.

Tout se déroulait admirablement bien et mon bonheur trouva une satisfaction encore plus aboutie dès le lendemain : Pascal Jules gagna son étape, à Nantes. Et notre accolade le soir fut joyeuse et bruyante. Un immense vacarme de plaisir. Ceux qui n'étaient pas parmi nous ces soirs-là, dans la chaleur de la fraternité et l'abondante amitié, chercheront longtemps encore la définition du bonheur commun. C'était impressionnant d'authenticité. Les victoires d'étape s'amoncelaient, Barteau était toujours en jaune, moi plus que jamais le favori, et dès qu'on descendait de vélo, notre chaleur communicative irradiait tout sur son passage…

Le franchissement des Pyrénées, sans Aubisque et Tourmalet, allait d'ailleurs plonger Hinault dans un trouble encore plus palpable. Au soir de l'arrivée vers Guzet-Neige, après les cols du Portet-d'Aspet, de Core et de Latrape, sous une chaleur accablante, étape remportée par Robert Millar devant le Colombien Luis Herrera, le quadruple vainqueur me concéda 52 secondes supplémentaires. Je n'avais pourtant attaqué qu'à 3 kilomètres de la ligne d'arrivée, sans vraiment forcer d'ailleurs...

J'imagine qu'Hinault se trouvait très décontenancé par mon aisance, sur tous les terrains. Mais lui ne rendit pas les armes pour autant. Dès le lendemain, dans une improbable, pour ne par dire pathétique, tentative d'échappée, le Blaireau, qui ne marchait alors qu'à l'orgueil, se retrouva tout seul vers Blagnac après seulement 60 kilomètres de course... une folie pure. Ce n'était ni le lieu (profil plat) ni le moment (routes balayées par les vents) pour une escapade solitaire. Mais Hinault s'enferra dans cette attitude, insista environ 20 kilomètres... Désarroi ? Ou ambition ? A aucun moment nous ne nous étions affolés, bien au contraire. En revenant sur lui avec une maîtrise calme, nous avons même profité de notre force collective pour mettre sur orbite Pascal Poisson : cinquième victoire d'étape.

A Rodez, tout cela commença à devenir humiliant pour tout le peloton : Pierre-Henry Menthéour déborda ses compagnons d'échappée Dominique Garde et Kim Andersen. Sixième victoire d'étape. Dès qu'on le décidait, nous laissions derrière nous des vaincus éparpillés, accablés et meurtris par notre règne sans partage. Les journalistes avaient depuis beau temps tourné casaque. Chaque jour, ils cherchaient de nouveaux superlatifs pour parler de nos couleurs de guêpe. Car la guêpe piquait tout ce qui bougeait. Nous étions les seuls à adorer.

L'entrée dans les Alpes, par Grenoble, une étape agitée où je fus moyennement en forme, ne modifia pas mes plans. Lors de la journée de repos, que je mis à profit pour me détendre physiquement en passant de nombreuses heures dans ma chambre, je parvins à expulser le peu de stress qui était en moi avant d'attaquer le contre-la-montre individuel vers La Ruchère-en-Chartreuse : 22 kilomètres, dont les 10 derniers en altitude. J'avais très peu de points de repère, puisque, à ce jour, je n'en avais testé qu'un seul. Sur la Vuelta.

C'était une montée sèche, brutale, pour un effort en solitaire. Et même si j'étais parti un peu dans l'inconnu, je me sentis tout en force et tout en souplesse. Je ne fus pas étonné de gagner l'étape, mais je m'attendais à une performance moins probante. J'avais réussi à marier les genres : le plat et la montée. D'un côté j'avais devancé les rouleurs comme Hinault ou Kelly, mais d'un autre côté j'avais éloigné les purs grimpeurs sur le plat, les rejetant assez loin pour éviter une surprise. Du reste, seulement quatre d'entre eux montèrent plus vite que moi les 10 derniers kilomètres d'ascension. A l'arrivée, j'ai finalement devancé Herrera de 25'', Delgado de 32'' et Hinault de 33''. Le Blaireau, toujours plus loin au général…

J'ai un souvenir précis de l'harmonie qui fut la mienne ce soir-là. Barteau était toujours en jaune, mais son sablier laissait échapper les derniers grains de temps, inexorablement. Il ne le savait pas encore, mais il avait vécu son dernier jour de podium… Moi, je vivais une espèce d'état de grâce, dû peut-être à la journée de repos. Je planais. J'avais encore dominé Hinault et Herrera. Du feu dans les jambes. Et une envie dévorante, totale, absolue. Je suis presque gêné de l'avouer, mais je me sentais dès lors invulnérable. Sensation si troublante qu'on ne se rend pas compte, sur le moment, qu'elle peut signifier une forme d'apogée – après laquelle on courra toute son existence, par la suite…

A partir de ce jour-là, Cyrille Guimard entra en scène encore plus vigoureusement. Il avait compris, lui, que je pouvais à ma guise gagner toutes les étapes qui se présenteraient sous mes roues. Plutôt que de le dissimuler ou au contraire de me conforter dans je ne sais quelle morgue déplacée, il s'employa dès lors à m'obliger à temporiser. C'était très surprenant pour moi de le voir agir. Assez surréaliste. Il avait sous ses ordres le meilleur coureur du monde et la seule chose qu'il trouvait à lui suggérer, c'était « calme », « attends », « laisse faire » … Pour quelqu'un de moins intelligent que moi, c'eût été déroutant. Mais sa science parlait : l'homme redoutait une erreur fatale, une défaillance, une fringale, que sais-je encore. Plutôt que de le conforter, mon aisance l'inquiétait. Quant à mon absence de problème physique, elle lui paraissait provisoire. Moi, j'étais au beau fixe et Guimard avait du mal à en comprendre la simplicité. Sans doute redoutait-il quelque chose, l'accident qu'il lui fallait anticiper coûte que coûte. Le souvenir du Giro, quelques semaines plus tôt, l'avait semble-t-il vacciné : jamais je n'aurais dû perdre cette course qui me tendait ses doux bras. Pourtant.

La montée de l'Alpe d'Huez, dès le lendemain du chrono, le rendait méfiant. Toute la journée, Cyrille est venu à mes côtés pour m'empêcher de lancer l'offensive trop tôt. J'avais des fourmis dans les jambes. Et lui répétait comme un métronome : « Pas maintenant ! » Ce fut un excès de prudence, que je ne saurais lui reprocher. Même si…

Car Hinault n'avait pas abdiqué ! Dans cette étape entre Grenoble et l'Alpe, il passa à l'offensive dès le col du Coq. Puis, après une jonction aisée dans la longue descente vers Grenoble, il attaqua de nouveau dans la côte de Laffrey trois fois de suite. Je n'avais aucun problème à répliquer à cette guérilla, sans jamais paniquer. Mais ça m'agaçait. Alors pour me calmer, j'ai un peu poussé sur les pédales et j'ai alors été surpris de constater qu'Hinault ne suivait plus, alors qu'il venait d'attaquer. J'ai poursuivi mon effort. Seul Herrera parvint à me suivre au sommet de Laffrey. J'ai même pris 40 secondes dans la descente : cela m'avait surpris car je n'avais pas l'impression d'avancer vite... Dans la vallée, Hinault compta je crois jusqu'à 1 minute de retard. Mais peu avant Bourg-d'Oisans, un regroupement s'opéra. Hinault n'attendit pas la montée finale et avant même les premiers lacets, sur le plat, crut bon de remettre ça, roulant les épaules et offrant le visage hermétique que chacun lui connaît.

Quand je l'ai vu se dresser sur les pédales et s'en aller dans cette ligne droite, je me suis vraiment mis à rigoler. Pas intérieurement. Je dis bien que j'ai rigolé physiquement, là, sur le vélo. C'était plus fort que moi. Son attitude était aberrante. Quand on se fait larguer, la moindre des choses c'est de profiter de son retard pour se refaire une santé... Mais Bernard avait trop d'orgueil et voulait tout faire au panache. C'était perdu d'avance.

L'inévitable se produisit. Dès les premières rampes de l'Alpe d'Huez, je suis revenu sur Hinault. Sauf que, entretemps, Herrera avait pris une cinquantaine de mètres d'avance. Guimard est venu à mes côtés et m'a demandé de couper un peu mon effort pour que je ne prenne pas plus d'une trentaine de mètres au Blaireau. Il voulait qu'il craque vraiment. Et c'est exactement ce qui se produisit. Hinault entra progressivement dans une période de régression, laquelle s'accéléra considérablement durant la seconde partie de la longue escapade. Jusque-là, son échec s'effectuait au goutte-à-goutte, mais l'inéluctable fuite du temps allait devenir nette et continue à l'approche de la station. Le Blaireau termina sa course douloureusement, avec un passif sur moi de 3 minutes, dans un état proche de la détresse. Et savez-vous ce qu'il déclara, moins de dix minutes après avoir franchi la ligne, lessivé ? « Aujourd'hui, j'ai dérouillé, mais je n'arrêterai pas d'attaquer avant Paris. » Incroyable Hinault...

Mon problème fut ailleurs. Au moment où Guimard vint me dire « tu peux y aller », il était trop tard pour la victoire d'étape. Herrera préserva assez d'avance, 49 secondes exactement, et me priva du prestige de l'Alpe. Ce soir-là, j'endossais, heureux, le maillot jaune : c'était mon objectif. Mais comment aurais-je pu imaginer, alors, que jamais de ma vie je ne gagnerais au sommet de l'Alpe d'Huez ? L'excès de prudence de Guimard m'avait floué. Dans la vie comme dans le sport, il ne faut jamais laisser passer les occasions...

En fin de journée, lors de l'émission de Jacques Chancel, l'épisode avec Hinault prit un tour polémique. Le journaliste posa cette question : « Qu'est-ce que ça vous a fait quand Hinault a attaqué avant l'Alpe ? » Moi, sans réfléchir, mais ajoutant à la cruauté de la situation faite à Hinault, j'avais répondu : « Quand je l'ai vu partir ainsi, je me suis mis à rigoler. » Je ne faisais que dire la vérité. Rien que la vérité. Ce n'était pas méchant de ma part. Mais cette phrase fit le tour des rédactions et enfla bien au-delà du raisonnable. Tout le monde crut que je m'étais moqué d'Hinault. Mais ce n'était pas le cas, pas du tout ! A aucun moment je ne voulais lui manquer de respect, bien au contraire. Comme aurais-je pu faire ça, surtout à lui ? Hinault, homme d'honneur, avait bien compris ce que j'avais voulu dire et à aucun moment il n'a surenchéri. Il avait tourné la page. D'ailleurs il nous arrivait de nous parler. C'était entre nous une bataille loyale, il n'y avait pas de mauvais coups et il n'y avait aucune raison pour que cela arrive. Ni lui ni moi n'étions des adeptes des « coups tordus ».

Le soir de l'Alpe d'Huez, à l'hôtel, le nouveau maillot jaune que j'étais ne changea rien dans ses habitudes. L'un des coureurs de l'équipe, qui avait fricoté avec une Miss France « officieuse » (un autre comité d'organisation que celui de Madame de Fontenay), avait besoin de ma chambre pour passer la soirée avec elle. Je lui ai laissé les clefs sans réfléchir. Je lui ai servi d'alibi auprès de Guimard, qui le cherchait partout. « Il passe la soirée avec deux journalistes », ai-je répondu. Un gros mensonge. Guimard n'était pas dupe.

Entre Bourg-d'Oisans et La Plagne, dans la montée finale, j'ai écœuré tout le monde. J'ai accéléré assis. Un simple coup de reins et il n'y avait plus personne dans ma roue. C'était presque trop aisé. Un tel sentiment de domination aurait pu me tourner la tête. Je me baladais. Il n'y avait pas d'autre mot. Le matin même dans *L'Equipe*, Bernard Tapie déclarait : « Je veux Fignon ! » Deux jours plus tard, en conférence de presse, j'osai pourtant cette confession : « L'an prochain, je retournerai peut-être dans l'anonymat. Ce qui m'était arrivé l'an dernier, c'était un rêve. Cette année je m'attendais un peu à ce qui m'arrive, donc les sentiments sont différents… »

A l'écoute de ce genre de mots, beaucoup pensaient alors que j'avais la grosse tête. Mais c'était ridicule de croire cela. Je refusais la langue de bois. Et je m'apercevais jour après jour que ma sincérité se retournait contre moi. Plus je me livrais en toute quiétude et surtout sans calcul, plus on médisait de moi. C'était pourtant un mélange d'assurance et de modestie. Car je pouvais aussi déclarer le même jour : « Est-ce que je deviens un "géant" ? Je n'en ai aucune idée.

Ce que je sais, en revanche, c'est que tout ça prend fin un jour. Regardez Hinault, il a quasiment tout gagné. Il y a deux ans encore on le disait imbattable. Aujourd'hui il n'est plus au sommet. Alors, où est la vérité ? Et, surtout, comment peut-on faire pour se maintenir ? »

J'étais en plein triomphe. Alors : n'était-ce point lucidité, pourtant, que d'oser ces mots-là ? Pourquoi m'en tenait-on rigueur ? Je ne comprenais pas et je ne comprends toujours pas l'attitude de certains journalistes…

Entre La Plagne et Morzine, j'ai tenté de tout régenter, même le sort des autres. Dans le col de Joux-Plane, j'ai voulu emmener Greg LeMond dans une offensive pour qu'il passe 2e au général devant Hinault. Il n'a pas pu suivre le rythme. Et le lendemain, sur les rampes de Crans-Montana, j'ai tout fait pour que Pascal Jules remporte sa deuxième victoire d'étape. J'ai temporisé tout ce que j'ai pu pour que Julot s'accroche. Mais Angel Arroyo et Pablo Wilches lui étaient supérieurs. Alors j'ai gagné…

Je suis bien conscient que cela faisait beaucoup de victoires. Dix en tout pour l'équipe Renault : le contre-la-montre par équipes, Madiot, Jules, Poisson, Menthéour et cinq pour moi. Une forme de paradis sportif. Nous rigolions tout le temps. Dans une ambiance idyllique.

L'histoire retient aussi que j'ai remporté l'ultime contre-la-montre entre Villié-Morgon et Villefranche-en-Beaujolais, parachevant mon récital de la plus franche des manières : cinq victoires d'étape. Mais qui se souvient que les chronométreurs nous avaient départagés, Sean Kelly et moi, de 48 millièmes de seconde ?

Au soir des Champs-Elysées, les commentateurs se sont perdus en conjectures. Ils avaient assisté à une « victoire totale ». Comparable, écrivirent certains, à celle de Merckx en 1969. Mes sentiments profonds furent plus nuancés, plus confus probablement. Je ne me souviens pas d'un moment où je me croyais vraiment entrer « dans la légende ». Ma domination avait été tellement fracassante que beaucoup de journalistes comparaient déjà les statistiques et demandaient le plus sérieusement du monde, et c'était logique : « Combien va-t-il encore en gagner ? » Je n'étais pas dans cet état d'esprit. Et pourtant, assailli de questions de même nature, j'avais fini par répondre : « J'en gagne cinq ou six et j'arrête. »

Il faut bien comprendre. Fin juillet 1984, personne ne pouvait me battre dans un grand Tour. C'était une évidence. Alors, forcément, cette idée s'enracina peu à peu en moi et j'aspirai à tout gagner. Plus personne ne doutait de mon talent : pourquoi vouloir le gâcher ?

Cela dit, soyons sérieux. Même en 1984, je n'étais pas Bernard Hinault pour autant. Hinault était plus complet, meilleur rouleur, plus dur au mal, il tombait moins malade que moi dans les débuts de saison. Je ne « marchais » pas avec les mêmes ressorts. Je n'avais pas un identique orgueil ni un tempérament aussi raide.

Et puis, n'oublions jamais une chose importante : je n'avais pas la classe d'Hinault.

Pour moi c'était clair et net !

Être dominateur ne signifiait pas que je perdais le sens de la réalité, les goûts de la vie et les plaisirs fondamentaux.

Sur un vélo, toutes les figures pâlissent – les effets de style ne durent jamais bien longtemps.

Le vélo, c'est la vérité nue.

Le choc postopératoire

Si le cyclisme, pratiqué à un haut niveau, constitue l'un des plus sûrs moyens que l'homme ait inventés pour fabriquer du bonheur et pour se connaître lui-même, il est aussi une puissante fabrique à désillusions, qui alimente sa production sans prévenir, n'importe quand. Nous nous battons aussi contre nous-mêmes. Contre une image dans le miroir. Pas seulement contre le temps. Je n'en étais pas encore à traquer les années. Mais aussi contre notre propre physique, dont nous ne maîtrisons pas tous les paramètres, hélas…

Le début de saison 1985 fut conforme à mes prévisions. Beaucoup de plaisir. Que de la joie d'avancer sur tous les fronts avec dans le dos une pancarte énorme due à mon nouveau statut. Rien que de l'enchantement. De l'euphorie. Et puis, ce sentiment merveilleux de puissance physique, qui s'était quelque peu mis en sommeil après le Tour 1984, se réveillait en moi dès les premiers jours de course. Autant le dire : mon hiver fut délicieux et j'étais dans une forme éblouissante.

J'arborais toujours mon maillot de champion de France et en remportant le prologue de l'Etoile de Bessèges, puis le classement général de la Semaine Sicilienne, cinq étapes de pure délectation collective entre les citronniers, les oliveraies, les palais de marbre et les temples de l'Antiquité, on pouvait affirmer sans avoir peur de se tromper que mes premières semaines sur le vélo avaient de quoi satisfaire. Manifestement, la plénitude qui était la mienne dégageait une telle impression que plusieurs de mes équipiers n'hésitèrent pas, chacun avec ses mots, à me féliciter de leur offrir un tel rayonnement. En tous points j'étais resté le même homme.

Cela ne dura pas… Depuis l'Etoile de Bessèges, suite à un choc ridicule sur une pédale, je ressentais fréquemment une douleur dans la cheville gauche, anodine en apparence, située au tendon d'Achille. Cette douleur apparaissait puis disparaissait, jusqu'à devenir parfois intolérable dès qu'il s'agissait d'appuyer brutalement sur les pédales. Les spécialistes se montrèrent perplexes sur les raisons de ce mal. Après une belle Flèche Wallonne (3e) et un Liège-Bastogne-Liège décevant (5e), je fus stoppé dans mon élan. Même les entraînements devenaient douloureux. De véritables coups de couteau. Certains croyaient encore à une tendinite bénigne. D'autres imaginaient des micro-ruptures du tendon. Faute de bon diagnostic fiable, j'ai décidé de consulter le professeur Saillant, la sommité des sommités en ce domaine. Verdict : inflammations péritendineuses de la gaine du tendon. Saillant précisa : « La tendinite dont est atteint Laurent Fignon laisse apparaître des nodules d'une grosseur très appréciable et il faudra opérer. Autrement dit, ouvrir la gaine et procéder à l'ablation des malformations qui se sont créées à la suite de petites ruptures successives à ce tendon. »

Je me souviens avoir demandé à Saillant : « C'est une obligation, cette opération ? » Il m'avait répondu : « Pour faire du vélo, oui. » Sentence sans appel. C'est moi qui ai donc pris la seule décision raisonnable : la chirurgie. J'avais beau remuer la chose dans tous les sens, je savais par cette conclusion logique que le reste de ma saison partait en fumée. Au moins trois ou quatre mois d'arrêt. C'était la sanction. Adieu le Giro. Adieu le triplé dans le Tour.

Singulier destin, celui d'un sportif de haut niveau. A la merci d'un petit rien. Et puis l'opération n'était pas si superficielle. A titre de comparaison, quand Bernard Hinault avait été opéré, deux ans auparavant, il souffrait de nodules légers derrière le genou, localisés à un ligament appelé « patte-d'oie ». Mon mal, à n'en pas douter, était déjà plus profond et, aux yeux de certains, il était clair que j'avais trop attendu pour me soumettre à un traitement radical, seul susceptible de me guérir.

Durant toute cette période, Cyrille Guimard, qui vivait très mal cet ukase du destin, s'amusa, comme il l'avait fait avec Hinault en 1983, à balader la presse à droite, à gauche, à raconter n'importe quoi, à laisser planer le doute... Jusqu'à Liège-Bastogne-Liège, il insinuait des choses sur ma santé, sans jamais prononcer le nom précis du mal mystérieux qui me rongeait, et moi, il m'avait demandé de le laisser gérer cette communication... qui se révéla contre-productive. Même l'annonce de mon opération, faite par un communiqué donné à l'AFP, apparut comme troublante. Des rumeurs loufoques circulèrent à mon endroit. Des rumeurs de dopage en particulier, selon le principe assez basique et surtout méprisable que je passais là où Hinault était passé, c'était donc une « preuve » qu'il y avait anguille sous roche et que j'avais péché là où le maître avait péché ! J'étais meurtri. Et révolté.

Je n'ai pas maîtrisé cette bulle médiatique. Je m'en suis voulu longtemps, car il aurait suffi de dire à tous exactement ce qui m'arrivait au moment où cela m'arrivait, et il n'y aurait eu aucun dérapage. Faute de quoi, il fallut que le docteur de l'équipe Renault, Armand Mégret, remette les pendules à l'heure pour que la presse commence à se calmer. Le toubib s'expliqua une bonne fois pour toutes. Ses mots méritent d'être rappelés : « Plus que certaines personnes interrogées ici ou là, je pense connaître la pathologie des diverses affections, accidents et maladies atteignant le cycliste. En premier lieu, il convient de souligner que dans les cas d'Hinault et de Fignon, il s'agit d'inflammations péritendineuses et non d'une atteinte du tendon. Les gaines étant soumises à des frottements trop importants, pour de multiples raisons physiques et mécaniques, il y a apparition de la douleur, signal d'alarme incitant les responsables médicaux à prescrire d'abord le repos complet, puis un traitement anti-inflammatoire. Hélas ! dans les cas qui nous intéressent, nous sommes face à des sportifs d'exception dont on ne peut pas réguler aisément l'activité et, comme dans le même temps on ne peut connaître l'importance des dégâts au niveau des gaines tendineuses, il faut avoir recours à la chirurgie. Contrairement à ce que certains feignent de croire, les contrôles médicaux répétés ont banni l'usage des anabolisants, produits qui étaient effectivement directement responsables de l'accroissement démesuré de la masse musculaire et qui provoquèrent de graves accidents dans de nombreux sports. Quant à affirmer que l'emploi de médicaments à base de cortisone est également une cause de ces affections, c'est une hérésie parce que c'est archi-faux. La cortisone est d'abord un anti-inflammatoire et son utilisation répétée peut provoquer une atrophie globale de l'ensemble muscles-tendons et non l'inverse... »

Je ne voulus pas que le public me voie entrer à la Pitié-Salpêtrière en claudiquant. Je ne voulais pas transformer cette opération chirurgicale en affaire d'Etat. De même, je ne voulais pas qu'on me filme ou qu'on me photographie sur un lit d'hôpital. C'était peut-être idiot de ma part, mais je ne voulais pas que l'on me voie sur un lit d'hôpital. C'était mon droit, non ? Le public avait une autre image de moi. En tous les cas pas celle d'un homme allongé sur un lit. De toute manière, je n'aimais pas non plus qu'on vienne me plaindre. J'ai toujours été ainsi : quand j'étais malade, je me roulais en boule et je me planquais.

Il n'y avait pas mort d'homme. N'exagérons rien. L'opération s'est parfaitement bien déroulée et le professeur Saillant, qui en avait vu d'autres, avait parfaitement analysé les paramètres du mal. Avec ses deux assistants, les docteurs Bénazet et Catone, ils œuvrèrent avec dextérité pour que l'opération ne dure qu'un minimum de temps. L'ouverture du tendon offrit à leurs yeux un nodule d'une grosseur anormale. Deux autres petits points de rupture tendineuse furent traités avec la même précision. Saillant enleva complètement la gaine, ce que personne n'a jamais su. Si j'avais continué ainsi, avec ces fibres qui tendaient à se déchirer et à former des nodules, tout mouvement aurait fini par être bloqué. Plus aucun effort n'aurait été alors possible, même pour un cyclotouriste…

On m'annonça une rééducation longue, au moins trois mois durant lesquels je devrais rester à travailler progressivement. Les jours qui suivirent l'opération, il fallut quand même que je ferme à clef la porte de ma chambre d'hôpital ! Un jour, un type déguisé en infirmier avait failli y pénétrer… Je ne comprenais pas qu'on puisse vouloir, à ce point, violer l'intimité des gens.

J'étais plâtré. Mais mon moral restait au vert, néanmoins. J'étais toujours optimiste pour moi-même. Je refusais l'angoisse du lendemain et à aucun moment je ne me suis inquiété sur mon avenir sportif. Des journalistes, parfois, me suggéraient : « Et si tu ne marches plus ? » Je rigolais de bon cœur. J'étais persuadé de guérir. Et puis, Bernard Hinault avait montré, l'année précédente, qu'un grand champion pouvait revenir au sommet après une opération importante.

Pourquoi dramatiser ? Je n'avais que 24 ans. A mon âge, tout était encore possible. Je profitais de mes longues heures pour me cultiver et lire. Peu avant le début du Tour 1985 que j'allais voir de loin, je venais de finir *L'Amant*, de Marguerite Duras.

C'était l'époque où je méditais souvent sur l'une des plus étonnantes phrases de Jacques Anquetil : « Si tu ne fais que vaincre, tu as ton nom dans les statistiques. Si tu convaincs, tu entres dans le livre de l'imaginaire. »

Et vaste était mon imaginaire…

Sortie de route pour Renault

Le dicton populaire affirme qu'un malheur n'arrive jamais seul… Je commençais à peine à trottiner, que, fin juin, heureux de retrouver l'air du large, à pleins poumons et les yeux dans le vague, Cyrille Guimard m'annonça quelque chose d'improbable, la pire des nouvelles en vérité, qui me laissa au milieu d'un océan de perplexité. Les dirigeants de Renault venaient de lui faire savoir que la Régie cesserait, fin 1985, tous ses engagements dans le sport. Plus d'équipe de vélo. Fini la Formule 1. Un traumatisme national, croyez-moi…

Ce retrait, que le public n'apprendrait que le 25 juillet, quatre jours après l'arrivée du Tour de France, mit ainsi fin à l'une des plus belles aventures collectives que le cyclisme ait jamais connue. Pour Guimard, ce fut une période de galère, de panique. Plus de sponsor. Avenir sérieusement compromis. Le temps pour en trouver un nouveau était compté. Heureusement, la majorité des coureurs avaient décidé d'attendre jusqu'en septembre pour s'engager ailleurs, nous faisant confiance pour cette recherche. Mais les contacts pour remplacer Renault, en cette période de vacances, n'étaient pas nombreux et même parfois farfelus. Certains cherchaient à profiter de notre situation pour se faire de la pub gratis. Ça n'avançait pas. Et au fil des jours, la tension montait, et finit par rejaillir sur le moral de l'équipe. Mon pote Julot, qui vivait une période faste en conneries en tout genre, en était au point de rupture avec lui. Leur désaccord finira par devenir irrémédiable…

Guimard géra assez mal la situation. Il appréhendait et perdait son sang-froid. Jusqu'à cette annonce brutale de Renault, il avait toujours eu l'esprit tranquille. Là, du jour au lendemain, il était livré à lui-même. Il fallait trouver une solution. Et vite. Nous avons dès lors consacré beaucoup de temps, avec Cyrille, en rendez-vous divers, à tenter de convaincre des grandes entreprises.

Evidemment, la qualité de notre effectif comme la réputation de notre encadrement ne laissa pas certains sponsors indifférents. Assez rapidement, le patron de RMO, Marc Braillon, fit une proposition à Guimard. Mais dès le départ j'avais compris qu'il s'agissait d'une offre bancale : nous réclamions alors 15 millions de francs annuels, eux ne proposaient que 10 millions auxquels il fallait ajouter quelques millions en frais de « prestations » … Tout cela n'était pas très clair. Guimard, pris à la gorge, voulait accepter. Il craignait de ne pas trouver mieux.

Durant toute cette période, Guimard m'avait associé aux discussions : j'étais avec lui, en quelque sorte, la « vitrine » de la structure. J'avais un nom et une réputation à défendre, à faire valoir. Le double vainqueur du Tour que j'étais ne croyait pas une seconde en la viabilité de la proposition de Braillon. C'était, comment dire, un marché de dupes. En tous les cas pas du tout à la hauteur de notre renom. Bref, je n'avais pas confiance. Et j'ai fini par dire à Guimard : « Tu verras, nous n'aurons que 10 millions et rien de plus, ça n'ira pas. Je ne suis pas d'accord. Il faut dire non et continuer la recherche. »

Dès lors, je me mis à réfléchir à une organisation différente. Après quelques jours, je lui déclarai : « Et si l'équipe nous appartenait ? » Je m'en souviens comme si c'était hier. Il ne comprenait pas ce que je venais de dire. Mon idée était simple : on montait une structure pour vendre l'espace publicitaire que le maillot représentait. Le vendre au prix que nous nous déciderions et pas seulement basé sur le coût strict d'une équipe. Mon idée était double : que notre structure soit le réceptacle intégral des recettes et que, dans le même temps, on devienne les seuls patrons sportifs de l'équipe cycliste. Le sponsor ne venant là que pour acheter de l'espace publicitaire. Guimard comprit bien vite la subtilité de mon idée, mais il n'y crut pas. Il me répéta : « Tu es fou, personne n'acceptera de marcher dans l'affaire. »

Traditionnellement, une association loi 1901 est nécessaire à la constitution d'une équipe professionnelle. Elle appartenait au sponsor qui nommait un président venant de son entreprise. Celui-ci avait les pleins pouvoirs, le groupe sportif était totalement dépendant du bon vouloir du sponsor. Avec la formule que nous tentions d'inventer, l'entreprise sponsor était en contrat avec une régie publicitaire dont le rôle était de créer une équipe professionnelle.

Guimard a logiquement cédé. Nous avons donc créé l'association sportive France Compétition et une régie, Maxi-Sports Promotion, les deux directement gérées par Cyrille et moi, à parts égales. Nous devenions officiellement les patrons de l'entreprise sportive, habilitée à nous lier avec des coureurs par des contrats à durée déterminée. Grâce à cette redistribution des pouvoirs, nous devions arriver à une réelle autonomie. Il nous restait juste à trouver un sponsor à la hauteur de notre exigence. Et s'il se retirait éventuellement au terme de son contrat, en trouver un autre pour le remplacer, évidemment. En 1986, c'était une révolution. Bientôt, toutes les structures cyclistes professionnelles copieraient ce système. Le système « Guimard-Fignon ». J'en revendique la totale paternité, et pour cause.

Cyrille avait aussi compris notre intérêt financier. Si un sponsor versait 15 millions de francs et si Maxi-Sports Promotion en dépensait moins pour les besoins de son équipe cycliste en respectant le cahier des charges signé avec le sponsor, la différence restait dans nos caisses.

Grandeur et perversité du système. Bientôt, Guimard compterait ses sous comme un pingre, et souillerait notre belle et généreuse idée de souveraineté. Pourtant on ne manquait de rien lui et moi, bien au contraire. On avait même utilisé l'une de mes sociétés en sommeil et bénéficié d'avantages fiscaux accordés aux SARL qui se créaient : trois ans d'exonération d'impôts. Nous avons fait des profits sans rien débourser. Une véritable poule aux œufs d'or.

Une extraordinaire opportunité se présenta alors avec la société Système U, qui fut, durant quelques semaines, en concurrence avec Cetelem. Avec Système U, ce fut le rêve. Le genre de concordance rare, donc précieuse, incarnée en particulier par son PDG, Jean-Claude Jaunait. Non seulement il signa, heureux, les 45 millions de francs portant sur trois années de contrat mais il acceptait, et même souhaitait, la nouvelle formule que nous lui proposions. Jaunait, un vrai passionné de vélo qui avait eu, en 1984, une première expérience mi-figue, mi-raisin, expliquait ainsi : « Notre échec nous a donné deux leçons. La première, c'est qu'il faut se situer au tout premier plan sous peine de passer inaperçu. La seconde, c'est qu'il ne faut pas être amené à s'occuper des problèmes techniques de l'équipe. L'association est donc dans ce sens idéale : nous finançons la meilleure équipe française et le sponsor, qui à mes yeux a une place à côté de l'équipe, n'aura pas à s'occuper de problèmes qu'il ne maîtrisera pas. Guimard aura toute l'autorité, toute l'indépendance qu'il souhaite. C'est lui qui commandera et il a toute ma confiance. »

Ça s'appelait jouer le jeu. Sans Jaunait, peut-être n'aurions-nous jamais démontré au monde du cyclisme qu'un tel système était viable et… ultra-efficace. Dès la signature du contrat, nous nous versions Cyrille et moi des salaires mensuels assez confortables : entre 100 000 et 200 000 francs, selon nos besoins. Maxi-Sports rapportait de l'argent. Et tout le monde était content.

A la demande de Jaunait, j'ai personnellement créé le dessin du maillot en utilisant les mêmes couleurs que celles de Renault, avec des formes cette fois qui partaient en gerbe, vers le haut. Mon idée : faire paraître le coureur un peu plus élancé, disons plus « balaise ». On peut dire que c'était réussi : on voyait bien le logo, le fameux U en rouge. Vu d'hélicoptère, on ne distinguait que ça…

Quand nous avons présenté officiellement l'équipe en novembre 1985, fringants dans nos beaux maillots, nous avions tous le sentiment d'une renaissance, d'un supplément d'âme créatif, d'une impression de sérénité prodigieuse. Manquait quelqu'un à mon bien-être. Pascal Jules n'était plus là à mes côtés. Malgré mes tentatives répétées, je n'avais pas réussi à le réconcilier avec Guimard, qui ne voulait plus en entendre parler.

C'était aussi mon échec.

En signant dans une équipe espagnole, Julot allait casser sa carrière.

Et bientôt fracasser sa trajectoire.

*
* *

Renommer les sensations. Redécouvrir l'entraperçu d'un corps laissé trop longtemps à l'abandon. Serrer les dents. Ne pas y arriver. Ou à quel prix.

Quelques semaines après mon opération, aux alentours du Championnat de France, je suis remonté sur un vélo. Mon problème n'était pas encore de redevenir un champion mais bien un simple cycliste. Savoir de nouveau tourner les jambes. Tenir debout. Endurer les kilomètres. Impossible tâche…

Je n'ai pas beaucoup de souvenirs du Tour 1985. J'ai quand même suivi une étape, entre Autrans et Saint-Etienne. En ce mois de juillet, Bernard Hinault devint un mythe du cyclisme. Deuxième en 1984, premier en 1985. Rien à dire. La force de vie était toujours là, presque intacte. Compétiteur génial, violent, généreux et agressif. 84-85 : en deux petites années, le cyclisme allait, sans le savoir, connaître une sorte d'apogée suggestive, un zénith de beauté, le comble d'une bâtisse bientôt en perdition, en somme un âge d'or héroïque qui n'adviendrait plus.

De retour à la maison, j'ai repris l'entraînement. Plutôt un semblant d'entraînement. Ma toute première véritable sortie fut cauchemardesque. Vingt kilomètres. Pas un de plus. C'était terrible. J'avais l'impression de débuter dans le vélo, je n'avais pas de jambes, plus de muscles. Je n'étais plus qu'une carcasse démembrée mal positionnée sur une machine qui n'avançait pas…

Après la douche, j'ai touché à l'endroit même de l'opération. A la place de la cicatrice, je palpais une sorte de poche d'eau. Quand je passais le doigt, aucun muscle ne réagissait. J'ai pensé que c'était terminé pour moi. Je ne pouvais pas appuyer sur ma jambe, pas même pour marcher, pour les gestes de la vie quotidienne, tout était compliqué. Et puis au moindre effort, j'étais fatigué, tellement épuisé.

Il fallait pourtant y aller, avoir le courage de la douleur. C'est le moment agité où il faut chercher son propre dévoilement, où il faut puiser en soi pour se donner des raisons d'y croire, des raisons de souffrir. En passer par là. Coûte que coûte. Sombrer est alors presque une envie. Mais survivre est une nécessité vitale.

J'étais parti au soleil, à Nîmes, pour me ressourcer, changer d'air. J'avais emmené mon vélo. Avec le vent du coin, je n'avançais pas, les cyclotouristes, du moins ceux qui ne me reconnaissaient pas, me larguaient sans s'en rendre compte. Progressivement, malgré tout, les kilomètres se sont additionnés. Je réagissais au jour le jour, sans me poser de questions superflues. Avais-je seulement peur de l'avenir ? Je ne sais plus, je ne crois pas… Après, je me souviens être allé faire des exercices chez Armand Mégret, le médecin de l'équipe. Je passais beaucoup de temps à la rééducation. Comme ma cheville était restée longtemps en décharge, le retour à une flexion normale a été long, très long. Au début, on m'obligeait à des marches dans l'eau, à des exercices au sol. Dois-je le dire, l'avouer désormais ? Allez : je n'ai jamais retrouvé ma flexion d'avant. Jamais. Je n'ai jamais pu replier ma cheville normalement. Manqueront toujours quelques degrés ! Inutile de dire que cela aura des conséquences sur la suite de ma carrière…

Je dois faire un autre aveu. Pendant ma convalescence, j'ai contracté un staphylocoque. Exactement à l'endroit où le choc avec la pédale avait laissé des traces durables. En effet, pendant les premières semaines de douleurs, j'avais reçu de nombreuses infiltrations qui avaient fini par brûler ma peau. Tellement que, quand Saillant m'a opéré, la cicatrisation fut délicate. Pendant très longtemps, quand on nettoyait la plaie, on voyait le tendon à vif. Un staphylocoque s'invita…

Cela non plus personne ne l'a jamais su : le professeur Saillant a été obligé de remettre ça. Nouvelle opération. Pour nettoyer. Ce fut cet acte chirurgical qui me redonna le moral, en vérité. Saillant m'avait alors dit : « Désormais, cela ne dépend plus que de toi. » J'étais donc confiant, persuadé que si je redevenais le maître à bord tout se passerait bien. Un jour, à l'entraînement, voyant que mon corps réagissait plutôt bien, je me suis dit : « Ça y est, tu es de nouveau le même homme. » Erreur. En volume, mes jambes ressemblaient en tous points à ce qu'elles étaient dans le passé. Pas de problème. Mais côté force, je me suis rendu compte très vite que j'avais ni plus ni moins perdu une bonne partie de ma puissance. Je le ressentais moins quand j'étais en très grande forme, mais le reste du temps, c'était flagrant, il manquait à ma jambe gauche de la force. Des watts, dirait-on maintenant. Jusqu'à la fin de ma carrière, ce fut un handicap dont je n'ai jamais vraiment parlé : retrouver la même motricité fut un rêve inaccessible…

Après m'être entraîné sur la piste de l'INSEP à l'abri des regards et des intempéries, j'ai participé à ma première course officielle en janvier 1986 : les 6 Jours de Madrid. Rien de mieux pour tourner les jambes et travailler l'élasticité de ses muscles. Les organisateurs me demandèrent de participer à une poursuite exhibition face à José Luis Navarro, champion d'Espagne. Je l'ai battu. Mais en venant me féliciter, il a chuté et m'a entraîné dans sa glissade. Bilan : blessure à la tête, clavicule cassée – mais heureusement sans déplacement. Pour une reprise, c'était une drôle de reprise…

J'ai alors alterné les mauvais moments (qui m'ont constitué) et les périodes d'espoir (je suis optimiste de nature). Mon vrai retour, ce fut au Tour Méditerranéen où, à la surprise de tous à commencer par moi-même, je me suis classé 5e dans l'ascension chronométrée du mont Faron. Une belle satisfaction.

Le début de cette année 1986 ne ressemblait pas à un recommencement des plus banals. Non. C'était autre chose qui se nouait en moi confusément, quelque chose de plus constitutif de mon être visible dans toutes mes attitudes. De l'ordre de la refondation. J'avais en moi beaucoup de sérénité, bien sûr. Mais… comment dire… j'avais brusquement vieilli, mûri. Je me sentais à la fois plus vieux et beaucoup plus grave. Les cyclistes qui s'agitaient autour de moi me semblaient parfois étrangers ; ils me parlaient, je les écoutais et c'était comme si ce qu'ils me disaient me paraissait insignifiant, sans grand intérêt. Je ne saurais expliquer ce qui se passa en moi durant cette période. Un moment charnière.

Une porte est soit ouverte soit fermée – elle ne peut rester indéfiniment entrebâillée : il faut agir. J'étais un peu dans cet état-là, devant la porte de mon existence entrouverte : l'enfoncer ou la refermer ? Dilemme. Puisque l'essentiel appartient toujours au temps long, j'ai assumé ce que je devenais. Non pas un autre homme (vraiment pas). Juste un homme à la gravité plus prononcée. Était-ce seulement ma faute ? Était-ce cette blessure qui avait ouvert un nouveau chapitre ? Ou était-ce aussi le milieu qui venait de changer brutalement ?

Dans l'équipe Système U, on avait quand même eu la chance de conserver l'essentiel de l'ossature de chez Renault. De quoi s'appuyer sur du solide, avec le même encadrement. J'ai retrouvé un niveau « acceptable », mais je voyais assez vite que mes sensations étaient limitées. Pourtant j'étais pressé. Très pressé même. Mon entourage me mettait légitimement en garde contre les projections surréalistes que je pouvais formuler. J'ai alors compris l'inévitable réalité : il allait me falloir au moins six mois, peut-être huit, pour retrouver mes sensations. Je me souviens avoir imaginé une « saison blanche ». Cela m'a fait très peur.

Parmi les autres, j'étais devenu un « bon » coureur. Mais sans plus. Le champion d'exception, celui qui parvenait à enclencher la vitesse supérieure comme je le faisais avec aisance en 1985, avait pris congé.

Les optimistes se félicitaient de me revoir partout, n'étant nulle part.

De quoi en définitive un champion d'exception est-il le signe ?

Sinon l'exception ?

Y a de la joie !

Comme des rituels simplifiés, qui ignorent toute philosophie, les jours s'enchaînaient, esclaves d'eux-mêmes. Cela ne pouvait plus durer. Ma faiblesse physique agissait négativement sur mon mental, lui-même chancelant, ce qui n'était pas dans mes usages.

Le 1er avril vint, jusqu'à l'ironie, rallumer la petite flamme. Faut dire. Courir un Paris-Camembert un 1er avril : du pain bénit pour une chronique de Blondin. Justement, quelque chose de prodigieux, d'incroyable m'arriva. Un événement dont je ne me suis pas vanté, c'est le moins qu'on puisse dire… Les photos d'époque en témoignent. On y voit le Danois Kim Andersen remporter la course et moi, pas loin derrière, ivre de colère, tapant sur mon guidon : je m'étais d'ailleurs horriblement fait mal à la main.

Explications. Nous nous étions donc échappés avec Andersen, un costaud à l'allure de bûcheron, beau coureur mais peu rapide au sprint en raison de son physique. Et voilà. J'y étais enfin. Ma première victoire depuis mon opération. La fin d'un calvaire, le premier cri de joie après une longue agonie douloureuse qui dura presque un an. Battre Andersen au sprint ? Une formalité pour moi. Même après tous ces épisodes médicaux…

Sous la flamme rouge, il ne roulait plus. Je me suis placé devant lui et, sans y prendre garde, mon esprit a divagué.

Je dis la vérité : je me suis comme enfui de la réalité, de la course. Allez savoir pourquoi. Je me souviens parfaitement qu'à un moment, je me suis demandé comment j'allais lever les bras. Dans ma tête, je répétais ce geste mentalement, une fois, deux fois, trois fois. J'y étais, c'était là… Je dois dire qu'une joie immense s'empara alors de tout mon être, je jubilais comme un gamin, comme aux plus belles heures. Oubliées les souffrances. Oubliés les courses manquées, ce Tour parti sans moi. Heureux. Satisfait.

Et puis, sans prévenir évidemment, Kim Andersen a placé une accélération sèche et brutale. Nous étions à environ 300 mètres du but. Dois-je avouer la vérité ? Le temps a passé mais la honte reste intacte : j'avais complètement oublié qu'il était là ! J'étais ailleurs. Je me souviens comme si c'était hier des circonstances. Il a giclé, je l'ai vu passer à côté de moi et j'ai aussitôt pensé : « Qu'est-ce qu'il fout là, celui-là ? »

Mon euphorie anticipée fut sanctionnée. Malgré ma réaction sur le vélo, je n'ai jamais réussi à lui reprendre les 30 mètres qui firent la différence. Il venait de gagner. Et moi, je ne pouvais même pas dire qu'il s'agissait d'une erreur de débutant : même un débutant n'oublie pas son adversaire. Non, cette histoire relevait de la psychanalyse. Rien d'autre.

Pour me remettre d'un tel épisode grotesque, rien ne valait une bonne classique comme la Flèche Wallonne qui, à cette époque, ressemblait encore à une grande course. Plus de 240 kilomètres, quand aujourd'hui elle ne dépasse plus les 200. « Halte aux cadences infernales », dit-on. Ridicule. La distance n'a jamais été une incitation au dopage. La preuve : depuis une quinzaine d'années, jamais les courses n'ont été à ce point rapetissées, et pourtant, c'est durant cette période qu'on a pu constater les pires excès…

Moi, j'aimais les courses longues et sélectives. Beaucoup de champions peuvent passer les 200 kilomètres sans trop d'embûches. Mais 240 kilomètres, voire plus, c'est une autre histoire et une réelle élimination « naturelle » peut alors s'opérer. Ce n'était donc pas la même Flèche Wallonne que j'allais dominer de la tête et des épaules.

Ce jour-là, j'ai réussi une course tactique presque parfaite. Se trouvait en tête un premier groupe royal : Kelly, Argentin, Zoetemelk, Goltz, Rooks, Van der Velde, Leclerc, LeMond, Nevens, Mottet, Criquelion, Andersen... Moi, je me trouvais dans un deuxième groupe en chasse, avec Hinault, Delgado, Yvon Madiot, Zimmermann. Nous sommes rentrés sur les premiers, puis, dans la côte de Gives, l'ami Andersen, déjà vainqueur en 1984, a placé une attaque bien plus belle qu'à Paris-Camembert... Profitant d'un moment de flottement, j'ai mis le grand plateau et j'ai décidé de le suivre. Personne n'a pris ma roue. Et nous avons fait une soixantaine de kilomètres seuls. Inutile de préciser que je n'avais aucune envie de l'emmener une nouvelle fois au sprint ! Au pied de la côte de Ben Ahin, à une dizaine de kilomètres de l'arrivée, j'ai rassemblé toutes mes forces pour partir à l'assaut. Andersen n'a pu suivre mon rythme et j'ai escaladé seul le mur final de Huy.

Ce 16 avril 1986, je venais de mettre fin à une période d'insuccès de 386 jours. La dernière fois que j'avais senti l'odeur d'un bouquet de fleurs, c'était à l'issue du prologue du Tour du Midi-Pyrénées. Plus d'un an auparavant. Un monde. Un gouffre. Ce soir-là, je me suis dis : « Ça y est, je suis revenu. » Avec le recul, je sais depuis que je n'étais pas très honnête avec moi-même. Je manquais un peu d'honnêteté. Car au fond de moi, je sentais bien, malgré cette victoire, qu'il me manquait quelque chose. Mais je ne voulais pas y penser. Je me forçais à y croire.

C'est dans cet état d'esprit de reconquête que je suis parti au Tour d'Espagne. Cœur gonflé. Espoirs réels. La presse ibérique me désignait comme le « favori logique ». Pour un peu, j'y croyais sincèrement et le prologue, remporté par Thierry Marie, me conforta dans ce pré-jugement : j'avais fini 5e, juste derrière Alain Bondue. Un tir groupé. Lors de la 4e étape, déjà placé en 2e position au classement général, tout s'écroula. Je suis tombé lourdement. Touché aux genoux mais surtout au thorax : cinquième côte fêlée, décollement de la plèvre. Tout s'effondrait. Là, j'ai commis une grave erreur et Guimard n'aurait pas dû céder à mon entêtement. J'ai insisté pour continuer. Dans mon esprit, il était profitable d'accumuler les kilomètres pour retrouver ma forme. J'étais sur la Vuelta, pourquoi en partir alors que je pouvais rouler chaque jour ? Sauf que je ne savais pas rester raisonnable sur les grandes épreuves : je me suis accroché vaille que vaille pour aider Charlie Mottet, bien placé au général. Je n'ai pas pensé à moi.

J'aurais dû arrêter. Et laisser mon mal se résorber tranquillement. A l'arrivée à Madrid, j'ai quand même fini 7e au général, premier Français. Ce qui était un improbable exploit, vu les circonstances. Je me suis battu tous les jours. Et je suis rentré en France absolument ratatiné, même si je n'en avais pas encore conscience. Mon potentiel physique, à peine remis de mois d'arrêt, se trouvait très entamé.

C'était le moment de la saison où je ne savais plus qui j'étais vraiment et où j'en étais. De quoi Laurent Fignon était-il encore le nom ? Je répétais machinalement mes gestes quotidiens, comme un bon professionnel, tel un pantin animé par l'habitude. Faire ceci. Faire cela. Recommencer. Rouler. Dormir. Me faire masser. Tous ces actes glissaient sur moi sans que je sois pleinement impliqué. Je subissais le pire des outrages : je n'étais plus maître en ma demeure... Visiblement j'en avais trop fait. Mentalement j'avais oublié mon opération. Mon corps se rappela à mon bon souvenir.

Leader d'une formation entièrement centrée sur ma personnalité, je devais donner l'exemple en toutes circonstances, sur le vélo comme dans la vie de tous les jours.

Mais tout n'allait pas bien pour moi. Donc, je fus à moitié étonné de voir mon résultat lors du prologue du Tour de France 1986, à Boulogne-Billancourt. Tout le monde attendait mon « retour ». J'ai fini 7e. Ce qui, pour beaucoup, constituait non seulement un résultat honorable mais annonçait « forcément » de belles pages de la part du « revenant ». Certains s'enthousiasmaient. Mais moi je savais. Dans le prologue, je n'étais « que » sur ma classe. Rien n'allait. Pas de sensations. Que de la hargne et du courage. Et ça c'était grave. Mon corps – peut-être mon mental aussi – affichait plus de lassitude que d'ardent désir d'en découdre.

L'illusion dura jusqu'au contre-la-montre par équipes, entre Meudon et Saint-Quentin, que nous avons remporté. Thierry Marie était en jaune. J'étais 3e au général. Tout semblait au beau fixe. Mais je m'étais fait horriblement mal pour suivre et apporter ma part de travail – ce n'était pas normal. Mes équipiers n'étaient pas dupes. *L'Equipe* pronostiquait pourtant : « Une belle bagarre en perspective entre Fignon, Hinault et LeMond. » Et ajoutait : « Mais tout dépend de Fignon. S'il est lui-même, nous ne chercherons pas longtemps le nom du futur vainqueur. » Comme on le voit, peu de gens étaient dans la confidence et même Guimard, à qui je ne pouvais mentir, me croyait moyennement quand je lui disais que j'avais les « jambes en coton ». Pour lui, c'était sûr, le déclic surgirait. Immanquablement.

Le retour à la réalité fut violent. Dans le contre-la-montre individuel de Nantes, 61,5 kilomètres, je bus la tasse. Asphyxié, mal partout, je n'avançais pas. Classé 32e. Indigne de mon rang. Mon organisme n'en pouvait plus. J'étais entamé. Il y a des monuments écroulés qu'on ne rebâtit pas du jour au lendemain. La patience s'apprend à l'aune des douleurs. Lors de l'étape entre Bayonne et Pau, celle où Hinault et Delgado firent un numéro de duettiste, j'ai roulé derrière comme une brute, pour limiter la casse, dupe de mes sensations. Ne voulant pas croire au refus de mon corps à m'obéir quand je lui ordonnais d'accélérer. Le soir, sur la table de massage, pour la première fois de ma vie, je me suis endormi. Et pour cause. Le lendemain matin, au départ de Pau, j'avais 39o de fièvre. Je suis resté au lit. J'ai abandonné. Interrogé au village-départ, Hinault, compréhensif, déclara : « J'espère que ça ira mieux pour lui bientôt. Quand un coureur coupe durant plus de six mois avec la haute compétition, il lui faut un an et demi pour récupérer l'intégralité de ses moyens. Je sais de quoi je parle. Pour redevenir opérationnel de façon permanente, Fignon devra patienter jusqu'en 1987. »

Des mots sympathiques et terrifiants à la fois… J'ai été rapatrié sur Paris. Où j'ai passé trois jours à l'hôpital de Créteil pour une infection assez sérieuse à la gorge. Je n'étais vraiment pas bien. Ce qui m'a le plus énervé dans tout ce cycle infernal, outre l'ascenseur émotionnel entre mes bons résultats au moment de la Flèche Wallonne et mon abandon dans le Tour, outre le manque de jugement de Guimard, c'était mon impuissance, mon apathie. Je ne me reconnaissais plus.

Avec le recul, j'aurais bien voulu que Guimard me secoue, qu'il m'insulte, qu'il me dise que j'étais « un con », « une mauviette ». Il aurait dû essayer, mais encore une fois je n'étais pas Hinault. Avec moi, c'était différent. Guimard ne savait pas comment s'y prendre. Loin de moi l'idée de rejeter toute la responsabilité sur lui : je n'étais – et je ne suis – pas un homme facile.

En fin de saison, motivé juste ce qu'il fallait, j'ai perdu stupidement dans le Grand Prix des Nations disputé sous une pluie battante. Une chute. Le temps de me relever, de repartir. Et à l'arrivée un passif de 6 secondes. Six infimes secondes pour une épreuve de 100 kilomètres ! J'enrageais, car les Nations consacraient à l'époque le « meilleur rouleur de l'année » dans un exercice unique au monde sur un parcours sublime autour de Cannes. Seule consolation, c'est Kelly qui l'avait emporté et j'aimais bien cet Irlandais loyal et massif, coureur au tempérament régulier.

A Cannes, il faisait nuit quand j'avais franchi la ligne d'arrivée. Nuit partout, y compris en moi. Je broyais du noir. J'en avais ras le bol de cette saison, de cette impossibilité à forcer le destin.

Peu après Blois-Chaville, j'ai craqué moralement. J'ai failli tout abandonner. Tout arrêter. Tout foutre en l'air.

Pour la première fois de ma carrière, j'avais la haine.

Contre moi.

Contre les autres.

Contre la terre entière.

Cycle vicieux

Une somme d'histoires et d'actes insoumise à la grande histoire. Plus de majuscules pour l'instant. Que des minuscules. Avec Cyrille Guimard, notre relation à la fois complexe et intime durait malgré les événements et mes déceptions, ressentis par tous. Nous avions partie liée.

Mais cette fois, le gestionnaire Guimard avait progressivement pris le pas sur le grand technicien. Le calculateur sur l'homme. Le nouveau patron sur l'ancien cycliste. Sans avoir le nez dans les comptes – bien que coactionnaire – je voyais bien que des choses n'allaient pas dans l'équipe. Guimard voulait économiser sur tout, alors qu'il n'y avait aucune raison d'alléger la voilure. J'avais déjà remarqué quelques manquements sérieux au cours de la saison 1986, mais, dès le début 1987, on flirtait parfois avec l'amateurisme. Une foule de détails faisait désormais défaut. Ça ne tournait plus rond.

Peu à peu, je m'étais aperçu que nous n'avions plus la meilleure équipe du monde – cela durera jusqu'en 1989 – du seul fait que Guimard refusait désormais de sortir le carnet de chèques. Autant le dire : quelques équipiers étaient incapables de faire ce qu'on leur demandait dans la durée. Et puis, hormis Charlie Mottet, il n'y avait pas de vrai leader de rechange pour certaines courses. L'encadrement se montrait défaillant, selon les circonstances. Bref, certaines choses étaient ficelées avec des bouts de chandelle : une équipe professionnelle ne pouvait tolérer de semblables écarts. Sur certaines épreuves, Guimard ne prévoyait que deux voitures, aucune marge de manœuvre. Le moindre ennui jusqu'alors sans importance pour les coureurs, comme une simple panne de véhicule, devenait là le problème de tous. On perdait du temps. On s'énervait. On se dispersait. Parfois, nous étions obligés de nous faire ramener dans nos hôtels par d'autres équipes bienveillantes. C'était le grand n'importe quoi !

Pour ce qui me concerne, aux yeux des équipiers, j'étais doublement fautif. D'abord de ne plus être à la hauteur de ma réputation, ensuite, comme cogestionnaire avec Guimard, d'être coresponsable d'une situation de pourrissement. Encore une fois, Guimard nous faisait du mauvais Guimard, le Guimard qui ne savait pas gérer les crises. L'ambiance se tendait. Et au lieu de m'en parler tranquillement, pour qu'on puisse prendre des décisions, il s'enferrait dans ses petits calculs de boutiquier. Je n'étais pas placé dans les meilleures conditions pour reconquérir ma sérénité.

Resituons le contexte. L'époque basculait radicalement dans autre chose et le cyclisme, sous les effets conjugués des prémices de la mondialisation et des premières conséquences de l'arrivée d'un Bernard Tapie, qui alignait les planches à billets, ne ressemblerait bientôt plus à ce qu'il avait été. Je l'avais d'ailleurs rencontré, ce Tapie, du temps où j'étais chez Renault. Il avait voulu m'acheter : il voulait les meilleurs. Mais ma rencontre avec lui avait été caricaturale. Il ne m'avait parlé que de business. Jamais de course ou de compétition. Du coup, nous n'avions même pas eu le temps de parler ni d'un contrat ni de son éventuel montant… Nous n'étions pas sur la même longueur d'onde. Il ne parlait même pas vraiment de cyclisme. Avec moi, il s'était trompé de cheval. Je ne voulais pas faire n'importe quoi pour de l'argent. Il avait dû être étonné…

Donc. Ce fabuleux mélange de sérieux et d'insouciance qui fut longtemps la marque de fabrique du cyclisme prenait fin sous nos yeux hallucinés. Même moi, qui aimais la nouveauté et ne refusais jamais qu'un ordre nouveau en balaie un autre, je me trouvais un peu dépaysé, comme rejeté hors frontières. Toutes les formations se professionnalisaient à outrance. Beaucoup ne pensaient plus qu'à la « gagne », au fric, à la course aux résultats. L'heure était arrivée. Les vainqueurs allaient incessamment s'effacer derrière les gagneurs. Nous étions les inventeurs d'un système qui offrait aux sportifs les pleins pouvoirs : nous en étions les victimes…

Etrange Guimard. Sur l'aspect sportif, incontestable numéro 1, l'un des meilleurs de toute l'histoire du vélo. Comme gestionnaire, une catastrophe, une erreur de casting. Il nous a plantés et fait perdre beaucoup de temps. Car rétablir une situation de gestion nécrosée dans une équipe professionnelle, c'est comme vouloir changer de cap avec un pétrolier : il faut de la patience. Et beaucoup de persévérance pour tenir la barre.

Soyons humble. Se révéla alors chez moi un trait de caractère qui m'était jusque-là inconnu. Moi non plus je ne savais pas gérer les moments de crise personnelle. Il fallait que j'aille au fond du trou, que je touche le fond ; je ne savais pas stopper la descente… Et dans ces moments-là, où la vulnérabilité m'atteignait, Guimard se cachait dans son mal-être et n'était d'aucun recours. Nous étions-nous mis trop de pression ? Portais-je trop le poids de cette équipe à moi tout seul ? Possible. Mais jusqu'à ces épisodes jamais la pression ne m'avait ébranlé en quoi que ce soit, bien au contraire. Alors pourquoi maintenant ? Beaucoup avaient fini par s'interroger sur mon état de santé, sur ma volonté et sur ma capacité à redevenir moi-même. Un journaliste m'interrogea. Je répondis sèchement : « Même mauvais je continuerai. » Cela sonnait comme un aveu de faiblesse. Comme une prise de conscience. Mon esprit acceptait enfin que je puisse rentrer dans le rang. J'avais pourtant en travers de la gorge le Tour 1986. Le chassé-croisé entre Hinault et LeMond, cette espèce d'arrangement à la vue de tous, m'avait profondément irrité. Les tourbillons du cyclisme me renvoyaient à mes propres errements.

Pour réagir, sans trop bousculer Guimard, j'ai, sur mes propres deniers, embauché Alain Gallopin. Drôle de destin que le sien. Il était passé pro tout comme moi, en 1982. Trois mois après ses débuts, son directeur sportif l'avait percuté en voiture : grave fracture du rocher. Entre la vie et la mort. Fin de carrière. Quelques mois plus tard, il a repris ses études pour devenir kinésithérapeute. Je lui avais dit : « Quand tu as ton diplôme, appelle-moi. » Et en 1986, il m'a appelé comme convenu. Et je l'ai embauché ! Sans forcément savoir à l'avance qu'il deviendrait bien autre chose qu'un partenaire de route. Alain ? Un ami. Un confident. Un intime. J'ai plus vécu avec lui qu'avec toute ma famille réunie. Un homme rare. Intègre. Fidèle. Loyal. Modeste. On en croise peu dans une vie…

Je le voulais donc à mes côtés pour ses talents médicaux mais aussi pour sa rigueur, ses méthodes d'organisation qui, un jour, passeraient les frontières. Il était à mes côtés, en permanence, et m'allégeait psychologiquement de tout ce qui pouvait interférer avec ma préparation. J'avais besoin, et lui aussi sans doute, de renouer une relation durable. De travail. Et de profonde fraternité. Il était tout à la fois : frère, confident, masseur, entraîneur, soutien psychologique… Notre tandem allait durer jusqu'à la fin de ma carrière.

Moins un corps a la mémoire de ce qu'il fut plus il a besoin de nouveauté pour se rappeler à lui-même. Pour engranger les kilomètres et acquérir du rythme, j'ai participé, début 1987, aux Six Jours de Brême. Je m'étais bien préparé. Mais c'était très insuffisant pour rivaliser avec les spécialistes. Inutile de préciser qu'il n'y avait pas de contrôle antidopage : les amphétamines auraient mérité le plus beau des trophées ! D'ailleurs ça roulait trop vite pour moi et, le premier jour, je ne pouvais même pas m'accrocher aux roues. Tous se disaient : « Il va bâcher. » C'était mal me connaître, malgré la difficulté de la compétition et le rythme infernal : on roulait six jours et sept nuits, quelque 200 kilomètres tous les jours, à environ 50 km/h de moyenne. Lentement mais sûrement, je me suis mis au diapason. La preuve : j'ai fini 7e, à dix tours des meilleurs. Et puis les organisateurs payaient très bien les « stars » comme moi : 50 000 francs par jour. Tellement que les pistards de « métier » se plaignaient de ces sommes attribuées à des non-spécialistes parfois dangereux, souvent incapables de tenir leur rang de vedette.

J'aimais ces ambiances populaires et ce public chaleureux abreuvé à la bière et qui s'empiffrait de saucisses chaudes. Avec mes cheveux de blé, mes lunettes et ma mâchoire d'angle fort, avec surtout la réputation d'un palmarès révéré, j'aidais à ma modeste manière à la réalisation de deux recettes par jour. Une l'après-midi, l'autre la nuit. J' « offrais » moi aussi le spectacle de ma personne et je donnais de moi autant que je le pouvais au milieu de cette peuplade de pistards à moitié zombies, qui franchissaient le seuil des nuits en trempant leurs lèvres dans des flacons d'amphétamines pures et finissaient dans leurs cahutes, aux petits matins, dans les effluves d'alcool et les relents du peuple ensommeillé.

Comme il était désormais de notoriété publique que mes engagements étaient bien rétribués et comme je pédalais dru, les cadors ne purent faire autrement que de m'inscrire dans leurs combines. Mais auparavant, ils essayaient de vous faire payer au sens littéral. L'argent, toujours l'argent. Et quand on résistait, il convenait d'être à l'affût de tout pour éviter jusqu'aux éventuels vols de matériel. On recevait des menaces. Tout n'était que rapports de force et intimidations. Être costaud était un devoir pour « survivre ». On participait à des chasses qui duraient parfois jusqu'à une heure et demie. Tout était arrangé mais il fallait tenir son rang. Quelques équipes seulement – les meilleures – participaient au « pacte » et savaient à l'avance combien de tours elles devaient récupérer pendant une chasse. Les cadors s'arrangeaient entre eux et venaient nous voir pour attribuer à chaque équipe ce nombre de tours : un, deux, trois. Il arrivait qu'ils disent « sept tours » et là, c'était la soupe à la grimace car ces sept tours il fallait obligatoirement les prendre au peloton durant cette heure et demie. C'était difficile. Assurer et assumer. Car le coup d'après, en cas d'échec, on pouvait être mis hors du jeu, relayé au rang de « petites équipes » et au rôle de figurant. Et on pouvait dire adieu au respect et à la considération…

A Brême, je me suis retrouvé en duo avec Anthony Doyle, l'un des meilleurs spécialistes de l'époque qui trustait souvent les victoires. Il avait une notoriété et un cachet à défendre et, dès le premier jour, il s'est plaint de mes performances aux organisateurs. Je n'étais pas dans la même allure que lui et il avait peur de finir à une place indigne par ma faute et ainsi de perdre quelque menue monnaie pour ses futurs contrats. Il a tout fait pour que j'abandonne et qu'on lui octroie, vite, un autre coureur ! Au point de me mettre en difficulté au passage d'un relais. J'en ai eu marre. Alors qu'il venait d'achever une série de sprints et qu'il se préparait à me redonner le relais, je suis volontairement resté en retrait, sans monter sur la piste. Le chef de piste Patrick Sercu m'interrogea : « C'est à lui ! » lui ai-je crié. Doyle avait compris le message, contraint de poursuivre sur sa lancée pour une nouvelle série de sprints. Quand il est passé à ma hauteur, je lui ai adressé un geste sans équivoque. Il avait voulu jouer avec moi : j'avais du répondant. Après, il n'a plus jamais osé me tourmenter ! Je peux même dire que nous avons collaboré l'un l'autre avec zèle et plaisir. Il avait juste fallu que j'assoie mon autorité. Toujours la même histoire… Il n'a pas eu à s'en plaindre néanmoins. Car je me suis amélioré au fil des jours et nous avons honorablement fini 6e, à trois tours seulement du duo de tête.

Dans ces réjouissances accordées aux rois de la piste, entre festivités et haute compétition, j'avais repris force et vigueur. Je pouvais retrouver la route. Avec un moral de battant. Mais peu en rapport avec ce qu'on pouvait attendre de moi. De surcroît, même si j'étais protégé sinon privilégié du seul fait de la présence de Gallopin, les problèmes structurels à l'intérieur de l'équipe continuaient à s'enraciner. Paroxysme de la crise : Guimard et les frères Madiot avaient eu des mots fâcheux. Yvon et Marc étaient pourtant deux des piliers de notre crédibilité sportive. Se disputer avec eux c'était se mettre un peu plus en danger. Cette hostilité allait persister. Jusqu'à la rupture, inévitable et stupide.

Quand je suis arrivé sur le Tour d'Espagne, avec un statut de « second rôle » et non plus de favori, je traînais depuis plusieurs jours une sinusite carabinée. Le médecin voulait que je renonce. En quelques jours, ce fut pour moi une sorte d'hallali. Résultats pathétiques. Après avoir terminé 28e du prologue, je fus éjecté dans une bordure dès la 1re étape : 83e. De déboires en déboires, malgré un grand numéro en montagne et une victoire d'étape de prestige à Avila, la même que celle remportée par Hinault en 1983, je fus incapable de renverser les cimes. J'avais donc confirmation de ce « second rôle » qui me laissa néanmoins des regrets : 3e du classement général final. Certes incapable de gagner, de me positionner, mais sans me retrouver pour autant à 30 minutes du leader, le Colombien Luis Herrera…

A ce propos. Le directeur sportif de celui-ci, avant la dernière étape, était allé voir discrètement Guimard. Herrera disposait de peu d'avance sur l'Allemand Reimund Dietzen et toute l'équipe colombienne redoutait un coup de bordure. Guimard nous avait prévenus : « Les Colombiens nous proposent de l'argent pour ne pas rouler. » Pour ce qui nous concernait, nous n'avions pas l'intention d'attaquer. Raison de plus. Nous avons accepté la proposition : 30 000 francs par coureur. Ce jour-là, il y avait un vent du tonnerre, trois quarts dos, et les craintes des Colombiens étaient donc crédibles : bordures envisageables. De fait, si nous en avions été à l'initiative, on aurait fait valdinguer leurs petits gabarits sans coup férir !

C'était le dernier jour de la Vuelta et, franchement, j'en avais assez de l'Espagne qui, décidément, ne me réussirait jamais, et je ne voulais absolument pas manquer l'avion prévu le soir même, deux heures après l'arrivée. Or, avec ce vent favorable, l'organisation a retardé le départ et, du coup, compromettait notre transfert vers Paris. La tête d'Herrera, quand il nous a vus tous nous mettre devant ! Pris de panique, il a cru qu'on lui jouait un sale tour. « Pourquoi vous roulez ? On a payé ! » m'a-t-il crié. Je l'ai vite rassuré sur mes intentions. J'avais juste le mal du pays. Luis était fou de bonheur d'inscrire son nom au palmarès de la Vuelta. Les Colombiens, hystériques, distribuaient de la cocaïne à qui en voulait, par paquets ! Les mécaniciens de l'équipe la faisaient passer en Europe cachée dans les cadres des vélos…

J'ai quitté ce Tour d'Espagne tête basse, de manière franchement peu glorieuse. Dépité, je ne suis même pas monté sur le podium récompensant les trois premiers du classement général. C'était méprisant à l'égard des organisateurs. J'avais la tête ailleurs. Mais où ? Je ne saurais le dire.

On m'a conduit à l'aéroport. J'avais encore ma tenue de cycliste. Avant de pénétrer dans cet avion qui me ramenait chez moi, je me suis changé dans les toilettes publiques. Comme un vulgaire voleur.

La fuite. Et la honte.

Le flacon sans l'ivresse

Il y a les hauts récits, qui racontent au propre les belles aventures des hommes. Puis il y a les bas récits, qui extrapolent au figuré les travers des coureurs.

Le 28 mai 1987, je connus l'un des épisodes les plus sombres et les plus étranges de toute ma carrière. Je participais au Grand Prix de Wallonie, une belle épreuve qui avait pour théâtre géographique, sur 215 kilomètres, la région de Namur. J'avais remporté la course assez aisément devant Pascal Poisson. De quoi me montrer satisfait. Quelques jours après, j'ai reçu la notification d'un contrôle positif, révélant la présence d'amphétamines dans mes urines. J'étais effondré. Car c'était un grand n'importe quoi. A l'image de toute cette histoire.

Imaginez un peu que dans les colonnes de *L'Equipe*, Jean-Marie Leblanc, le futur patron du Tour de France, qui était alors que journaliste, avait osé m'accuser d'une prise de produit. Je me suis souvent posé la question : pourquoi les journalistes se permettent-ils parfois d'écrire de telles absurdités ? Se rendent-ils compte à quel point ils peuvent blesser avec ce genre d'insinuation ?

Comme on le verra quelques années plus tard, je sais assumer mes responsabilités quand je suis fautif…

La vérité de ce contrôle positif est tout autre, hélas. Je dis « hélas » car je pense avoir été la victime indirecte d'une guerre entre deux laboratoires concurrents qui se disputaient le marché des contrôles antidopage pour toute la Belgique. Le prélèvement eut lieu à Namur et les échantillons avaient mis trois jours pour arriver à Liège. Pourquoi ? Où étaient-ils ?

Il y avait eu de sérieux problèmes de relations entre les laboratoires de Liège et celui de Gand. Ils revendiquaient le monopole outre-Quiévrain. Pour schématiser, celui qui afficherait le meilleur « score » de contrôlés positifs gagnerait la timbale. Je fus l'objet d'un complot de la pire espèce. D'autant que le nom de « Fignon » était intéressant à glisser dans les statistiques.

J'étais innocent mais je ne pourrai jamais rien prouver. Car à cette époque, aussi incroyable que cela puisse paraître, il était encore interdit de demander une contre-expertise dans un autre laboratoire que celui qui avait pratiqué la première analyse positive. C'était ridicule. Pourquoi voudriez-vous qu'un laboratoire se contredise ? Surtout celui-là, qui n'avait aucun intérêt à se dédire puisqu'il aspirait au contraire à gagner des marchés…

Et puis, il faut raconter les coulisses de cette course pour comprendre. Habituellement, il n'y avait jamais de contrôle. Tout le monde le savait, cela faisait partie du « folklore » de certaines épreuves du calendrier. Beaucoup avaient donc supposé que cette année-là ne dérogerait pas à la règle. Sauf que l'organisateur, la veille, était venu tous nous mettre en garde : « Cette année, les gars, il y aura des contrôles. » Au moins c'était clair. Beaucoup étaient heureux d'avoir été prévenus mais moi ça ne me faisait ni chaud ni froid et pour une raison simple : il ne me serait jamais venu à l'idée d'absorber un produit détectable un jour de course !

Et en plus, cette année-là, je suis allé chercher la victoire sachant qu'il y aurait contrôle ! Cela prouve, si j'avais besoin d'une preuve supplémentaire, que j'avais l'esprit tranquille. Et quelques jours après, « positif ». Mensonge ! Je dois avouer que cette affaire m'a vraiment affecté. On savait, par la bande, que des magouilles pouvaient se produire quelquefois et on entendait parler de choses vraiment glauques. Il arrivait même, à ce qu'on nous racontait, que des directeurs sportifs trahissent leurs propres coureurs. Moi, quand on me faisait des soins, que ce soient des vitamines, des fortifiants et même des antibiotiques, je voulais absolument voir les boîtes ou les comprimés dans leurs emballages d'origine. Je n'avais confiance qu'en moi.

Je me sentais démobilisé. Car je n'aimais pas les rumeurs qui, immanquablement, verraient le jour après cette mésaventure. Personne ne croyait en ma bonne foi, évidemment. Depuis mon opération, qui survenait après celle d'Hinault, et surtout depuis les blessures successives dans l'équipe de Marc Madiot, Pascal Poisson et Martial Gayant, certains fantasmaient sur les « méthodes Guimard ». Un journaliste n'hésita pas à suggérer que nous boitions tous de la jambe droite parce que nous nous piquions dans cette jambe-là ! Le plus dingue, c'est que certains ont cru à ces âneries.

Au Tour de Suisse, chacun comprendra que je n'étais pas dans mon état normal. Moral en berne. J'avais une folle envie de tout envoyer balader ! On ne me parlait que de ce contrôle « positif » et moi ça me minait qu'on puisse croire que j'étais un tricheur. Et puis ma femme était enceinte. J'avais franchement envie de penser à autre chose. Oui, j'étais un peu démobilisé et mon comportement a pu paraître étrange aux observateurs présents. J'étais irrité et irritable pour un rien. A la moindre allusion je devenais provocant. N'oublions pas que nous étions alors à quelques jours du Tour de France et que, sportivement, je m'interrogeais beaucoup sur mes capacités à revenir vraiment au sommet. La vie n'est pas un roman. Et sur un vélo, seule la vérité s'écrit au jour le jour...

Pendant le Tour de Suisse, un « grand » journaliste suisse m'a donné rendez-vous. Je dis « grand » car il s'agissait d'une star nationale dans son domaine et il s'était présenté comme tel. Visiblement, il n'avait jamais fréquenté un hôtel de coureurs cyclistes et ignorait les habitudes qui sont les nôtres les soirs après les étapes. Pris par le massage, j'avais un petit quart d'heure de retard au rendez-vous, dans un salon de l'hôtel. Il montra son insatisfaction, même une certaine irritation. Mes tentatives d'explication ne lui suffisaient pas. Puis il a commencé son interview. C'était surréaliste. « Comment vous appelez-vous ? » a-t-il déclaré. J'étais abasourdi. Puis il a poursuivi : « Quand êtes-vous né ? » Et encore : « Quel est votre palmarès ? » Evidemment j'ai mis fin à la séance, un peu brutalement. Je lui ai dit : « Stop. On arrête ! Si vous ne connaissez même pas le strict minimum sur la personne que vous interviewez, nous n'avons rien à faire ensemble. » Il a hurlé : « Je suis le plus grand journaliste de Suisse, vous allez voir ce que je vais écrire sur vous ! » Il croyait m'impressionner. Je me suis penché sur lui et je lui ai dit, un doigt pointé : « Je m'en moque, écrivez ce que vous voulez ! » Et j'ai tourné les talons. Le type hurlait dans mon dos, sautait dans tous les sens. C'était quand même incroyable.

J'ai complètement oublié le nom de ce journaliste. Je n'ai même jamais lu son article. Sans doute m'y assassinait-il avec délectation et peut-être beaucoup de talent.

Comme la fin d'un monde

Au sommet de ma gloire, en 1984, j'avais déclaré avec l'assurance crâne de ceux qui savent qui ils sont, ce qu'ils ont fait et ce qu'ils feront : « Je courrai jusqu'à 30 ans et après je vivrai de mes rentes. » C'était une phrase haute en sincérité, symbole à elle seule de ma manière de me comporter parfois. Seulement voilà, les années ne respectent pas toujours nos propres prévisions et je n'avais nullement anticipé ma blessure – un an d'arrêt – ni ses conséquences physiques. Je me rendais bien compte que ça avait été stupide de prendre date de la sorte car d'une certaine façon ce genre de propos vous encage. Quand on m'interrogeait, je montrais désormais une réelle incertitude concernant le temps qui restait. J'entrevoyais déjà mal le Tour 1987 qui se profilait, alors, la fin de mon aventure dans le peloton, c'était au-delà de mon imagination…

Je savais mieux que personne que la Grande Boucle ne pardonnait rien. Métaphoriquement, il me semblait même que toute la vie des hommes était sûrement inscrite dans les sortilèges d'une grande boucle, à la joie immense succédait la peine, et la roue tournait, tournait. Je me croyais très fort – pas invincible – et le destin avait durement frappé à la porte de mes illusions. Je le reconnais, en cet été 1987, je trouvais ma situation un peu désespérante. Cela faisait deux ans que j'étais l'ombre de moi-même.

J'avais du mal à mettre des mots sur mes sentiments, mais je pressentais tout cela comme un animal devine l'orage qui vient. Les gens se rendent-ils vraiment compte à quel point le cyclisme est difficile ? Se sont-ils jamais demandé pourquoi les plus grands esprits du XXe siècle ont toujours comparé le cyclisme à la boxe, les excluant de tous les autres sports pour leur exceptionnelle dureté ?

Avec le Tour, encore une fois, j'allais savoir où j'en étais. Même si je redoutais de le savoir. Je suis donc arrivé dans de mauvaises dispositions mentales. J'étais, à l'évidence, dans une forme aléatoire et il me manquait toujours ce déclic psychologique pour enfoncer mes doutes et ceux des autres par la même occasion. Et puis, les problèmes de l'équipe s'envenimaient. L'ambiance était compliquée, tendue. Notre système explosait. Le patron s'appelait Guimard ; mais Guimard n'était pas un vrai patron. Insidieusement, peut-être même sans oser le formuler, nous commencions à douter l'un de l'autre. Lui de mon retour au sommet. Moi de ses compétences comme gestionnaire. Cela n'arrangeait rien.

Ce fut la catastrophe dès le prologue à Berlin : 72e. Indigne. Je ne me souviens même plus quelle fut ma réaction, quels furent les regards des autres sur moi. Dans les premières étapes, c'est comme si je n'étais pas là. Quelque chose de moi n'y était pas. Mon physique pédalait, mon esprit divaguait. Rien n'allait. Ma femme Nathalie devait accoucher. Je pensais beaucoup à la paternité et participer au Tour en ces heures importantes m'apparaissait presque incongru, déplacé. Cela n'expliquait pas mes contre-performances : mais l'envie de fuir, chez moi, était palpable à chacun de mes actes. Comme dans un tunnel très sombre, dès que je me retrouvais dans une situation de course un peu « chaude », j'avais toujours tendance à être en dedans, alors qu'avant je réussissais toujours quelque chose en plus.

Guimard, toujours à la pointe des innovations techniques, nous avait obligés à porter les tout premiers cardiofréquence-mètres qui, selon lui, allaient révolutionner la connaissance du corps à l'effort. Après des essais, les médecins m'avaient conseillé : « 165 pulsations/minute, c'est la limite maxi. Au-dessus, c'est l'explosion à très court terme. » Au début j'avais pris ça à la légère. Mais après, dès que je voyais que mon cardio affichait les « 165 », je coupais mon effort. Impossible de me surpasser.

En fait, je compris par la suite que quelque chose en moi refusait un certain seuil de douleur. Pourtant, le plus naturellement du monde et avec beaucoup de zèle, je me suis mis au service de Charlie Mottet, bien placé au classement général. Equipier de luxe. De ce point de vue je n'avais pas d'ego mal placé. Au contraire. La détresse de la défaite, je commençais à la connaître par cœur, ressentie d'autant plus douloureusement qu'elle s'acharnait sur moi injustement et depuis trop longtemps. Dois-je préciser que les comportements à mon égard avaient radicalement changé ? Depuis 1986, je voyais les journalistes s'éloigner, je recevais moins de lettres aussi. Tout cela me paraissait normal, mais nous ne sommes jamais préparés à ce type de mutation.

Ce qui me choquait, en revanche, c'était qu'on oublie très vite ce que vous aviez fait. Un coureur qui a gagné deux fois de suite le Tour de France devrait toujours valoir deux Tours de France dans le regard des autres. Mais non. Je me retrouvais totalement dévalué. Au nom de quoi ? Même les engagements financiers glissaient à la baisse. Si je trouvais normal qu'on s'intéresse prioritairement à celui ou ceux qui faisaient l'actualité, je ne comprenais pas pourquoi les organisateurs ne voulaient plus de moi au même tarif qu'auparavant. Franchement, il n'y avait que dans le cyclisme qu'on voyait cela ! Je me souviens m'être fâché avec les organisateurs des Six Jours de Paris, qui refusaient de satisfaire à mes soi-disant « prétentions » financières. La bonne blague ! Ils voulaient surtout me faire courir au rabais. Je n'étais pas contre une éventuelle négociation. Mais descendre sous une limite que je m'étais moi-même fixée aurait été dégradant pour moi. A un certain moment, j'estimais en mon âme et conscience que je valais tant, c'était à prendre ou à laisser, quitte à ne pas participer. Plutôt ne pas courir que de ressentir une sorte d'humiliation…

J'étais comme en apnée sur ce Tour. Jusqu'au très fameux contre-la-montre individuel du mont Ventoux. Sommet mythique. Lieu de toutes les représentations cyclistes. Théâtre majestueux. Frontière symbolique nord-sud. Sanctuaire à la mémoire de Tom Simpson. C'est là que Jean-François Bernard réalisa l'exploit que l'on sait, tombant en larmes, sur la ligne d'arrivée, dans les bras de son gourou Tapie. Le patron : en père et maître, comptant dès lors les dividendes et braquant sur lui les caméras du prestige. Le coureur : en faux fils et vrai esclave, signant là, sur l'autel de ses sacrifices, l'apogée d'une carrière qui portait déjà en ses gènes sa propre perdition, bien avant l'heure…

Dans cette montée envahie par une foule hystérique, j'avais décidé de tout mettre, absolument tout. La motivation, la concentration, l'envie de gagner. Hélas, rien, absolument rien ne s'est passé ! Juste un coup de pédale de cyclosportif. Le vide, le néant. Tout a lâché d'un coup. Trop d'émotion, de galères. Que puis-je dire de plus, sinon livrer là toute mon authenticité ? Résultat : 64e, à près de 10 minutes de Bernard. J'étais consterné par ma prestation…

Mon garçon était né la veille.

J'ai failli rentrer chez moi.

Dans la montée, des spectateurs qui avaient appris que j'avais eu un fils me criaient : « Vas-y papa ! » C'était violent. Je n'avançais pas, je souffrais, c'était le Ventoux.

En entrant dans le minibus, sur la ligne d'arrivée, j'ai craqué. « Je n'y arriverai plus », ai-je pensé. Loin des regards, j'ai longuement pleuré.

Le soir, un journaliste m'a croisé à mon hôtel et m'a demandé : « Bernard est-il votre successeur ? » J'ai répondu : « Cela veut dire que vous m'enterrez déjà, c'est ça ? » Lui : « Possible. » Moi : « Alors c'est une motivation supplémentaire pour vous montrer que vous avez tort. »

J'étais dans un état de rage absolue. J'avais la très nette impression que c'était la fin, que je n'étais plus à ma place. Je me suis aperçu par la suite que, décidément, j'avais besoin de toucher le fond avant de me ressaisir. Aller loin dans la détresse, avant de remonter.

Après le Ventoux et les épisodes blessants, il n'était plus question pourtant que j'abandonne. Je voulais leur montrer à tous que je pouvais encore étonner. Le lendemain, on a étudié le profil et on a décidé de « sauter » le ravitaillement. Nous étions de nouveau dans l'action. C'est le jour où Bernard a tout perdu. Ses équipiers avaient voulu le remonter immédiatement, lui, pas du tout affolé, avait refusé, affirmant : « On a le temps de rentrer. » Grossière erreur. Une grosse coalition avait pris les devants…

Moi, tout à l'orgueil, j'avais retrouvé des jambes à peu près en activité. Ma colère se dirigea aussi contre ces maudits cardio-fréquence-mètres : j'ai retourné le mien pour ne plus avoir d'information. Ça m'a plutôt réussi. Le lendemain, à l'Alpe d'Huez, j'ai fini 6e. Et le surlendemain, j'ai gagné à La Plagne une étape de prestige. Je me souviens avoir pourtant roulé à l'économie. Comme quoi, je ne méritais pas d'être complètement largué, dans ce Tour. Même fortement diminué, j'avais ramené à Paris une 7e place au général, avec un passif de 18 minutes : à peu près ce que j'avais perdu dans les différents contre-la-montre ! Ma régularité en montagne signifiait quelque chose.

Deux ou trois jours après les Champs-Élysées, avachi dans un canapé, je me suis sérieusement interrogé sur mon aptitude à regagner le Tour un jour…

La fin de saison 1987 m'apporta quelques réponses qui m'enfoncèrent un peu plus. Après le Tour de Catalogne, où Guimard fut en dessous de tout en termes d'organisation puisqu'il nous fallut les secours bienveillants d'autres équipes pour subvenir à nos besoins matériels – un comble pour la « plus grande équipe française » –, je dus par la suite subir une déculottée mémorable au Grand Prix des Nations, que j'avais pourtant scrupuleusement coché dans mon calendrier des plaisirs. C'était la fin de saison et, pour l'occasion, histoire d'explorer les catacombes, j'ai testé un nouveau produit prétendument « formidable », que d'autres avaient expérimenté avec succès. J'ai cédé à la tentation, à la facilité, je l'avoue. Heureusement que j'ai eu un mal de crâne épouvantable. Je n'avançais pas, complètement bloqué. Je ne l'ai jamais réessayé. Moralité : plus on est faible psychologiquement, plus on prête le flanc… Ce n'était plus le fond de mon cyclisme que je venais de toucher, c'était le fond de mon intimité, le fond de ma personnalité.

Qui étais-je encore ? Plus j'écopais en moi, plus mon vaisseau prenait eau de toutes parts. Je n'y étais plus. Ma classe à elle seule ne suffisait plus à faire illusion. J'étais vulnérable, à la merci de toutes mes défections. Soyons sérieux. Et honnête. Si je ne m'étais pas appelé Laurent

Fignon, si je n'avais pas déjà remporté deux Tours de France, si j'avais eu moins de hauteur de vues, moins de caractère aussi, j'aurais pu sombrer dans je ne sais quelle folie et vendre mon âme à quelques scabreux marchands de chimères. J'en ai connu des coureurs qui, à force de tanguer, dopage, drogue, alcool, ont fini par chavirer et mettre tout par-dessus bord, loyauté, dignité, femme, enfants, famille…

Mon ami Pascal Jules, lui, n'aura pas eu le temps de vivre. Ni de lever le pied. Un accident de la route venait de faucher sa jeune vie alors que je venais de convaincre Guimard de le reprendre. Julot s'était rendu à un match de football au profit d'une association caritative. Ils avaient tous trop bu. Ils étaient allumés. Julot m'avait toujours dit : « Tu verras, je mourrai jeune. Je ne dépasserai jamais les 30 ans. » C'était tellement idiot de dire ça. Mais cette nuit-là, il s'est endormi au volant…

Guimard m'avait appelé en pleine nuit. J'étais sous le choc. Pendant des années, j'ai eu une pensée pour lui chaque jour de mon existence – très souvent encore aujourd'hui. Mais depuis ses obsèques, je n'ai jamais pu retourner sur sa tombe. C'est au-delà de mes forces. Je ne peux pas.

Mourir à 26 ans. L'idée m'insupporte.

Chaque fois unique, la fin d'une vie. Comme la fin d'un monde.

Un hurlement presque « sauvage »

Furtive. Provisoire. On pourrait appeler cela la revanche du damné. Comme une forme de rédemption : mais contre quoi ? contre qui ? Sans doute s'agissait-il de la lente et patiente chronique d'un retour en force. Que je dois en grande partie à Alain Gallopin…

C'est lui qui, dès la fin de l'année 1987, a commencé à me mettre dans la tête que je pouvais gagner Milan-San Remo. Au départ, franchement, je trouvais cette idée un peu saugrenue et si, depuis le début de ma carrière, outre la Flèche que j'avais déjà remportée, je m'accordais de belles chances d'empocher un jour Liège-Bastogne-Liège ou Paris-Roubaix (mes deux plus grands regrets, avec le maillot arc-en-ciel bien sûr), jamais au grand jamais je ne m'étais glissé dans la peau d'un éventuel vainqueur sur la Riviera. Mais Gallopin, qui commençait à me connaître par cœur, mes qualités comme mes défauts, avait, je ne sais pourquoi, tout prévu et ne cessait de me le rabâcher. Mais vraiment tout. Par exemple, il savait aussi bien que moi que j'avais besoin de beaucoup de kilomètres pour que mon physique puisse s'exprimer vraiment. Milan-San Remo, avec ses 294 kilomètres à l'époque, réclamait une endurance à toute épreuve. A laquelle il fallait adjoindre une indéniable capacité au punch dans les 10 derniers kilomètres avec le franchissement du Poggio. Gallopin me le répétait : « C'est pour toi, crois-moi. »

Jusque-là, autant dans la Semaine Sicilienne (5e) que dans Paris-Nice (également 5e), mon début de saison 1988 n'avait pas convaincu grand monde. Je continuais d'être affecté par le départ des frères Madiot – et je reprochais à Guimard d'en être le fautif – mais personne ne savait alors que les problèmes « logistiques » au sein de l'équipe Système U, qui m'avaient tant perturbé l'année précédente, se résolvaient quelque peu. Sur les conseils de Gallopin, nous avions embauché son propre frère, Guy, qui avait pour fonction de nous alléger précisément côté organisation. Miracle : les effets se firent sentir immédiatement. Cet homme disposait manifestement d'un don particulier pour régenter une armée prête au combat. Il nous débarrassa des problèmes d'intendance. C'était précieux.

Pendant Paris-Nice, j'ai arboré pour la première fois une queue-de-cheval. Objet de toutes les railleries. J'entendais des « gonzesse » dans le peloton. Cela m'amusait.

Mais pour moi la plaisanterie – celle de mon inaptitude à redevenir ce que j'étais – n'avait que trop duré. Alors, juste après la Course au Soleil, nous avons, Gallopin et moi, appliqué une méthode radicale. La surcompensation. En l'espèce, il s'agissait de s'épuiser soixante-douze heures avant un grand rendez-vous. Bien pensé. Comme l'avenir allait me le prouver.

Il y avait exactement six jours entre la fin de Paris-Nice et le samedi de la course en question. Voilà quel fut mon programme. Le lundi et mardi étaient dévolus à une récupération active. Je roulais, mais sans plus, juste pour tourner les jambes et récupérer.

Le mercredi, c'était ma plus grosse journée de travail. Il fallait que j'aille au bout du bout de mes forces, jusqu'à l'épuisement. Le principe physiologique était simple : l'organisme brûlait alors toutes ses réserves, en glucogène, etc. Là, une fois à plat, le corps devait nécessairement surréagir et produire plus qu'il ne fallait. Pour cela, un organisme a besoin de quarante-huit heures. Et le tour était joué : le troisième jour, normalement, l'organisme se trouvait au sommet de sa courbe de surcompensation.

Revenons au fameux mercredi. Pour parfaire cette préparation et me contraindre à piocher dans mes réserves, je suis parti de chez Gallopin, qui habitait dans l'Essonne, pour une première sortie d'environ 120 kilomètres. J'avais volontairement très peu mangé, quelques cornflakes, un yaourt, voilà tout. De retour chez Alain, je m'en souviens très bien, j'ai pris un jus d'orange, une part de flan. Et c'était reparti pour 100 kilomètres de plus ! Lui pilotait un Derny, moi derrière. Départ plutôt lent, 40-45 km/h. Pas plus. A peu près à mi-chemin, il a accéléré l'allure progressivement. Calé dans la roue, je commençais à en baver. Enfin, les 35 derniers kilomètres absolument à fond ! J'ai fini par un sprint fabuleux, je ne sentais plus mes jambes. Je me souviens que je l'ai poussé, j'allais plus vite que lui à pleine vitesse !

Le plaisir était là. Revenu. Quelque chose se passait dans ma tête… Le soir, massage, un bol de riz et au lit. Le lendemain, le jeudi donc, j'ai fait une sortie limitée, genre deux petites heures. Dans le football on appellerait ça un « décrassage ».

Je voulais absolument arriver le jeudi à Milan, car l'avion ne m'a jamais réussi. Je ne sais pourquoi, l'altitude a toujours provoqué chez moi des gonflements aux jambes. Très désagréable pour un cycliste. Il a fallu que je me fâche pour que Guimard accepte que je parte le jeudi ! Il ne voulait pas. Plus incroyable, il ne comprenait pas pourquoi, soudain, j'accordais tant d'importance à cette classique de début de saison. Il avait même fini par cracher le morceau : « Milan-San Remo, ça ne sert à rien. » Il ne m'avait pas dit : « Tu ne gagneras pas », mais pas loin. Il n'y croyait pas. La preuve : il a aligné une équipe de six coureurs seulement, alors que je voulais une équipe entière. C'était Guimard… J'ai insisté. Il a cédé.

La veille du départ à Milan, le hasard a voulu que je sois le premier à récupérer mon dossard. « Parce que je vais gagner », ai-je lancé aux organisateurs… J'avais retrouvé l'état de décontraction perpétuelle qui était le mien jusqu'en 1985. Milan-San Remo est une course particulière. Son parcours n'est pas difficile mais elle est longue et mauvaise. Les deux qualités essentielles et indispensables pour gagner sont la patience et le punch. Il ne faut attaquer qu'une fois et au bon endroit. Pas facile ! Ma tactique, établie à l'avance, était simple : rester caché jusqu'à Allassio, soit 240 kilomètres, puis remonter dans les vingt premiers du peloton et n'attaquer qu'une fois, dans le Poggio. Un seul coup : le bon ou le mauvais, telle est la règle de Milan-San Remo. Comme prévu, je suis donc resté derrière tout le temps, sauf dans le Turchino, où les chutes surviennent souvent et où la descente se révèle périlleuse. Autant le dire, rester en queue de peloton était pour moi une hérésie et il fallut que je lutte contre mon tempérament pour m'astreindre à cette rigueur. Je détestais ne pas savoir ce qui se passait devant… c'était contre ma nature. A peu près aux deux tiers de la course, je me suis dis intérieurement : « Mince, je me balade… » C'était fabuleux et la vérité m'oblige à le dire : sauf dans le Poggio, je n'ai pas eu mal aux jambes une seule fois de la journée ! Cela ne m'était pas arrivé depuis fort longtemps… Dans le Turchino, je fumais la pipe. Dans le Capo Berta, là où l'on peut tout perdre aussi, je montais comme dans un rêve. Tellement que, à un moment, j'ai pensé très fort : « Je vais gagner. »

L'équipe néerlandaise PDM avait de quoi faire peur : Van der Poel, Alcala, Rooks, Theunisse. Les quatre étaient là aux avant-postes. Puis nous arrivâmes au pied de la dernière difficulté, le Poggio, cette espèce de mamelon qui s'élève au-dessus de la Riviera italienne. J'étais moyennement bien placé. Pendant la course, j'avais dit à l'ami Sean Kelly : « J'ai prévu de démarrer très fort dans le Poggio. Si j'échoue, je t'emmène le sprint. » Depuis 1983 ou 1984, j'avais noué une vieille relation de confiance et d'entente avec l'Irlandais, homme loyal qui ne comptait jamais ses efforts pour une dette d'honneur. Nous nous aimions beaucoup et nous étouffions le tout-venant sous nos volontés communes. Ainsi, dès les premiers hectomètres de la montée du Poggio, Kelly est venu à ma hauteur et m'a glissé : « Faut remonter, Laurent ! » Je ne lui avais rien demandé, mais cet Irlandais conjuguait décidément l'honneur à tous les temps… Je n'ai pas réfléchi, je l'ai immédiatement suivi. Et heureusement. A peine étais-je revenu sur la tête de course que les PDM embrayaient. Tout en force. Méchamment. Kelly m'avait sauvé le coup. Pendant environ 3 kilomètres, tout le monde a beaucoup souffert. J'ai patienté. Ne sachant trop si l'opportunité se présenterait. Soudain, je n'ai plus eu aucune douleur dans les jambes : comme si je venais de monter sur le vélo. Dans ces moments-là, je ne m'affolais jamais. J'ai attendu, tranquillement. Ça roulait très vite, tellement que, arrivé à l'endroit où se profilait une sorte de petit « coup de cul » aux pourcentages plus prononcés et où j'avais prévu de porter l'estocade, je commençais à douter de pouvoir placer mon attaque. La fenêtre de tir était limitée, pas beaucoup plus de 150 mètres. Mais comme il s'agit du passage le plus délicat du Poggio, Theunisse, qui menait grand train, s'est mis à faiblir un peu, très légèrement. C'était sans doute imperceptible à la télévision, mais c'était très suffisant pour moi.

Là non plus je n'ai pas réfléchi. J'ai pris la brèche qui s'offrait à moi entre un muret de pierres et le Néerlandais, je me suis dressé sur les pédales, y mettant le poids de toutes mes années et la rage des sacrifices consentis. J'attendais ce moment avec impatience et j'ai senti qu'il s'agissait d'une attaque massive. Kelly, alors dans ma roue, a joué le jeu, comme prévu, et a fait la cassure… J'avais comme braquet le 53 × 15. J'étais alors persuadé d'être seul et quelle ne fut pas ma surprise de voir débouler le tout jeune Maurizio Fondriest : je me demandais comment il avait réussi à revenir, celui-là. Toutefois, je n'avais pas peur de lui une seule seconde. Je savais que j'allais le battre. Il n'avait aucune chance. Aussi, dans la descente, j'ai usé d'une tactique de roublard. Je m'écartais dans les virages, je faisais montre d'une maladresse grossière. C'était pour mieux le laisser passer, qu'il soit obligé de rouler dans les lignes droites. Il fut piégé comme un débutant ! A la télévision, les commentateurs de l'époque ne comprenaient rien : je calculais, je maîtrisais, et eux disaient que j'étais « en difficulté ». Les sots !

Cette année-là, l'arrivée se situait 1 kilomètre après la descente. Nous avions course gagnée. Intrinsèquement, comme le montrera la suite de sa carrière, Fondriest était plus rapide que moi. Mais il était encore bien jeune. Et au bout de 300 kilomètres, je me connaissais parfaitement bien : en tête à tête, j'étais quasiment imbattable. Comme l'avait fait Hinault à Paris-Roubaix en 1981, j'ai lancé le sprint de très loin. Nous sommes restés côte à côte jusqu'à 100 mètres de l'arrivée. Et puis il a craqué subitement. J'ai franchi la ligne avec 20 mètres d'avance !

Mon dieu. C'était fait… Je ne me souviens de rien. Mais des témoins m'ont raconté que j'avais hurlé de joie. Un cri venu du fond des âges. Un hurlement presque « sauvage », selon certains. Gallopin avait eu raison. De me convaincre d'abord. Et d'y croire ensuite. Quand on sait qu'un coureur comme Moreno Argentin n'a jamais gagné cette course… c'est incroyable.

Pour l'anecdote, l'histoire retiendra que la télévision française – Antenne 2 pour être précis – n'avait pas retransmis cette édition de Milan-San Remo, pas même en différé. La direction avait refusé le reportage à Jean-Paul Ollivier. « Aucune chance qu'un Français gagne », lui avait-on dit. Belle analyse !

Un rien la tête dans les étoiles, je m'imaginais de nouveau au sommet. Je savais surtout comment j'avais gagné. Et j'entrevoyais cette sérénité retrouvée. Comme aux belles heures. Mais sur ce podium, croyez-le ou non, je pestais de ne pas avoir gagné en solitaire… C'était nul de réagir ainsi, mais mon caractère venait de se réveiller.

Un parfum de renouveau ?

Toujours est-il que la force de l'âge confère à ceux qui la domptent une maîtrise de leurs actes assez prodigieuse. Une forme d'apogée corps-esprit. La preuve, l'année suivante, en 1989. Pour regagner Milan-San Remo, nous fîmes, avec Alain Gallopin, exactement la même préparation. A une variante près : nous avons encore durci l'entraînement, près de 50 kilomètres de plus ! J'avais vieilli d'un an, je n'étais plus à un sacrifice près.

Cette année-là, Guimard ne vint pas à Milan. Il aurait dû rester à mes côtés pour assister à un événement qui amplifia une part de ma légende… Pour déjouer les pièges, je savais que je ne pourrais pas gagner de la même manière. Cette fois, personne ne me laisserait bouger une oreille dans le Poggio. J'avais donc décidé de l'endroit où je tenterais quelque chose, entre la Cipressa et le Poggio. Là et nulle part ailleurs. La course se déroula exactement comme il le fallait pour moi. Pas mal aux jambes, grande fluidité de pédalage. Je suis resté d'un calme extraordinaire. Et quand le Hollandais Frans Maassen, récent vainqueur du Tour de Belgique, s'accorda une centaine de mètres d'avance sur nous tous, je n'ai même pas pris le temps de réfléchir et de me demander « faut-il que j'y aille ? », c'était fait avant d'y penser. Personne n'est jamais revenu. Et avec près de 40 secondes d'avance au pied du Poggio, j'ai irrémédiablement accéléré dans le plus dur de la côte : Maassen rendit les armes. Comment dire… Gagner une deuxième fois de suite une classique aussi importante, c'était tellement rare ! Il fallait croire au mélange du savoir-faire et de la préméditation. Cette fois, j'étais tout seul sur la photo !

Le lendemain de mon triomphe, Guimard est venu me chercher à l'aéroport. Je revois la scène. Surréaliste. Il m'a vu arriver de loin mais il est resté assis sur un fauteuil avec *L'Equipe* ostensiblement dépliée devant son visage. Grande photo de moi en « une », évidemment. Je me suis approché. Il n'a pas bougé. C'était sa manière de me dire « mince, tu l'as fait ».

Je suis resté planté devant lui au moins deux ou trois minutes. Il n'a pas cillé. C'était tout Guimard…

Au bout d'un moment, j'ai quand même fini par lui dire : « Espèce de con, tu pourrais au moins me féliciter ! »

Le ver solitaire maillot jaune !

S'amuser, ça empêche de mourir. Gagner en s'amusant, ça empêche de se prendre pour le roi du monde… Au grand vent de la vie.

Les poètes connaissent. Il y a une façon de se soustraire au parler quotidien, de faire le difficile, de ne pas se contenter du tout-venant et des apparences, bref de durcir leurs approches qui assure à leurs bouteilles à la mer une bonne et longue traversée du temps. A moi aussi quelquefois les mots simples barraient l'accès. J'avais besoin de compliquer mon rapport au monde. Mon extrême lucidité sur mon environnement – et sur moi-même – ne plaisait pas à tout le monde. Je décidai donc de moins me dévoiler. Après ma première victoire dans Milan-San Remo, subitement, je redevenais digne d'intérêt. Il m'arrivait même de lire dans quelques articles sinon de l'amitié (je n'aimais pas les rapports biaisés) du moins une réalité qui se rapprochait de la mienne. J'étais en forme en ce printemps 1988. Je le sentais et voulais en profiter. Treizième au Tour de Flandres, j'avais frappé très fort deux jours plus tard dans Paris-Vimoutiers en démarrant dans le mur de Champeaux, personne ne m'avait revu et mes équipiers avaient compris pourquoi je voulais absolument qu'ils restent aux avant-postes toute la journée, chassant tout ce qui bougeait…

L'aisance retrouvée. Dans ces périodes-là, aussi incroyable que cela puisse paraître, je n'avais jamais mal aux jambes. Certains autres coureurs ne m'ont jamais cru. Je me souviens d'une discussion avec Dominique Garde. Lui m'affirmait que « tous les jours » il souffrait sur le vélo, que ce soit pendant les entraînements ou les courses. De toute sa carrière, ajoutait-il, il n'avait jamais connu de « jour blanc ». Pour lui comme pour moi, c'était vrai.

Par exemple, cette année-là, en me lançant à corps perdu sur les pavés de Paris-Roubaix, où je n'avais pas glissé ma roue depuis 1984, j'étais sûr d'y bien figurer. En témoigne ma manière un peu furieuse de pénétrer dans la tranchée d'Arenberg où le premier écrémage s'opère traditionnellement : mon compteur affichait au-delà des 60 km/h ! Sean Kelly m'avait dit : « Tu es fou, Laurent, tu as vu comment tu es rentré là-dedans et à quelle vitesse ? » C'était tout le contraire de l'inconscience : j'avais retrouvé la pleine intuition de mon physique et de sa puissante agilité. Ma seule crainte, alors, c'était qu'elle disparaisse de nouveau, que je redescende en moi comme en enfer…

Sinusite, coup de froid, et en prime un trait de fracture au trapèze de la main droite contracté à Liège-Bastogne-Liège : commença la longue série des coups de fatigue mystérieux, inexpliqués. Et quand je me suis présenté sur le Tour de France 1988, je me trouvais dans une sorte de solitude cadenassée. Si ce sont les jambes qui confèrent la vraie noblesse, alors j'étais assurément dans l'incertitude de mon rang. J'aurais voulu que le temps s'accélère, pour savoir. Que je sache enfin ! J'ai su.

L'innovation du prologue fit sourire tout le monde : renommé « préface », toute l'équipe partait ensemble et un seul coureur finissait le dernier kilomètre. Cette ridicule trouvaille des nouveaux organisateurs – ils s'illustrèrent beaucoup cette année-là – eut le mérite, sur seulement

3,8 kilomètres, de me donner une première indication : j'eus de la peine à suivre mes équipiers. Confirmation deux jours plus tard, lors du contre-la-montre par équipes. Tous les projecteurs se braquèrent sur moi. Pour cause. A une vingtaine de kilomètres de l'arrivée, j'étais à bout de souffle. J'ai été pris de peur panique. Insensiblement d'abord, je perdais du terrain à la moindre accélération collective. Puis, soudain, j'ai décroché. Cela ne m'était jamais arrivé auparavant. Les gars m'ont attendu une première fois. Pas la deuxième. A ma demande, je les ai laissés filer et j'ai terminé à 1'20'' de mes camarades, tous effondrés d'avoir perdu leur leader. J'étais cuit. Ni les médecins ni moi ne comprenions pourquoi.

J'ai cheminé ainsi, traînant ma fatigue et ma lassitude. Au moindre effort, j'étais en difficulté. Et le soir, je m'effondrais d'épuisement dans ma chambre. J'ai commencé à réfléchir à ce qui m'arrivait. Depuis quelques semaines, je ne comprenais pas quelque chose : à aucun moment je ne m'étais affûté.

Après le premier chrono individuel, rejeté au-delà de la 30e place, j'avais dit adieu au classement général. Et puis, à Nancy, j'avais accepté de recevoir un journaliste pour une interview. Cela devait se passer dans ma chambre, après le massage. Peu avant qu'il n'arrive, je suis allé aux toilettes. L'horreur : j'ai senti quelque chose sous moi. J'ai pris peur. C'était long et mou. J'ai cru que j'expulsais mes boyaux. J'ai appelé Dominique Garde qui a bien rigolé : ce n'était qu'un ver solitaire ! J'y suis retourné, j'ai tiré dessus : j'en ai sorti environ deux mètres. Puis il a cassé. Enfin je savais ce qui se passait.

Quand le journaliste est arrivé, je lui ai raconté la scène et je lui ai montré la bête. Impressionné. Le soir même j'ai pris le médicament qui allait tuer ce qui restait de l'intrus, définitivement chassé de mon corps la nuit suivante. Éreinté.

Dans la 11e étape, entre Besançon et Morzine, vidé de mes forces, je me suis obligé à rallier l'arrivée, 20 minutes après les premiers. Une sorte d'exploit qui ne servait à rien, sinon à ne pas renoncer symboliquement. J'appelle « symbolique » tout ce qui aide, sans le dire, à retarder l'inéluctable, à se donner des signes sinon des gages d'avenir. Je voulais repousser la facilité. Honorer une dernière forme de courage à partir duquel je pouvais me retirer la tête haute.

Néanmoins, là j'avais atteint et dépassé mes limites. Tout en moi rejetait l'échec et refusait la fatalité du destin qui s'acharnait. Le soir même j'ai évidemment annoncé mon abandon. Qui n'étonna plus personne. Le lendemain, le journal *Libération* publiait un article hallucinant de perversité et d'absence de professionnalisme. L'envoyé spécial affirmait ni plus ni moins que j'avais renoncé à poursuivre la Grande Boucle car je savais que je venais de subir un contrôle positif quelques jours plus tôt. Il se trouve que je n'avais pas été contrôlé une seule fois depuis le départ… J'ai porté plainte. Et j'ai gagné au tribunal pour diffamation. Ils m'avaient traité comme un salaud. Les salauds changeaient de camp.

Je vais vous dire. En prenant le TGV le lendemain de mon abandon, je me suis senti soulagé. Libéré d'un poids qui pesait lourd. En regardant défiler les paysages, absorbé par une émotion joyeuse, j'ai lu des pages de René Char. « La lucidité est la blessure la plus rapprochée du soleil. » C'est terrible à avouer, mais plus je m'éloignais du Tour plus je ressentais du bonheur.

Je n'avais pris aucun plaisir pendant deux semaines. Absolument aucun. Il faut rappeler que le contexte fut pesant. Dans les mains d'une direction douée d'incapacité (Xavier Louy, etc.), la Grande Boucle, un an après le départ définitif de Jacques Goddet, avait littéralement sombré dans le cirque ambulant. Ceux qui l'ont vécu s'en souviennent douloureusement. C'était le Tour de la démesure. Du gigantisme à tous les étages. Une inflation de voitures d'invités. Des hélicoptères en nombre qui venaient lécher le peloton et les échappés, perturbant le bon déroulement des étapes. Les coureurs, soumis à une tension et une pression permanentes, n'étaient plus au centre des préoccupations, relégués comme de simples participants à un « spectacle ». Comme si la course n'était plus qu'un prétexte pour justifier tout le reste… le commerce et les fastes.

Ce manque de respect flagrant aux Géants de la Route et au mythe du Tour comme à son histoire m'a fait horreur. Ça sentait la petite mort. Mais le groupe Amaury, propriétaire de la Société du Tour, ne fit pas deux fois la même erreur. La nouvelle direction fut décapitée. Le mal irréparable fut empêché de justesse.

Il ne faut jamais confondre s'amuser et déconner.

S'amuser, c'est éviter de se prendre au sérieux.

Déconner, c'est mettre en péril ce qui est sérieux…

Le retour du grand blond

Les drames, dieu merci, ne constituent pas le menu quotidien du champion d'exception. Sommeille toujours en lui, paraît-il, la sève régénératrice. A 28 ans, ma huitième année professionnelle allait m'en donner un bon exemple.

Début 1989, j'étais le seul leader. Même Mottet avait fini par partir. Cyrille Guimard n'était pas content de l'entendre : on peut dire que j'avais alors une équipe très « moyenne » en qualité. Pas une équipe digne d'un grand leader pouvant gagner un grand Tour. Moi j'en étais conscient, mais ça ne me préoccupait pas plus que ça. Par contre, nous avions recruté un jeune Danois, Bjarne Riis, que j'avais repéré au Tour de la CEE, un gars loyal, assez costaud pour être un bon équipier. Après l'avoir vu, j'avais dit à Guimard : « Lui, il faut absolument l'avoir chez nous. » Chose incroyable. Fin 1988, Riis n'avait alors plus d'équipe pour la saison suivante. Personne n'en voulait. Il m'avait même confié par la suite que sans ma proposition, il aurait arrêté le cyclisme ! A quoi tient une carrière… Bjarne frottait bien, il était solide et ne rechignait pas à la tâche. Rouler derrière lui était un bonheur total : il savait tout faire, accélérer aux bons moments, s'engouffrer quand il le fallait, prendre les trous dans le timing. Je n'avais jamais besoin de lui parler, de lui dire « vas-y » ou « ralentis ». Je me collais à sa roue et je n'avais rien d'autre à faire. Une harmonie assez rare.

Avec lui je ne m'étais pas trompé, mais je ne savais pas alors qu'on en reparlerait souvent, de celui-là ! C'était en effet une « grosse machine ». Mais entendons-nous bien : c'était un bon coureur, certes, mais incapable de remporter un Tour de France dans des circonstances ordinaires. Et on sait comment il a gagné celui de 1996… à l'EPO.

Pendant les stages hivernaux, Guimard nous avait concocté des entraînements vraiment difficiles. Beaucoup d'exercices de force, par exemple sur la côte de Pont-Réan, où nous devions emprunter une sorte de circuit où s'était déroulé un championnat de France. Une côte, une descente. Guimard nous a obligés à l'emprunter dix fois, à fond… Sauf que la veille, nous étions presque tous sortis en boîte. Retour à l'hôtel, 7 heures du matin. J'admets que ce n'était pas très raisonnable. Mon insouciance était de retour ! La preuve. En retournant dans ma chambre, que je partageais avec Pascal Simon, qui venait de signer chez nous, j'ai fait du bruit. Il faut dire que j'étais accompagné. Nous étions deux à pousser des petits cris dans mon lit. Simon s'est réveillé et a commencé à regarder le spectacle qui se déroulait sous mes draps. Il avait l'air très intéressé le bougre… Soudain, alors qu'il jouait vraiment les voyeurs, nous avons sauté de mon lit : c'était Barteau qui se cachait sous mes draps ! Simon n'avait rien vu de la supercherie. « Bande de cons ! » a-t-il crié. Mieux qu'un réveille-matin. Dans la bonne humeur.

Comme chacun l'aura compris, nous n'avions pas dormi de la nuit. Et Guimard, je ne sais comment, avait su qu'on avait fait le mur. Pas content. C'est donc ce matin-là qu'il avait sinon improvisé du moins « durci » cette fameuse séance d'exercices de force. Ce fut infernal. A voir son regard méchant, c'était évident qu'il voulait me piéger, me faire craquer, moi. Nous avons donc couru ces dix sprints :

tout à la rage, j'ai gagné les dix ! On avait même fait un tour supplémentaire, qu'il n'a jamais voulu comptabiliser… Guimard m'avait mis à l'épreuve, y compris devant mes équipiers. Malgré ma nuit blanche, j'avais su répondre. C'était une indication. Performance et joie de vivre : j'étais de retour.

Une nouveauté technique fut mise à notre disposition. Les pneus Michelin débarquaient dans l'équipe Système U. Là aussi, une forme de révolution. La tradition exigeait, surtout chez les pros, l'utilisation de boyaux les plus fins possible, 20 millimètres en général. Et là, non seulement il s'agissait de pneus mais Michelin nous demandait de rouler avec des 23 millimètres de section ! Trois millimètres de différence, cela n'avait l'air de rien, mais cela nous paraissait impossible. Inutile de dire que nous n'étions pas fiers. Et pas très confiants. Bien sûr les techniciens les plus pointus de chez Michelin étaient venus nous présenter leurs études sur la question. Ils voulaient nous démontrer que pour la bande au sol ça ne changeait strictement rien : resteraient en contact toujours 8 à 9 millimètres. Pour eux, l'originalité était ailleurs et se situait sur l'angle du pneu. « Vous verrez messieurs, dans les virages, vous disposerez de plus de surface au sol, donc d'une meilleure adhérence. » Nous étions plus que sceptiques. Durant les premiers entraînements, notre gêne fut plus psychologique qu'autre chose. Ce diamètre nous paraissait « gros » et nous avions le sentiment de perdre de la vitesse…

Et puis, nous sommes arrivés au Tour du Haut Var. Conditions idéales pour tester la gomme : des trombes d'eau toute la journée. Et là, miracle des miracles ! Dans les descentes, avec ces pneus, on larguait tout le monde. Mais absolument tout le monde ! Personne n'était capable de suivre notre rythme et même de prendre notre roue.

C'était fabuleux, une adhérence exceptionnelle, un progrès technique considérable. Au niveau du rendement, la différence était finalement minime, d'autant qu'on avait incontestablement une meilleure assise.

A cette époque, je lisais *L'Equipe* tous les jours, j'épluchais tout, le moindre classement, le moindre commentaire. En ce temps-là, tous les résultats y figuraient encore, de la plus grande à la plus infime course du calendrier. Ainsi, je vérifiais la progression des uns et des autres. Et ça ne trompait jamais. Si un coureur commençait à apparaître dans certains classements, c'était un signe et il fallait s'attendre à le retrouver aux avant-postes un de ces jours sur les grands rendez-vous. Jusqu'à la fin des années quatre-vingt, ces points de repères, qui étaient fondamentaux pour nous, avaient une signification. Cela ne veut plus rien dire du tout désormais. Chacun s'entraîne dans son coin, souvent loin des courses, parfois à l'autre bout du monde… De mon temps, on s'étalonnait dans toutes les épreuves du calendrier. Un coureur ne restait jamais caché bien longtemps, il fallait se montrer et c'était en étant devant qu'on apprenait son métier et qu'on devenait meilleur.

Maintenant, il suffit de gagner une étape dans le Tour une fois dans sa vie pour réussir une carrière. On se contente décidément de très peu.

*

* *

Après ma glorieuse récidive sur le corso Cavallotti, j'ai porté le tout frais maillot de leader de la toute nouvelle Coupe du monde… Et pour être frais, ce bout de chiffon sans couleur ni âme mais surtout d'une qualité textile indigne, il était frais ! Tellement que pendant le Tour des

Flandres, sous la pluie, je n'ai jamais réussi à me réchauffer malgré les couches successives, survestes et k-way : abandon. Une fois mouillé, ce paletot ridicule ne séchait pas. A l'image de la Coupe du monde, c'était du vent, il n'existait pas !

Expliquons-nous. L'Union cycliste internationale (UCI) venait donc d'inventer cette Coupe du monde, qui n'avait qu'un lointain rapport avec ce qui se pratiquait dans le ski ou avec le circuit ATP du tennis. Officiellement conçue pour rationaliser le calendrier et consacrer en fin de saison la régularité d'un coureur sur les plus grandes courses d'un jour, ce qui n'était pas une mauvaise idée en soi, l'UCI a arbitrairement tranché dans le calendrier entre les classiques jugées « dignes » de figurer dans la Coupe du monde et celles jugées « secondaires ». Bien sûr il fallait réformer le calendrier. Pas de cette manière-là. Alors qu'espacer les classiques dans le temps était une nécessité vitale, à la fois pour que les coureurs les préparent mieux mais aussi pour les rendre plus « lisibles » aux yeux du public, la concentration a été institutionnalisée ! Avec la Coupe du monde, l'ensemble de la saison a fini par être dénaturé. Par exemple la Flèche Wallonne a subi d'autorité une cure de minceur… c'était grotesque. Dans l'histoire du cyclisme, je veux dire la vraie histoire, il y a les cinq (Milan-San Remo, Tour des Flandres, Paris-Roubaix, Liège-Bastogne-Liège, Tour de Lombardie), plus Gand-Wevelgem, la Flèche Wallonne, Paris-Bruxelles et Paris-Tours. Le reste n'était qu'accessoire. Je n'avais rien contre l'idée de créer de nouvelles épreuves, mais on ne pouvait pas pour autant décréter sur-le-champ qu'il s'agissait de grandes courses. Un Grand Prix de Montréal ne valait rien à côté d'un Liège-Bastogne-Liège, sans parler d'une Classique des Alpes à côté d'un Tour de Lombardie ! Pour ne rien arranger, ce fut d'ailleurs le moment où les instances suprêmes inventèrent le système dit des « points FICP ». FICP pour : Fédération internationale du cyclisme professionnel, puisque, au tout début des années quatre-vingt-dix, la grande réunification du cyclisme mondial entre l'Est amateur et l'Ouest professionnel n'avait pas encore eu lieu. Il fallut attendre la chute de l'URSS pour voir la création de l'Union cycliste internationale (UCI).

Donc les points FICP, octroyés à chaque course à condition de les finir, modifia profondément la mentalité des cyclistes. Car ces points, véritable sésame pour comptabiliser la « valeur » d'un coureur, étaient aussi un passeport pour les équipes en vue des plus grandes courses, en particulier le Tour de France. La « course » aux points devint donc un objectif quasi obligatoire. Pour les coureurs, c'était une source de profit financier pour négocier leurs transferts. Et pour les équipes, « acheter » des coureurs disposant d'un capital points leur permettait d'accumuler un matelas de sécurité... La perversité à tous les étages ! Car le but de beaucoup n'était plus de gagner des courses mais de glaner des points ! Tactiquement, cela modifia en profondeur les stratégies et les manières de courir. Nous assistâmes progressivement à une dévalorisation de la victoire, d'autant plus néfaste qu'elle influença négativement les nouvelles générations. Chacun devenait égoïste et calculateur ! Jamais jusqu'alors la valeur d'un coureur n'avait été « calculée » de la sorte. Jamais un bon équipier ne devait forcément finir une classique : à quoi cela servait-il ? Par exemple, participer aux Six Jours de Grenoble rapportait 25 points. C'était pourtant une épreuve pour laquelle les coureurs étaient sélectionnés... sur invitation. L'esprit même du cyclisme était bafoué.

*

* *

Il s'en était fallu de peu pour que je n'aille pas au Tour d'Italie 1989. Les mois précédents, l'organisateur, Vicenzo Torriani, avait fait le forcing pour que Système U (devenu Super U) s'inscrive. Sortant le carnet de chèques comme c'était de coutume dans ces cas-là. C'est pourtant ce vieux brigand au visage jovial, toujours une clope au coin des lèvres, qui avait conçu en 1984, pour ma première participation, un parcours favorable à Francesco Moser, mettant tout en œuvre pendant l'épreuve pour me faire plier, allant jusqu'à supprimer l'ascension du Stelvio, etc. Souvenirs tenaces… Cinq ans après, la sympathie affichée de Torriani m'intriguait. Mais j'étais très décontracté et mes équipiers furent frappés par mon calme et ma placidité. Quant au parcours proposé, il s'annonçait cette fois comme l'un « des plus durs de toute l'histoire », sans jour de repos et avec les principales étapes de montagne concentrées sur six jours. Maurizio Fondriest, que j'avais battu l'année précédente à San Remo, avait même déclaré : « Avec un tel parcours, Moser ne l'aurait jamais gagné ! » Une manière de me rendre hommage. Je me sentais un peu italien… bien avant l'heure !

Nous étions confiants. Certes. Mais partis en campagne avec une équipe peu solide en montagne : Garde, Marie, Riis, Décrion, Salomon, Dubois, Barteau… Le premier chrono individuel livra un semblant de hiérarchie. Là encore Guimard aurait pu montrer une légère inquiétude : j'avais fini 8e en concédant une trentaine de secondes au nouveau porteur du maillot rose, le Néerlandais Eric Breukink. J'étais néanmoins conscient d'avoir réalisé mon meilleur chrono depuis 1984. Une forme de victoire.

Lors de la 13e étape, vers les Trois Cimes de Lavaredo, l'un des plus hauts lieux de la légende du Giro, sous un ciel d'encre et des averses intermittentes qui charriaient sous les roues la boue noirâtre des bas-côtés, je crus revivre l'épisode de l'Alpe d'Huez en 1984. Deux acteurs identiques : Herrera et moi. La scène est inscrite dans ma mémoire. A 20 kilomètres de l'arrivée au sommet, le Colombien plaça une accélération dont il avait le secret et Guimard, plus prudent et moins confiant que jamais, n'eut qu'une phrase qu'il hurla à travers la portière de sa voiture : « N'y va pas ! » Excès de prudence ou pas, qu'importe, j'avais l'impression de rajeunir de cinq ans ! Et avec les mêmes effets évidemment. Je ne l'ai jamais revu. J'ai fini 2e de l'ascension, à 1 minute du grimpeur de poche. Me replaçant du même coup 2e au général. Le soir, l'Américain Andy Hampsten, qui finira ce Giro en 3e position, eut cette phrase prémonitoire : « Le vainqueur de ce Giro ne sera pas nécessairement le plus fort mais le plus intelligent. »

Il fallut le montrer dès le lendemain, 14e étape. Une étape d'anthologie. Que des cols. Il pleuvait encore et la température flirtait avec le zéro. Ordinairement, par ces climats et ce froid, ce n'était même pas la peine que je prenne le départ. Mais au petit matin, Alain Gallopin a eu une idée. A l'époque, les masseurs nous enduisaient d'une pommade avant le départ, pour nous chauffer les muscles, qui s'appelait le Kramer. Il y en avait trois sortes. Rouge : la plus puissante. Orange : de moyenne intensité. Enfin le Kramer de base, pour les plus douillets. Je dois passer aux aveux : même le Kramer de base, je ne le supportais pas ! Ce matin-là, inquiet pour moi, Gallopin voulut absolument me badigeonner d'une de ces pommades. Il insista tant et tant, que je finis par lui dire : « D'accord, l'orange. » Et qu'a-t-il fait ? Il m'a totalement frictionné avec du rouge, sans me le dire. Et pas un peu. Les jambes, le bas du dos, le ventre ! Morbleu ! On était à plus d'une heure du départ mais ça me brûlait tellement que j'ai dû sortir, malgré le froid, pour supporter. Je sautillais dans tous les sens. C'était horrible. Résultat : je n'ai pas eu froid de la journée ! Etape dantesque pourtant, souvent sous la neige. A un moment, je suis allé voir Guimard : « Bon, j'attaque quand ? » Lui : « Attends. » Dès qu'il revenait à ma hauteur : « Alors, j'attaque quand ? » Et lui, invariablement : « Attends. » Il avait peur.

Malgré Guimard, j'ai tout prémédité. Tandis que la route qui s'ouvrait devant nous disparaissait dans un épais brouillard, j'ai porté une première attaque à 60 kilomètres de l'arrivée. Pour voir. Quelques-uns parvinrent à suivre. Je me souviens que dans les descentes je m'efforçais de pédaler pour écarter tout risque d'engourdissement. En huit années de métier, je n'avais jamais affronté de pareilles intempéries. Puis, dans le Campolongo, j'ai remis ça. Un peu plus brutalement. Je répondais à la violence des éléments par la violence, comme si je puisais dans la démence du temps une espèce d'exaltation. Le leader Eric Breukink a littéralement explosé, perdant près de 6 minutes. J'ai pris le maillot rose. Mon adversaire avait changé de nom. Il s'appelait désormais Flavio Giupponi. Il était jeune et italien. Danger.

Toujours le froid, la pluie, la neige. Ce n'était pas bon pour moi et je risquais tôt ou tard de le payer cher. Dans ces conditions, que dire alors de l'annulation de l'étape montagneuse, entre Trente et Santa Caterina, qui devait emprunter les cols du Tonale et du célébrissime Gavia, rendu dangereux en raison d'éboulements ? En fait, un cadeau empoisonné, puisque la presse transalpine accusa Torriani de duplicité à l'égard de mes concurrents. C'était mal connaître le bonhomme. Cinq ans plus tôt, il avait escamoté le Stelvio sans motif apparent ce qui m'avait empêché d'éloigner Moser de la victoire finale. Et là, il se serait racheté en quelque sorte alors qu'un Italien me menaçait directement au général ? Soupçonner Torriani de favoriser un étranger était stupide. Tout dans ses actes, sa vie durant, démontra le contraire et la veille encore il souhaitait, en privé, la victoire de Guipponi. Et s'il avait connu mon réel état de santé, il n'aurait pas hésité une seule seconde à envoyer les coureurs braver les affres de l'altitude enneigée. Car ce matin-là, une épouvantable douleur à l'épaule – vieille meurtrissure d'une chute de ski survenue dix ans plus tôt – s'était réveillée. Une calcification osseuse si douloureuse que, croyez-moi, je ne pouvais plus bouger le bras. Si l'étape avait eu lieu, la perspective d'un abandon rôdait au-dessus de mon maillot rose… Cela n'aurait-il pas réjoui toute l'Italie et avec elle « l'ami » Torriani ?

Ma souffrance allait monter en intensité, sans connaître pour autant d'issue dramatique. Dans le contre-la-montre en côte de 10,7 kilomètres, il tombait des cordes et le sommet de Monte Generoso sombrait dans une obscurité chaotique lorsque, franchissant la ligne d'arrivée, je découvris l'ampleur des dégâts : 17e à 1'45'' d'Herrera, 34'' sur Giupponi. La presse italienne se déchaîna, imaginant déjà un renversement de tendance… Le froid avait, presque, eu raison de moi. Il restait deux étapes compliquées dans la chaîne des Apennins.

Tous ces bonshommes furent pris à revers. Car un allié de taille revint dans le jeu me distribuer un précieux joker : le beau temps. Plein soleil durant les trois derniers jours. Témoin, cette 20e étape adjugée à La Spezia, où, à l'image de mon équipe, totalement ratatinée, je connus une journée difficile… sauf les 6 derniers kilomètres. Au sommet du dernier petit col du jour, que j'avais escaladé le mors entre les dents, j'eus soudain moins mal aux jambes. Dans la descente, nous étions une dizaine, en présence de tous les favoris. J'ai accéléré, pris une quarantaine de mètres d'avance, mais, dans un virage, je me suis retrouvé dans le « cul » d'une moto, contraint de bloquer les cocottes de frein ! Regroupement. Colère. A 500 mètres de la ligne, le sprint tardait à être emballé. Je me suis dit : « Ça n'avance pas. » Idem à 300 mètres. Alors j'ai lancé la mécanique, gagné l'étape. Me confirmant que le vélo réserve des surprises.

La veille de l'arrivée, je faillis tout perdre dans une descente anodine alors que je me trouvais dans les roues de Guipponi. Perdant mon équilibre, j'ai fini ma course dans un petit muret avant d'être heurté par Criquielion. Le temps de constater les dégâts – aucun physiques –, de redresser mon guidon et de me remettre en selle, ledit Guipponi, avec à sa suite Hampsten, avait profité de l'aubaine pour filer à l'italienne et foncer tête baissée. La situation devenait périlleuse car j'étais totalement isolé. Dix kilomètres plus loin, j'avais rétabli la situation. Inutile de préciser l'état de mon ressentiment. Je pris 5 secondes de bonification lors d'un sprint intermédiaire et 3 de plus en finissant 3e de l'étape remportée par Bugno. Tout cela repoussait Giupponi à 1'31'' au général. Ce qui n'était pas plus mal avant l'ultime contre-la-montre, 54 kilomètres, entre Prato et Florence.

Je dois admettre que Cyrille Guimard ne me cacha pas son appréhension. Mais dans l'exercice en solitaire, Giupponi n'était pas Moser. Et il n'y eut ni émotion ni frayeur particulières. Guimard me renseigna exactement sur ce qui se passait et, en fait, j'ai juste contrôlé mon effort pour prévenir toute défaillance, malgré les interventions intempestives d'un hélicoptère volant bien bas… J'ai fini 5e, l'Italien 3e… Mais il m'avait repris moins de 20 secondes. J'avais résisté à tout. Au froid. A la pression. Aux Italiens et à la commedia dell'arte du Giro où on polémique pour un rien, une allusion, un geste, une parole. Tout cela n'était que cinéma. Moi j'étais coureur cycliste !

Avant les bouchons de champagne, la fête et l'alcool, je pris conscience immédiatement de ce que je venais de réaliser. Je savais ce que j'avais enduré, depuis si longtemps. Je pouvais enfoncer la porte de la légende, jusque-là seulement entrebâillée par mes deux victoires dans le Tour de France. Je devenais en effet le troisième Français de l'histoire (seulement trois !) et le dernier (personne depuis !) à remporter le Giro, après Jacques Anquetil (1960 et 1964) et Bernard Hinault (1980, 1982 et 1985). Quand je pense que même Louison Bobet n'a pas réussi… Après tout je ne faisais que réparer l'injustice de 1984, sans pour autant m'en consoler. Les fantômes des années noires campaient encore dans ma mémoire. Mais, sourire aux lèvres et insouciance retrouvée, j'aimais désormais les faire danser.

Il fallait que je me relève pour entrer définitivement dans la légende du cyclisme. Un coureur de classe se relève toujours. Non ?

Une anecdote enfin. Le soir de mon triomphe à Florence, plus soucieux que jamais, Guimard était venu me parler. En tête à tête. Très sérieusement, alors que je ne pensais qu'à célébrer mon succès. L'esprit déjà tourné vers juillet, il m'avait regardé droit dans les yeux : « LeMond sera là sur le Tour. » Je n'avais pas feint mon étonnement… Inexistant pendant trois semaines, l'Américain avait achevé son Giro en se hissant à la 2e place de l'ultime contre-la-montre. On sait ce qu'il advint du Tour de France 1989…

Cycliste, homme étrange.

Poker menteur

Le coureur aux « 8 secondes » : imaginez un peu les semaines qui suivirent ma défaite au Tour de France 1989. Imaginez les railleries de ceux qui ne m'aimaient pas. Imaginez les phrases scabreuses et les dérapages. Gagner ou perdre selon les cas n'est jamais facile. Mais perdre dans certaines circonstances est encore pire… Après le fracas des sentiments et des mots, après le sentiment impalpable d'injustice éternelle, il me fallut m'éloigner un peu et achever une saison 1989 exceptionnelle malgré tout. Avec au passage deux victoires de plus. D'abord au Tour de Hollande. Puis, en duo avec Thierry Marie, au Trophée Baracchi, qui était encore à l'époque une sorte d'institution où Coppi, Merckx et Anquetil avaient gravé leurs noms et marqué les consciences. S'y imposer forçait le respect et faisait entrer ses signataires dans le grand livre d'une certaine mémoire. C'était fait… Au passage, être hors de nos frontières m'avait offert la possibilité d'un peu de tranquillité. Un soupçon de calme médiatique et populaire.

J'allais toujours comme un type libre, exerçant son métier sans contrainte majeure, croquant la vie avec la même envie, la dévorant parfois. Avec le public comme la presse, je n'ai jamais vendu mon âme, je n'ai jamais cherché à me montrer conciliant.

Certains admirateurs ont même fini par me reprocher,

parfois, de ne pas signer assez d'autographes. Mais j'en signais. J'en signais même beaucoup. Mais je n'avais pas que ça à faire, comme chacun en conviendra. Et je ne pouvais pas en signer à tout le monde. Aurais-je pu faire des efforts ? Evidemment, c'est certain. Mais aurais-je dû tricher avec moi-même, juste pour plaire. Tricher ? Mais tricher pour quoi faire ?

La fausseté n'était pas mon emploi et j'avais assez d'expérience alors pour continuer de jeter ma rage, ma fougue et mes forces à l'avant sans me préoccuper de l'opinion des uns ou des autres. J'étais différent. Bien sûr. En matière de cyclisme, je n'ai jamais été un coureur comme les autres. Kelly, Mottet, Duclos-Lassalle ou Bugno, coureurs que j'ai côtoyés de très près, pratiquaient leur sport de façon quasi religieuse, selon des principes édictés par les anciens. Moi, je revendiquais ce droit à la différence, à l'indépendance, à l'intégrité de ma personne. Mais une partie du public, comme la presse, me l'a refusé avec une obstination confondante. On voulut à toute force me « normaliser », me faire rentrer dans le rang des gentils, des doux, des agneaux. Bref des moutons qui suivent le troupeau. N'était-ce pas un comble ?

Je n'ai jamais aimé le copinage. Avec qui que ce soit. Je peux dire que je suis assez fier de cette spécificité. J'ai toujours agi en mon âme et conscience, jamais pour plaire à untel. Exemple. Juste avant le Tour 1989, aux Championnats de France, le journaliste sportif vedette d'Antenne 2 à l'époque, Patrick Chêne, voulait absolument réaliser une interview improvisée. Mais il était très en retard lorsqu'il se présenta devant moi. Je me suis excusé auprès de lui, lui disant que je ne pouvais plus. J'avais vraiment autre chose à faire. Déçu, il eut cette phrase extraordinaire : « Ah c'est comme ça, après tout ce que j'ai fait pour toi. »

J'étais stupéfait. Je voyais s'exprimer devant moi, et de la pire des manières, toute la morgue d'un journaliste qui a perdu la tête et avec elle le sens des réalités. La télévision et la petite notoriété qui était la sienne à l'époque avaient transformé cet homme plutôt sympathique en vedette du show-biz confondant sa fonction – celle d'un journaliste – et la relation qu'il croyait avoir avec certains sportifs. J'étais tellement étonné de sa phrase, que je n'ai évidemment pas pu m'empêcher de me moquer de lui : « Je ne savais pas que tu m'avais aidé à gagner tant de courses. » Il avait accusé le coup, comprenant son dérapage. « Ce n'est pas ce que je voulais dire, ajouta-t-il aussitôt. – Non, mais tu l'as dit, ai-je répliqué. Maintenant, salut. » Dans ces moments-là, j'étais cassant et je ne calculais jamais les conséquences de mes réactions. Nous n'en avons jamais reparlé. Tribulations de la vie professionnelle.

Depuis 1985 et les épisodes de ma blessure qui avaient suscité de nombreux articles tendancieux, j'ai protégé ma vie privée, protégé mon intimité. Je n'ai plus ouvert ma porte aussi facilement qu'avant. J'avais comme barricadé ma vie, mis sous scellés tout ce qui touchait à mon existence personnelle. Je n'acceptais que les interviews qui m'intéressaient. Si bien qu'à la fin des années quatre-vingt, il existait, de toute évidence, deux Laurent Fignon bien distincts. Le premier, honnête, qui annonçait clairement qu'il n'aimait plus répondre aux journalistes. Le second, non moins honnête, mais qui se terrait et se taisait. Un homme secret. Le Fignon privé, celui que personne n'a jamais vraiment connu.

D'une manière générale, malgré l'insouciance de mes premières années, je peux affirmer que ma seconde attitude était ma vraie nature. Car si j'étais fait pour devenir un champion – après tout je n'en doute pas –, je n'étais absolument pas fait pour devenir un homme public.

Parvenu à ce moment de ma carrière et à l'âge qui était le mien, je faillis pourtant commettre une autre erreur. J'avais d'abord accepté de participer au fameux « Jeu de la vérité » de Patrick Sabatier, où Coluche avait cassé la baraque. Heureusement je m'en suis tiré à bon compte : l'émission tomba à l'eau. Car en acceptant, je détruisais l'image que j'avais voulu construire, celle du type qui protégeait jalousement sa vie privée.

Nous étions aussi à un moment de basculement de la société du spectacle, qui commençait à pousser les journalistes dans des manières alternativement enjôleuses ou pourfendeuses, sans qu'on comprenne bien pourquoi on passait de l'un à l'autre. Le seul copinage devenait la règle de conduite.

Le champion n'existe que par ce qu'il fait. Pas par le rôle qu'il joue derrière des micros. Que voulez-vous. Le journaliste est souvent comme l'ogre de la fable, il aime la chair fraîche. Et quand la chair est faisandée, il change de gibier…

Oui, j'ai fauté

Je ne suis pas un avaleur de couleuvres. Ni un buveur d'amers. Nous cherchons trop la photo punaisée dans notre mémoire d'un quelconque coupable. L'ennemi, c'est souvent soi. Et si l'image dans le miroir n'est qu'un reflet, elle est souvent le contre-soi.

Nous y voilà donc, à l'une de mes fautes. La grande faute. Vérifiable et vérifiée. Et désormais avouée. Sans rature ni hésitation.

« Positif aux amphétamines. » Au Grand Prix de la Libération à Eindhoven. Moi, Laurent Fignon. Et cette fois c'était la stricte vérité… Je reconnais l'erreur. La faute. Mais en cette époque de suspicion généralisée où le trop-plein de dopage a tué rêves et sens des mots, où toutes les frontières de l'inacceptable ont été enfoncées, comment s'expliquer sans se justifier. Juste s'expliquer.

Si je prenais avec le recul la chose à la légère, je pourrais même dire que le fautif indirect s'appelle Alain Gallopin. Il peut témoigner. Sa femme était en effet sur le point d'accoucher et je me trouvais en pleine préparation du Grand Prix des Nations, pour lequel je réalisais avec Gallopin des séances d'entraînement assez musclées. Beaucoup de kilomètres. Enormément de séances de sprints. Des courses de côte en fractionné.

Dix jours avant le rendez-vous cannois, un mercredi,

nous avions prévu un de ces entraînements d'« interval training » derrière moto. Coup de téléphone. Sa femme était sur le point d'accoucher et Alain dut se rendre à la clinique pour l'heureux événement. Rien à dire. Sauf que moi, ce jour-là, je me suis retrouvé seul devant mon vélo. Moral en berne. Envie nulle de me faire mal tout seul. Je me vois encore carrément hésiter à chevaucher la machine… c'est dire si j'avais envie de rouler.

Seul face à ma connerie. Pour me donner du courage, j'ai en effet pris une lichette d'amphétamines. Pas seulement pour m'aider à partir, mais surtout pour aligner les kilomètres supplémentaires, pour que ce soit dur et profitable. On appelait déjà ça un « pot ». La seule différence, c'est qu'à l'époque ces « pots » étaient purs, sans additif contrairement à ceux qui circulèrent beaucoup par la suite, à la fin des années quatre-vingt-dix par exemple, dans lesquels on pouvait également trouver toutes sortes de drogue…

J'ai donc déconné. J'avais entendu dire que ces amphétamines ne laissaient pas de traces dans les urines au-delà de quarante-huit heures. Or, le Grand Prix de la Libération en question ne se disputait que le dimanche suivant, soit quatre jours plus tard. Aucun risque, m'étais-je dit. Aucune inquiétude, conforté par le fait que j'avais même participé à une course le samedi, le Tour du Latium. J'avais vraiment l'esprit tranquille.

Contrôle antidopage. Je suis allé uriner sans me soucier de quoi que ce soit, j'avais déjà oublié l'épisode du mercredi… « Positif. » Quand j'ai appris la nouvelle, j'étais consterné mais conscient de ma responsabilité. La confirmation officielle ne tarda pas à venir : le laboratoire de Hollande déclara avoir retrouvé des « résidus d'amphétamines » qui ne dataient pas du jour. Donc aucun doute sur ma culpabilité. Qu'ajouter de plus ? Sinon que je me sentais un peu minable, un peu sale. Le temps lentement bougeait autour de moi. Et j'avais beau me dire « bon, une amphétamine ce n'est quand même pas grand-chose », la détresse de mon forfait m'habitait néanmoins. Comme cette honte de la faiblesse qui trouve son origine non dans l'acte lui-même mais bien dans sa motivation : ce geste était si dérisoire, si stupide…

Peu après, je me suis retrouvé au Grand Prix des Nations, motivé comme jamais, je ne pensais qu'à ça depuis des semaines et des semaines. Le jeudi, j'avais festoyé déraisonnablement et même Gallopin m'avait mis en garde : « Laurent, tu déconnes. » Mais lui mieux que personne savait que j'étais bien préparé et moi, je savais confusément sans me l'avouer que 1989 était l'une de mes dernières occasions de le gagner. Si possible en frappant les esprits. Jusqu'à ce jour, Charlie Mottet détenait le record du parcours. Et je n'ai pas fait les choses à moitié, abaissant ce temps de référence que tout le monde jugeait inviolable de 1'49'' ! Soit 45,6 km/h de moyenne. Qui se souvient aujourd'hui à quel point ce circuit était sélectif, difficile ?

Je peux dire qu'il y eut là, dans mon effort, une telle violence physique que, en y réfléchissant bien des années après, j'en viens à me convaincre que certains observateurs omniscients auraient pu y percevoir comme un chant du cygne, la dernière trace d'authentique héroïsme du champion d'exception vivant aux limites de son orgueil et de ses possibilités humaines. Ma force était là tout ce que j'étais. Il n'y avait plus de distinction entre le champion et l'homme enfin réunis en une explosion ultime. Mais je ne le savais pas. Alain Gallopin m'avait dit ce soir-là : « Quand tu es en forme, tout est décidément possible avec toi… » Précision : je finissais l'année numéro 1 mondial.

Il faut croire que ça ne plaisait pas à tout le monde. Lors

des Six Jours de Bercy, je fus l'un des acteurs d'une histoire médiatique assez minable. Le ministre des Sports, l'ancien champion Roger Bambuck, venait de promulguer une nouvelle loi antidopage qui autorisait les contrôles inopinés. Pendant ces Six Jours, non seulement nous nous doutions qu'il y aurait ce genre de contrôle – pas de problème là-dessus – mais nous fûmes pour le moins choqués par la présence de caméras de télévision de TF1 venues là pour filmer les faits et gestes du médecin fédéral, Gabriel Dollé, mandaté par le ministère. Des images prises à l'insu des coureurs mais avec l'aval du ministère, qui voulait manifestement faire sa com' ! Pour la première fois dans l'histoire du dopage, des caméras allaient être admises à filmer le déroulement d'un contrôle, profanant l'intimité des champions en question. Nous étions révoltés par le procédé. Nous avons tous décidé que ça ne se passerait pas sans réaction !

Au passage, il faut dire que mes relations avec Bambuck, par articles de presse interposés, n'étaient pas très chaleureuses. Je n'avais pas tiré le premier. Après mon contrôle positif à Eindhoven, le ministre avait parlé en prononçant ces mots : « Ce pauvre garçon… » J'avais été blessé. Et chacun connaissant mon caractère, je lui avais répondu : « Quand on ne sait pas, on se tait. » En effet il aurait dû se taire, tout ministre qu'il était, au lieu de donner des leçons tout juste dignes d'être destinées à des enfants de cours élémentaire !

Je n'ai jamais aimé la méchanceté. Encore moins le voyeurisme. D'ailleurs, Jacques Goddet en personne, qui était aussi directeur du Palais Omnisports de Paris-Bercy, s'était lui aussi insurgé contre la présence de ces caméras alléchées par l'odeur de pisse. Goddet avait déclaré aux reporter de TF1 : « Vous êtes ici dans un lieu privé. Avec ou sans mandat du ministère, vous ne donnerez aucune version en images de ce qui se passera tout à l'heure chez le médecin fédéral. Pour toute autre émission, vous serez les bienvenus chez nous. Mais pour celle-là, c'est un non ferme et définitif. Vous ne bafouerez pas les coureurs. » On ne touchait pas à Goddet. Son intervention fut décisive…

Il était près de 1 heure du matin. Sur la piste, les coureurs se faisaient toujours la chasse. J'étais en tête depuis le début de la soirée et avec neuf autres coureurs, parmi lesquels Freuler (mon équipier), Mottet, De Wilde, Doyle, etc., nous fûmes conviés sitôt descendus de vélo à rejoindre l'infirmerie du sous-sol où Gabriel Dollé avait installé son QG. Les caméras n'étaient plus là, sous la pression conjuguée des coureurs, de Goddet et du président de la Fédération française de cyclisme, François Alaphilippe.

Nous avions tous une heure pour nous présenter à ce contrôle. Evidemment, je me suis présenté à la dernière minute légale. Il était 1 h 50 pour être précis quand j'ai poussé la porte de l'infirmerie. Dans ce local aux murs hauts décorés de rares affiches, le docteur Dollé a tenté de nouer le dialogue. Plongé dans les pages d'un journal que j'avais spécialement amené, je suis resté muet. En fait, j'avais décidé de prendre tout mon temps. Et plus que mon temps. J'étais disposé à l'emmener au bout de la nuit, le laissant croire que je n'avais pas envie d'uriner.

Bien après 3 heures du matin, Dollé a commencé à s'assoupir. Dès que je le voyais piquer du nez, je hurlais dans la pièce. « On ne dort pas ici, sinon je peux tricher ! » Il était vraiment très tard – ou très tôt – quand je me suis décidé à remplir le flacon. La preuve, quand je suis rentré chez moi, le jour se levait…

Je n'avais rien contre ce contrôle inopiné, mais supporter ce minable coup médiatique était au-dessus de mes forces.

Ce n'était plus de la prévention mais de la répression-spectacle. La lutte antidopage ne justifiait pas tout. Mais nous n'avions encore rien vu. Ni du côté des pratiques dopantes ; ni du côté des modes de détection.

Le leader et le paillasson

Les années d'étrangeté s'ouvraient devant moi. Je ne le savais pas. Plutôt, je ne voulais pas le savoir, je refusais de m'en persuader. Je n'ai pas mémoire, du moins dans le détail, de ce processus de vieillissement du champion d'exception à peine remis d'une blessure sportive qui, pour beaucoup, aurait pu être mortelle. Mon glissement progressif vers ce que l'on pouvait appeler « la fin de ma carrière » avait commencé. De ça, par contre, j'étais pleinement conscient.

La fin de notre collaboration avec Système U, présent à nos côtés durant quatre longues années, ne signifiait concrètement aucun bouleversement de grande envergure. Avec Cyrille Guimard, nous avions plutôt bien anticipé cette transition et, bien avant le début de la saison 1990, notre repreneur, Castorama, faisait partie des meubles. Avant même le Tour 1989 nous connaissions le nom de notre nouveau partenaire.

Quant à Système U, ses dirigeants avaient de quoi montrer de la satisfaction. En 1986, le taux de notoriété « spontané » de la marque était de « 0 % » : à l'époque tout le monde croyait qu'il s'agissait d'une colle et non de supermarchés. Quand la collaboration prit fin, ce taux était passé à 40 % ! Le retour sur image était considérable et les sponsors de l'époque ne se plaignaient pas d'investir dans le cyclisme, bien au contraire.

Dans la phase préparatoire, nous avons imaginé collectivement un maillot-salopette qui rappelait judicieusement l'habillement des vendeurs du leader français des grandes surfaces de bricolage. Par la suite, cette tenue-salopette fera école, elle aussi, dans le peloton… Le directeur général, Jean-Hugues Loyez, était aux anges, d'autant que, sociologiquement, l'ère ambiante de l'époque se prêtait au développement du bricolage dans les foyers français : Castorama, en quelques mois, fit une percée médiatique assez phénoménale. Nous étions la plus belle équipe française. J'étais toujours numéro 1 mondial. Et le couple Guimard-Fignon attirait toujours sur lui les feux médiatiques.

Un épisode malheureux vint pourtant refroidir nos relations jusque-là excellentes avec M. Loyez. Officiellement, nous avions vendu à Castorama l'intégralité de l'espace publicitaire disponible sur nos tenues. Du moins c'est ce qu'ils avaient compris après les discussions. Cyrille Guimard en avait décidé autrement. Le jour où nous leur avons présenté maillot et cuissards, quelle ne fut pas la tête des représentants de Castorama en découvrant que nous avions évidemment poursuivi notre collaboration avec Raleigh dont le nom figurait sur les cuissards. A aucun moment Guimard ne les avait prévenus. Je crois que Guimard n'avait pas osé prendre le risque de les en informer. C'était ridicule. Et risqué…

Car ces braves responsables de chez Castorama, devant le fait accompli, ont sûrement dû croire à un traquenard. Dès le départ, avant même les premiers tours de roue, la confiance était entamée. Dès lors les relations, bien que loyales, furent toujours suspicieuses à notre égard et dès qu'il fallait décider quelque chose ils y regardaient à deux fois avant de donner leur aval… L'absence de transparence de Guimard symbolisait à elle seule son état d'esprit du moment. Entre nous, insidieusement, les liens se distendaient un peu plus chaque jour, les discussions s'espaçaient et, plus grave à mon avis, l'espèce de loyauté mutuelle qu'on appelle « l'amitié », alchimie curieuse entre deux hommes qui leur permet de se parler de tout à n'importe quelle heure du jour ou de la nuit, sans calcul ni tabou, se délitait. Nous entrions lui et moi dans l'obscur tunnel de la mésentente. Je ne savais pas encore jusqu'où nous conduirait cette mésaventure…

Pour des questions subalternes, qui occasionnèrent un énervement disproportionné, Cyrille Guimard se débarrassa de Guy Gallopin, le frère d'Alain, qui, depuis deux ans, avait mis de l'huile dans les rouages de toute l'organisation avec un altruisme et une compétence à toute épreuve. Dès son départ, les problèmes que nous avions connus en 1986 et 1987 se reposèrent dans les mêmes termes. Tout cela avait le don de m'énerver prodigieusement mais dès que je voulais m'en épancher auprès de Guimard, il fuyait la discussion, refusait de m'écouter.

Les débuts de nos nouvelles couleurs, très en vue dans le peloton, furent excellents. Gérard Rué gagna le Tour Méditerranéen. Et j'avais achevé Paris-Nice à une sympathique 4e place au classement général. Pour moi, la saison s'annonçait semblable à la précédente. Je ne pouvais rien espérer de mieux… Sauf que ma mainmise sur Milan-San Remo ne dura pas, hélas, malgré le soin apporté à ma préparation pendant les entraînements, identiques aux deux années antérieures. En fait, les Italiens voulaient que cesse cette domination et ils nous avaient réservé une bien mauvaise surprise, dès le début de course. Alors que, comme à l'accoutumée, je traînaillais dans les profondeurs du peloton, un énorme groupe s'est dégagé à l'avant : mais pas une échappée matinale ordinaire, non, un mini-peloton avec en son sein quelques grands noms et plusieurs favoris. Nos efforts furent vains. Jamais je n'ai revu la tête de course. Gianni Bugno, jeune gloire naissante du cyclisme italien, l'a emporté. L'Italie pouvait respirer.

Tout comme moi. Car peu après, j'ai retrouvé le succès sur les routes du Critérium International, épreuve que j'avais déjà dominée, comme néo-pro, en 1982. Ce fut une course de mouvement, de tous les instants, et je dois à mon expérience et à ma régularité cette victoire, car, sans remporter la moindre étape, je parvins à tirer les marrons du feu. C'était déjà la deuxième victoire de prestige pour Castorama. Et moi mon dernier triomphe dans une course à étapes de premier plan : comment aurais-je pu, alors, imaginer que c'était possible ?

Car quelque chose n'allait plus en moi. Mais quoi ? Par exemple, au Tour des Flandres 90, alors qu'il faisait grand beau et que je voltigeais littéralement, j'avais consenti un gros effort pour revenir sur un groupe d'échappés. Mais, à peine étais-je revenu à leur hauteur, que tous me montrèrent immédiatement leur refus de rouler avec moi. Je n'ai pas compris cette attitude. J'étais en colère. Quelques années auparavant, j'aurais tenté de flinguer tout le monde, ça n'aurait pas fait un pli, quitte à me brûler les ailes. Là, j'ai réagi autrement. Ecœuré par leur attitude collective, que je percevais comme le signe de grands changements dans le milieu, je suis descendu du vélo. J'ai tout simplement abandonné… Je ne me reconnaissais plus dans ces mœurs qui reléguaient l'honneur et le sacrifice à des vieilleries. Cet épisode laissa des traces.

A partir de là, je pourrais presque ne plus rien avoir à écrire sur la fin de ma saison 1990, tant les enchaînements furent catastrophiques… En sortant des classiques totalement rincé (27e à Paris-Roubaix par exemple), j'ai frôlé la pleurésie et je me suis élancé sur le Tour d'Italie avec le dossard numéro 1 dans une configuration mentale finalement peu conforme à ce que j'espérais. Et contrairement à la même période un an plus tôt, je traquais dans les reflets de mon ombre des raisons d'y croire. La pire des situations. Et dès les premiers jours, alors que je ne me sentais pas ridicule, loin de là, j'ai quand même cédé du terrain sur le futur vainqueur, Gianni Bugno : 29 secondes dans le prologue, pas moins de 47 secondes dès la première ascension vers le Vésuve. Mais il faut croire que la malchance, qui m'avait quelque peu épargné en 1989, voulait absolument recroiser ma route et perturber mon destin.

Dans la 5e étape, entre Sora et Teramo, au 150e kilomètre exactement, dans la traversée de la chaîne des Apennins, nous fûmes plusieurs à être surpris dans la traversée d'un tunnel. On n'y voyait rien ! J'ai vaguement entendu des coups de patins, des bruits secs et sourds, puis, après un vol plané dans l'inconnu puisque je ne voyais rien, je me suis retrouvé à terre sans rien comprendre à ce qui m'arrivait, atterrissant lourdement sur le fessier. Nous étions quasiment dans le noir. Ça hurlait dans tous les coins. Quand je me suis relevé, j'avais le cuissard ensanglanté et j'ai vite compris à la douleur qui me paralysa tout le bas du corps que je m'étais vraiment fait mal… Je suis remonté sur le vélo, j'ai fini l'étape. Je pensais que je revenais de loin, mais la vérité me violenta : je m'étais quand même déplacé le bassin ! La souffrance ne me quitta plus et, quatre jours plus tard, lors de la 9e étape, au bout de moi-même, au bord de la mer Tyrrhénienne, par un épais brouillard, j'ai abandonné. Le peloton ne m'avait pas attendu. Il était déjà loin…

J'étais meurtri. Et mon entourage inquiet. Je me souviens qu'à mon retour à Paris, Alain Gallopin tenta de me rassurer, de me protéger, me montrant des trésors de patience pour m'éviter toute irritation. Mais mon moral était atteint. Je parlais peu. Rien ne se passait comme je l'avais prévu et mon physique, suite à cette chute, se refusa à moi pendant de nombreuses semaines – m'accorderait-il jamais du répit, d'ailleurs ?

En débarquant au départ du Tour 1990, au Futuroscope, au cœur d'un parc d'attractions ouvert trois ans plus tôt et entièrement dévolu à la modernité et aux nouvelles technologies, ce fut plutôt en homme fatigué et las que je me suis présenté. Sans beaucoup d'illusions. Thierry empocha bien sûr le prologue, moi je pris une modeste 15e place. Puis la bérézina commença. Certains spécialistes du cyclisme ont souvent expliqué que les « plus faibles » tombaient « plus facilement ». Allez savoir ! Ce dont je me souviens, c'est que, en effet, je n'étais pas au mieux psychologiquement. Et quand je me suis encore retrouvé au sol, dès la 3e étape vers Nantes, sévèrement touché à un mollet cette fois, j'ai senti la foudre de l'injustice s'abattre sur moi comme une nuée d'hiver. Je n'ai rien dit. J'ai ruminé mon supplice physique, n'accordant aucun crédit à ceux qui voulaient me plaindre et attendaient de moi quelques lamentations.

Mais il fallut me rendre à l'évidence. Le lendemain, entre Nantes et le Mont-Saint-Michel, incapable d'éviter le piège d'une cassure due à une chute collective, je concédai une vingtaine de secondes. Toute victoire dans le Tour n'était déjà qu'une lointaine illusion… Et le coup de grâce survint. Je l'avoue : il fut plus mental que physique. Entre Avranches et Rouen, sous une pluie drue tueuse d'espoir, le peloton, pour une raison obscure, mena un train d'enfer, les attaques succédant aux accélérations. Je n'y étais pas. Mon mal au mollet empirait. Mon corps s'essoufflait. Mon esprit vagabondait. Pourquoi avais-je tant de mal à rester moi-même ? Pourquoi la grâce du cyclisme semblait soudain me quitter ? Pourquoi la malchance et les contrecoups s'acharnaient contre moi ? Oui, pourquoi le sort me tourmentait ainsi, m'accablant plus que tout autre ?

Ma révolte fut silencieuse. Au kilomètre 124, à l'approche du ravitaillement de Villers-Bocage, à bout de force et déjà dans les limbes de la petite histoire du Tour 1990, je me suis laissé distancer sans crier gare d'un groupe lui-même en chasse derrière le peloton principal. J'ai appuyé sur les freins. Je suis descendu du vélo. J'ai arraché mon dossard. Sans un mot. Juste la fierté du geste. Arracher son dossard. Ce n'était pas un abandon ordinaire. Encore moins une capitulation. Non, c'était un geste à la fois désenchanté et orgueilleux, un bras d'honneur à la destinée. Il ne faut jamais repousser un geste symbolique quand il se présente, même dans l'infinie tristesse. Sinon, ensuite, on court toujours après, on cherche comparaison ou réparation, comme un supplément d'âme, éternelle course contre la montre. Et les contre-la-montre ça nous connaît nous autres cyclistes : on les dispute en solitaire…

Je me souviens que le soir, dans un état de déprime prononcée, j'ai repensé à la phrase dite à Alain Gallopin plus d'un an auparavant : « 1989 sera ma dernière année pour gagner le Tour. » Le Tour 1990 filait sans moi. Et je ne pouvais pas m'enlever de l'idée que ma prémonition s'avérerait… C'était sidérant d'y penser déjà. Sidérant et pourtant tellement réaliste pour quelqu'un comme moi.

Ma fin de saison, dont je garde peu de souvenirs, puisqu'ils sont sans intérêt, ressemble à une traversée du désert.

Si bien que, début 1991, une seule résolution s'imposa à moi : ne pas revivre une saison en enfer ! Surtout pas. C'était le moment de trouble étrange où, interrogatif quand à la suite à donner à ma vie – et pas seulement à ma carrière –, je commençais à me demander si j'avais encore l'envie de souffrir éperdument sur un vélo, sachant que je n'étais plus le sportif de 1983 et qu'il convenait, pour moi, d'arrêter de le singer par-delà le temps. Ce n'était plus une question de courage, mais bien d'ardent désir à poursuivre ou non une existence de coureur professionnel, avec tous les sacrifices humains qui allaient avec. Quelques semaines plus tôt, je me revois très bien dire à Cyrille Guimard l'ampleur de ma lassitude et, le plus sérieusement du monde, lui exposer mes idées de développement de nos affaires avec Maxi-Sports.

J'avais 30 ans. Lui treize de plus. A aucun moment je n'ai imaginé lui faire peur à ce point. Avec le recul, je crois que Guimard a pensé que je voulais prendre sa place. L'idée de deux « managers » pour nos affaires était pour lui inenvisageable. C'était stupide de sa part. Nous n'avions aucune raison de nous marcher sur les pieds et puis nous nous connaissions parfaitement bien l'un l'autre... Sauf que, rapidement, j'ai senti chez lui comme un nœud. Jour après jour, il ne m'a plus regardé de la même manière. Il voyait d'un mauvais œil mon souhait de me mêler plus de la gestion de l'équipe. Quant à moi, après dix ans de professionnalisme, je parvenais au bout de mon cycle naturel de régénération : tous les dix ans il faut que je change quelque chose de fondamental. Guimard, au fond, n'était pas d'accord. Mais il se garda bien de me l'avouer les yeux dans les yeux.

Luc Leblanc venait de signer dans l'équipe et j'ai bien vu que, dès le départ, Guimard cherchait à utiliser contre moi sa mégalomanie et son arrivisme. Il le manipulait et l'autre, sans scrupules contrairement à ce qu'il prétendait dès qu'un micro se tendait, ne souhaitait que cela et se prêtait au jeu de la perversité avec une délectation confondante. Guimard ne ressemblait plus à Guimard. L'homme que j'avais tant aimé s'éloignait, irrémédiablement, poussé par les dirigeants de chez Castorama. En effet, contre toute attente, ceux-ci commencèrent à « déborder » Guimard, à lui mettre la pression. Non seulement ils voulaient connaître nos comptes, savoir combien étaient payés nos coureurs, mais plus grave encore se produisit quand ces mêmes dirigeants commencèrent à exiger autre chose que des résultats, ma présence à l'antenne ! Vous avez bien lu…

L'engrenage des années de plomb débutait sous mes yeux ébahis. Jusqu'à ce jour, jamais je n'avais connu ça. Guimard non plus. Et même s'il ne me confessait pas tout, j'ai l'intime conviction que jamais auparavant il n'avait eu à subir la moindre pression ni de Renault ni de Système U. Alors, nous étions sous le coup d'une demande d'un retour sur investissement autre que par l'image de l'équipe, mais bien par des résultats. Nous changions radicalement d'univers. Je n'aimais pas ça. Jamais je n'aurais imaginé qu'un sponsor puisse venir se mêler de nos affaires sportives à ce point. Je trouvais cela scandaleux, dégradant pour notre intégrité. Mais Guimard, qui visiblement s'y prenait très mal avec eux ou alors avait perdu tout crédit pour tenter de résister d'une manière ou d'une autre, refusa de se fâcher.

Je me sentais comme en terre inconnue. Guimard s'éloignait de moi et décidait de nombreuses choses sans en référer à son coactionnaire. Le sponsor nous mettait le couteau sous la gorge et exerçait une influence que je jugeais négative et mortifère sur l'équipe. Et moi, au milieu de tout ça, je cherchais en vain mon coup de pédale et la motivation sans laquelle il était incongru d'imaginer le meilleur…

Sur Paris-Nice, que j'achevais à une 10e place peu conforme à mon ambition, j'eus une énorme fâcherie avec Guimard. Au cours d'une étape où nous devions plutôt rester en retrait et nous préserver, d'un seul coup, je vis plusieurs membres de mon équipe prendre la tête du peloton et embrayer comme si on défendait un maillot de leader. Je n'y comprenais rien. Je suis allé les voir, j'ai râlé, demandant des explications. L'un d'eux m'a crié : « C'est Cyrille qui nous l'a demandé. » L'explication était simple : ce dernier avait mis au point une tactique machiavélique contre l'équipe Toshiba, sans me le dire. A aucun moment Guimard ne m'avait prévenu ! C'était impensable : jusqu'alors, nous avions toujours discuté ensemble des tactiques de course, échangé nos points de vue et décidé ensemble de la conduite à tenir. C'était la première fois qu'il agissait ainsi… Je me suis senti trahi.

Le soir, à l'hôtel, nous eûmes des mots, Cyrille et moi.

De gros mots plus exactement.

De la violence réciproque.

Pour la première fois de notre vie, nous ne nous aimions plus.

L'incroyable se produisit sur Paris-Roubaix. Guimard vint à mes côtés et, à un moment nullement stratégique, me demanda de remonter sur la tête de course car personne de l'équipe n'y figurait. Je n'avais pas bien compris sur le moment pourquoi il réclamait semblable vigilance, mais je m'étais dit qu'il avait son idée, alors j'ai bêtement appliqué la tactique… Je n'ai appris la vérité que quelque temps plus tard. Vérité sombre qu'il n'aurait pas osé m'avouer avant, sachant quelle aurait été ma réaction : les dirigeants de Castorama avaient réclamé auprès de Guimard une « présence à l'antenne », un « temps d'antenne » en quelque sorte pour que les caméras à l'heure dite du début de la retransmission puissent filmer les couleurs de leur marque. J'étais révolté par de telles pratiques ! L'important sur Paris-Roubaix, c'était d'être devant dans le final, pas de montrer sa bobine à la télévision pour je ne sais quel show. C'était la première fois qu'on exigeait de moi une « présence publicitaire » !

Inutile de dire que Guimard m'a entendu râler, quand j'ai appris cette lamentable négociation avec le sponsor. Après ce nouvel échange verbal très violent entre nous, au cours duquel je constatais ému et effondré que nos divergences devenaient cette fois irrémédiables, nous avions décidé, sans nous le dire, de ne plus nous parler. Nous nous évitions même.

Jusqu'à quel point ces troubles relationnels avec l'homme qui avait partagé jusqu'à ce jour toute ma vie sportive – donc l'essentiel de mon existence d'homme – eurent des conséquences à la fois sur mon comportement plus général mais aussi sur ma vie privée ? Je ne saurais le dire. Toujours est-il que, dans la même période, j'ai commencé à connaître de sérieux soucis personnels avec mon épouse Nathalie. J'avais de plus en plus de mal à retrouver mon domicile avec joie et légèreté. La quiétude et le havre de paix que j'étais en droit d'attendre en rentrant chez moi s'étaient transformés, là aussi, en foyer de tension. Rien ne s'arrangerait de ce côté-là non plus.

Mémoire douloureuse du doute et des doutes multiples qui m'envahissaient. Mon environnement en entier semblait voler en éclats, et plus le temps passait, plus tout ce qui m'entourait me renvoyait à un échec personnel. Sans me sentir totalement fautif de tout, sinon de mes contre-performances sportives, je crois que j'étais lassé de tout, de ce rythme, de cette vie à cent à l'heure, et du train-train aussi qui était devenu le mien au fil des années. Le même boulot. La même équipe. Le même encadrement. La même femme. C'était délicat à admettre pour l'homme que j'étais : j'avais besoin de changement. D'une révolution.

Ce qui devait arriver arriva. Cyrille Guimard, non content de ne plus échanger avec moi le moindre mot, avait fini par comploter contre moi. Pour le Guimard de l'époque, qui jouissait ne l'oublions pas d'un crédit suprême auprès de la presse et du grand public, il n'était pas difficile d'influencer son monde. Devant la presse, par exemple, pour expliquer mes mauvais résultats récurrents, il inventait des blessures imaginaires aussi grotesques les unes que les autres. Certains journalistes n'étaient pas dupes, assistant à distance au pourrissement de nos relations.

Je ne savais pas jusqu'où irait la perversité de Guimard dans cette histoire. Lors du Tour des Pouilles, j'ai quand même remporté l'avant-dernière étape. J'étais content. Pas Guimard, très mal à l'aise. Devinez pourquoi ? Si je n'avais pas franchi une seule fois une ligne d'arrivée en vainqueur, le machiavel avait prévu de ne pas m'aligner sur le Tour de France. Rien que ça. Manque de chance, non seulement je venais de lever les bras mais j'avais prévu d'arriver en forme sur la Grande Boucle. Ses plans ne tenaient plus. Jusqu'à un certain point du moins…

Avant le Championnat de France sur route, en effet, j'ai été convoqué par Cyrille Guimard et Jean-Hugues Loyez. Durant la saison, j'avais personnellement appelé ce dernier pour lui expliquer de vive voix que ma collaboration avec Guimard vivait une période compliquée et que je ne resterais pas dans l'équipe l'année suivante, quoi qu'il arrive et quoi que je décide sur la suite de ma carrière. J'étais loin d'imaginer ce qui allait se produire lors de cette réunion, dont le déroulement, au début du moins, ressembla à un procès. A peine assis, j'ai subi une attaque en règle de Guimard, m'accusant de ne « plus faire le métier », de « pourrir la vie de l'équipe », de ne « pas assez prendre en considération les exigences de la presse et des médias », etc. Puis il a ajouté : « Il faut que tu dises publiquement que tu ne feras pas le Tour. »

Je suis resté sur le cul. C'est le cas de le dire ! Mais j'ai répliqué immédiatement. Avec calme. Mais fermeté. Je leur ai dit : « Quoi ? » Sans même élever la voix mais en montrant ma détermination, j'ai lâché : « Je ferai le Tour ! Un point c'est tout. » Puis je me suis adressé à Guimard, le fixant droit dans les yeux : « A partir de cette minute, je ne m'adresserai plus jamais à toi, Guimard, tu n'es plus qu'un paillasson sur lequel Loyez s'essuie les pieds. Honte à toi ! »

Contrairement à mes prévisions, Loyez fut très impressionné par mon attitude. Sans doute ne s'attendait-il pas à cette réaction, à laquelle Guimard n'était pas préparé non plus. Ce dernier a tenté de contre-attaquer, exigeant quelques conditions qu'il présupposait inacceptables à mes yeux.

Primo : m'excuser auprès de la presse et répondre désormais à ses sollicitations.

Secundo : abandonner mes prérogatives de leader et rouler pour le bien de l'équipe.

Je me suis alors adressé à Loyez : « Si vous me refusez la possibilité de faire le Tour, vous vous expliquerez publiquement ! Sinon c'est moi qui le ferai ! Et je raconterai à tous comment vous vous comportez avec moi. Sachez-le, il n'est pas question de dire que c'est moi qui ne veux pas faire le Tour ! » Ils se sont regardés, en silence. « Je pose une condition », ai-je poursuivi. Guimard m'a coupé la parole : « Tu n'as pas à poser de conditions ! » Je l'ai regardé : « Toi tu n'as plus rien à me dire, je n'adresse pas la parole aux paillassons. » Puis je me suis retourné vers Loyez : « Ma condition est la suivante. Après le Tour de France, que je ferai bel et bien, vous ne me demanderez plus rien, il n'y aura plus aucune exigence de votre part, je ferai ce que je voudrai comme courses. C'est tout. Guimard ne m'imposera plus rien. Jusqu'au Tour, c'est d'accord, je fais ce qu'il faut pour être conciliant, mais après, terminé, fini avec Casto ! » Guimard a hurlé : « C'est moi le patron ! » Je ne lui ai pas répondu. Il était pathétique.

Chacun aura compris que j'étais prêt à quelques concessions pour participer au Tour. Mais ma détermination leur avait glacé le sang. Guimard, qui n'était plus mon maître, était ivre de colère. Il tremblait de partout. Mais évidemment, il ne pouvait faire autrement que de céder.

Après les exhortations verbales, les proclamations et les assignations devant l'Histoire, je me suis retrouvé seul avec Jean-Hugues Loyez, qui cherchait absolument à me parler en tête à tête. Il m'a juste dit : « Félicitations monsieur Fignon. »

J'ai trouvé sa réaction étrange car il ne manifestait aucune inimitié à mon égard, juste de l'étonnement, comme s'il avait été impressionné.

Mais quoi ?

S'attendait-il à ce que je me couche devant un paillasson ?

Avec Guimard, ça finit toujours mal

En arrivant à Lyon au départ du Tour de France 1991, le point de non-retour vécu entre Guimard et moi avait quand même percé dans le milieu. Quelques articles de presse évocateurs laissèrent croire à un futur divorce, mais, avec des rondeurs et un langage mesuré, chacun en garda sous la pédale pour ne pas compromettre une Grande Boucle pourrie par l'ambiance : la bonne humeur n'était pas au rendez-vous, c'est le moins qu'on puisse dire.

Guimard, qui avait un accès évidemment privilégié auprès de tous les autres coureurs de l'équipe, ces derniers pensant d'abord à leur carrière et c'est compréhensible, ne se priva pas de les alimenter en histoires scabreuses et plus rocambolesques les unes que les autres. J'ose à peine imaginer, vu sa position dominante, ce qu'il put raconter sur moi durant cette période de grand trouble. D'autant que moi, plus solitaire que jamais, je n'avais ni l'envie ni le goût de me lancer dans des complots contre Guimard. J'avais autre chose à faire. C'était le prix de mon honnêteté. Aller « baver » sur Guimard auprès des uns et des autres, outre que ça n'aurait pas été très digne, ne m'intéressait pas. Nostalgique de rien, mon côté « couteau entre les dents » m'offrait l'épaisseur de l'homme mûr qui sait ce qu'il fait et pourquoi il le fait. Mais je n'étais ni triste ni gai, ni serein ni rassuré. Je naviguais dans un entre-deux assez peu confortable, dans une position de leader « historique » contesté à la fois par les faits – mes résultats – et par le directeur sportif de toute ma carrière. Il me fallut être bien solide pour ne pas sombrer psychologiquement, cerné par toutes ces pressions. Mon résultat dans le prologue fut d'ailleurs peu réjouissant : 64e, à 22 secondes du vainqueur Thierry Marie, à 20 secondes de Breukink, 19 de LeMond…

Pour dire la vérité, les circonstances défavorables à mon égard m'avaient comme ragaillardi. Mieux, l'idée d'en rabattre sur mes ambitions, qui avait pu çà et là m'effleurer les mois précédant le Tour, s'était évanouie. De même que la tentation d'en finir avec le cyclisme. Je savais désormais qu'il était difficile de mettre un terme à sa carrière, une fois entré dans cette période complexe – pour un sportif de haut niveau – des 30 ans. Disons que je n'avais plus la même perception ni les mêmes certitudes. Bien sûr, j'avais vu l'exemple de Bernard Hinault, Breton têtu, qui s'était fixé une limite dans le temps et n'y avait pas dérogé. Ce n'était pas mon cas. Comment arrêter sa carrière en apothéose ? Et quand ? Aurait-il fallu que je stoppe tout après 1989, alors que j'étais encore jeune ? Et puis je me disais que la saison qui allait suivre serait tout aussi fructueuse. De l'autre côté, comment rester sur un échec ? Ce n'était pas mon genre, mon style, ma manière d'être. Je voulais me rattraper. Sachant que les questions d'ordre financier entrent dans la réflexion : ce métier, je l'aimais plus que tout et je ne savais rien faire d'autre pour gagner de l'argent, beaucoup d'argent. Je ne savais pas ce que pourrait signifier la fameuse « saison de trop ». Je n'étais pas préparé à cette hypothèse.

Lors de la 2e étape, un contre-la-montre par équipes de 36,5 kilomètres entre Bron et Chassieu, j'ai participé activement à la bonne prestation de l'équipe Castorama :

8 petites secondes (décidément) derrière l'équipe italienne Ariostea. Outre Luc Leblanc, qui faisait tout pour me pourrir l'existence, nous comptions dans nos rangs Christophe Lavainne, Dominique Arnould, Jean-Claude Bagot, Bjarne Riis, Pascal Simon, Frédéric Vichot et Thierry Marie. Au passage, ce dernier donna beaucoup de bonheur à l'équipe en remportant une victoire de prestige, la 6e étape, entre Arras et Le Havre, après une échappée en solitaire historique : 234 kilomètres.

Ma propre illusion ne dura pas longtemps. Seulement 16e du contre-la-montre individuel de 73 kilomètres entre Argentan et Alençon, à 3'39'' du vainqueur Miguel Indurain, qui signait là, sans le savoir, le long bail de sa suprématie. Quant à moi, je ne savais quoi penser de mon état de forme car, paradoxalement, je ne me sentais pas en méforme ou en déshérence mentale. Loin s'en faut. Comme allait le prouver la suite des événements.

Mais le franchissement des Pyrénées allait changer la donne. Entre Pau et Jaca, en effet, Luc Leblanc s'installa dans une belle échappée avec Charlie Mottet et s'empara du paletot jaune. Guimard était fou de joie. Non seulement son nouveau protégé réussissait l'un des tours de passe-passe dont il eut le secret toute sa carrière, mais il me contraignait au jeu d'équipe. Comment ne pas travailler pour un maillot jaune ? Ainsi, dans la grande étape entre Jaca et Val-Louron, par l'Aubisque, le Tourmalet et Aspin, j'ai assuré loyalement – au profit d'un type qui ne voulait que mon mal – un rôle d'équipier et de protecteur. Jusqu'à un certain point du moins. Après une défaillance limitée dans le Tourmalet, compensée dans la descente, je fus avec les meilleurs dans Aspin. Là, Bugno a placé une attaque, Mottet a contré, je les ai marqués immédiatement pour protéger Leblanc : mais ce dernier n'a pas pu suivre.

Malgré la jeunesse de sa forme, il montrait toute l'étendue de ses limites… Un groupe royal se dégagea où figuraient aussi Chiappucci et Indurain, Bugno… J'étais repassé au classement général devant Leblanc, 4e.

Les tensions s'exacerbèrent. J'étais néanmoins très peiné de voir qu'aucun des coureurs présents n'avait la mémoire de mon palmarès, oublieux de qui j'étais et de ce que j'avais fait… Un soir, à Albi, je fus durant le repas l'épicentre d'une engueulade mémorable qui eut pour acteurs principaux : toute l'équipe. Sujet de la discussion : Luc Leblanc. Ton de la discussion : énervé. Protagonistes des mots les plus violents : Guimard et moi. On redécouvrait le déplaisir de s'adresser la parole : fracas et bruit ! Autant le dire, nous nous sommes traités de tous les noms. Et je vis bien l'attitude détestable des autres membres de l'équipe. Tous me jetaient des regards sans équivoque. J'étais seul pour défendre mon honneur. Seul aussi pour dire à Guimard ce que je pensais de son mode de management et dire au passage à chacun ce que je pensais de ce Luc Leblanc, capable des pires coups, comme le montrera tout le reste de sa vie de cycliste… Je n'ai aucune estime pour ce garçon. « La Pleureuse » comme on le surnommait ne mérite même pas autant de mots dans un livre !

Dans l'Alpe d'Huez, j'avais retrouvé une partie de ma puissance. Même limitée, celle-ci fut suffisante pour me hisser à la 9e place de l'étape. Même furtivement, même légèrement en retrait, je rejouais dans la cour des grands. Cela me faisait un bien fou. Pourtant, cette étape avait été réduite au strict minimum : 125 kilomètres. Cela ne m'avantageait guère. Surtout, cela ouvrait définitivement cette nouvelle ère ridicule de la réduction systématique des difficultés, qui, loin de freiner l'escalade du dopage, permit au contraire à des coureurs « moyens » de s'aider de posologies pour passer des écueils limités, fractionnés dans le temps. Ce qu'ils pouvaient désormais faire sur 130 ou 150 kilomètres, ils n'auraient jamais pu le faire sur des étapes de plus de 200 kilomètres, même avec le recours de produits dopants. La sélection « naturelle » était réduite à presque plus rien. Dans le cyclisme sur route, il ne faut jamais confondre endurance et course de vitesse... Cette évolution serait par la suite mortifère ! Personne, depuis vingt ans, n'a jamais admis cette réalité : qui dérange-t-elle ? Six mois plus tôt, lors de la présentation du Tour, j'avais dit exactement cela à Jean-Marie Leblanc, directeur du Tour, qui ne partageait pas du tout mon opinion, évidemment. Je me souviens que je lui avais même décrit exactement ce qui se produirait sportivement. Il n'avait pas voulu m'écouter...

A un peu plus de 11 minutes d'Indurain, j'avais fini ce Tour 1991 à la 6e place au général, derrière Bugno, Chiappucci, Mottet et Leblanc, ce dernier ayant réussi, à la faveur des dernières étapes, à repasser devant moi. Cela n'avait plus beaucoup d'importance. Ma prestation avait été plus qu'honorable, tout en hargne et expérience. Elle n'était pas passée inaperçue.

En rentrant chez moi, je me suis senti libéré. Libéré de Guimard. Libéré de cette équipe désormais hostile. Oui, j'étais libre d'être pleinement moi-même loin des regards malveillants.

Avec Cyrille, donc, ça finissait toujours mal. Et j'avais beau regarder les événements des derniers mois avec la conviction d'avoir été une victime, ce fut néanmoins l'un des moments humains les plus difficiles de toute ma carrière. Car pour la première fois, je n'avais plus le souci de l'équipe dont j'étais le copatron. C'était comme si je n'avais plus d'équipe en fait, même si je n'avais pas couru le Tour comme un individuel pour autant. Par contre, ce que je pouvais dire, c'est que j'avais couru le Tour sans Cyrille, sans ses conseils et son soutien. Et j'avais quand même fini 6e ! J'avais scrupuleusement respecté les consignes – notamment quand Leblanc portait le maillot jaune – quand elles étaient profitables à l'équipe.

Mais la vérité m'oblige : parfois, certaines des consignes de Guimard étaient si grotesques et si préjudiciables pour moi, que je ne pouvais pas les respecter aveuglément. Exemple, l'étape vers Morzine. A 100 kilomètres de l'arrivée, Guimard avait voulu que je me lance dans un raid en solitaire. J'avais dit « non ». Il voulait me griller. Et je ne voulais pas me brûler inutilement. En y repensant, je n'acceptais pas ce qui s'était passé sur ce Tour. Après dix années d'intimité avec lui, des sentiments plus nobles auraient dû le guider, un intérêt supérieur. Mais non. Guimard était manifestement incapable de s'incarner dans quelque chose qui le dépassait…

Je l'ai donc quitté à peu près dans les mêmes termes que Bernard Hinault, huit ans plus tôt. Curieux, non ? Qui aurait pu croire cela possible ? Avec Guimard, ça finit toujours mal ! Toutes les séparations sont brutales et cruelles. Et même si je ne lui mets pas tous les torts sur le dos, je sais mon erreur suprême : pour respecter mon cycle psychologique et sportif, il aurait fallu que je change d'équipe tous les quatre ans…

Après le Tour, j'ai fait ce que je voulais. Et j'allais où je voulais. Seul mon avenir restait incertain. Tout le monde savait que je voulais changer d'équipe. Et là, aussi incroyable que cela puisse paraître, je me suis comme fourvoyé… Mais complètement ! J'ai cru, de bonne foi, que mon seul nom, associé à mon palmarès, suffirait à mon bonheur. J'ai cru que les propositions allaient affluer. Pour moi, c'était une évidence… Mais rien. Rien de rien ! Le téléphone ne sonnait pas. Personne ne voulait de moi. Ce silence fut pour moi d'une férocité incroyable. Pas seulement un sentiment d'injustice. Plutôt une incompréhension. Mais en y réfléchissant, j'avais fini par comprendre que je faisais peur à tout le monde. A commencer par les directeurs sportifs, que Guimard avait dû « chauffer » en coulisses…

Un matin, je me suis dit : « Bon, bah j'arrête ma carrière. » Puis, ne me voyant pas tourner la page sans réagir, c'est moi qui ai décroché le téléphone. Il n'y avait là rien d'humiliant. Il me fallait moi-même déminer le terrain. Je ne pouvais quand même pas me laisser pousser vers la sortie sans réagir. J'ai d'abord eu un bon contact avec l'équipe Panasonic. Mais leur proposition financière était vraiment en deçà de tout : pour continuer dans les sacrifices physiques, il me fallait un minimum de considération… Et puis, le sponsor italien Gatorade, qui visait le marché français, montra de l'intérêt… L'affaire fut scellée en un rien de temps. J'étais très content.

Les rigueurs de l'hiver gelèrent définitivement mes relations avec Guimard : nous avons séparé nos affaires. Lui voulait continuer l'équipe, il conserva donc Maxi-Sports. Comme il me devait beaucoup d'argent et qu'il n'avait pas assez de liquidités, j'ai récupéré quelques biens immobiliers qui appartenaient à la société. A aucun moment je n'ai eu à me plaindre de ce partage financier. Tout fut fait, avec nos avocats, dans les règles de l'art. Certains retrouvent leur sérieux dès qu'on parle d'argent…

Respect du campionissimo

Deux choses consolent les hommes des vicissitudes de l'existence : la littérature, que les hommes ont inventée pour leur laisser croire que l'intelligence et le destin des autres est accessible à tous, et le vélo, que l'homme a imaginé pour prouver que la plénitude terrestre peut être de ce monde. Les souverains détestent les cessations. On n'entre pas à la légère dans la catégorie des « anciens », des « sages », des « expérimentés ». Prendre de l'âge est une expérience humaine assez déstabilisante.

En partant chez Gatorade, j'avais emmené dans mes bagages Alain Gallopin : c'était l'une des conditions d'un accord avec les Italiens. Et c'était pour moi la modalité essentielle d'une éventuelle tranquillité mentale propice à de bons résultats. Et dès mon arrivée en Italie, alors que ma vie privée n'allait toujours pas mieux, je pus constater à quel point, là-bas, le campionissimo est adulé. Voir cela fut pour moi une grande nouveauté. Pour les Italiens, un champion reste un champion et il y a toujours un immense respect pour celui qui a un jour gagné des grandes courses. Le sportif qui a été un jour considéré comme un grand sera toujours considéré comme un grand. Il y a sur lui un regard éternellement admiratif : il compte comme à ses plus beaux jours.

Avant le début de la saison, le commanditaire de

l'équipe, un multimilliardaire italien, avait organisé un séjour à Venise, où il possédait un palais, puis à Trévise, dans une immense propriété. La mentalité locale me changeait du tout au tout : c'était un incroyable pays de sport et dans l'équipe, tout l'environnement nous aidait à bien nous comporter. On était carrément chouchoutés. Jamais aucun problème matériel ne pouvait intervenir pour nous perturber. Organisation parfaite. Sportif roi… Quel changement !

Non seulement j'avais commencé à apprendre l'italien pendant tout l'hiver – ce qui les avait fortement impressionnés – mais je suis arrivé dans cette nouvelle équipe très modestement, sans faire de bruit et sans la ramener, même s'il était hors de question que je puisse être considéré comme un équipier. D'ailleurs, mon contrat stipulait officiellement que j'étais coleader de l'équipe avec Gianni Bugno. Dans la réalité, bien sûr, Bugno avait pour lui non seulement l'âge et le soutien de tout un pays qui misait beaucoup sur lui pour gagner le Tour de France, mais aussi la classe folle de sa jeunesse. Le directeur sportif Gianluigi Stanga souhaitait que je joue un rôle de « capitaine de route » pour Bugno, que j'apporte toute mon expérience et mon savoir, que je donne tous les conseils nécessaires. Il faut en effet savoir que Bugno, un être fragile ayant peur de son ombre, naviguait en permanence entre le meilleur et le pire. C'était un authentique crack. Mais un esprit faible…

Hélas, la suite me prouva que ces braves gens n'allaient m'écouter que trop rarement à mon goût. Pourtant, nous en avions longuement parlé avec Gianluigi Stanga, à Milan, lors d'une rencontre au sommet bien avant que je me décide à signer mon contrat. Il avait d'ailleurs été très étonné par toutes les questions que j'avais posées ce jour-là. Il croyait visiblement que je ne souhaitais lui parler que d'argent.

Mais moi, je voulais obtenir des certitudes sur la manière dont l'équipe était organisée, je voulais savoir ce qu'en pensaient les autres coureurs, le rôle qu'on entendait me faire jouer réellement, etc.

Mon acclimatation humaine, elle, fut rapide et vécue sympathiquement par tout le monde. Je partageais souvent ma chambre avec deux coureurs absolument délicieux, Zanatta et Fidanza. Le premier connaissait quelques mots en français. Pas le second. En début de saison, Gianluigi Stanga m'a inscrit à de nombreuses courses que je ne voulais pas faire en raison du froid. Chez Guimard, évidemment, j'avais un droit de regard sur mon programme. Pas avec Stanga. Si bien que je suis arrivé sur Milan-San Remo sans avoir pu me préparer comme je le faisais habituellement. Je me souviens qu'il y avait eu une discussion à propos de la tactique à adopter. Mon avis leur importait : j'étais un ex-double vainqueur, c'était considérable à leurs yeux. Je leur avais dit que le mieux, selon moi, était de rester caché le plus longtemps possible. Ils m'ont écouté attentivement prodiguer mes conseils et, jusqu'au bout, j'ai cru qu'ils en tiendraient compte ou du moins s'en inspireraient. Mais dès le premier tiers de la course, tous les plans furent bazardés. Un groupe de coureurs s'étaient échappés à l'avant. Et qui roula derrière ? Toute l'équipe Gatorade bien entendu ! Je suis allé voir l'un, puis l'autre, pour leur demander pourquoi on changeait de tactique. « Faut rouler, faut rouler. » C'était panique à bord. On a évidemment perdu…

Au fond, sportivement j'ai eu un peu de mal à trouver mes marques. Sur le plan de l'organisation, c'était absolument formidable, il n'y avait rien à dire, je ne pouvais pas rêver mieux. Mais tactiquement, rien ne me convenait. Quand on décidait de faire quelque chose on était souvent à contretemps. Et puis surtout, la plupart du temps, on ne faisait jamais rien. Plus grave : il ne fallait rien faire. Avec Gatorade j'avais l'assurance d'être sélectionné pour les plus grandes épreuves en étant leader à « temps partiel ». Mais leur modestie en course, pour ne pas dire leur manque d'ambition, me gâchait mon plaisir…

Un raid fou

En vieillissant, le cycliste se croit en pleine possession des informations de son corps, imagine que cela constitue un avantage essentiel, une « science » supplémentaire génératrice de bénéfices. Au fil de la saison 1992, je m'étais rendu progressivement compte d'un phénomène certain : j'avais perdu de l'agressivité et de la spontanéité. Disons que j'osais moins forcer mon talent, que je savais pourtant intact. Alors que j'en avais peut-être encore les moyens physiques…

En arrivant à San Sebastián au départ de la Grande Boucle 1992, dans ce qu'on appellera à juste titre le « Tour européen » puisque, année du traité de Maastricht oblige, les organisateurs nous firent visiter pas moins de sept pays, je me sentais vraiment en très bonne forme. Je venais de finir 4e du Championnat de France et je pouvais raisonnablement nourrir quelque espoir. Mais y avait-il, une fois encore, un décalage entre mon mental et mes possibilités ? Les premiers jours furent fidèles à mes prévisions : bonne santé, pas de difficulté particulière. Pas de quoi prétendre à la victoire finale, évidemment, mais de quoi pouvoir jouer les trouble-fête. La réponse me revint en pleine figure sous la forme d'une humiliation. La scène eut pour théâtre le Luxembourg : le très fameux contre-la-montre individuel de 65 kilomètres durant lequel Miguel Indurain repoussa les frontières de l'exercice, m'infligeant l'affront de me rejoindre et de me dépasser alors qu'il était parti 6 minutes après moi… Incroyable exploit qui ne tenait pas qu'à une contre-performance de ma part, loin de là : l'Espagnol avait ce jour-là écrasé la concurrence en mettant tous ses adversaires à plus de 3 minutes… des écarts effrayants pour l'époque.

Je fus piqué au vif. Je n'aimais pas ce genre de situation. Et si entre-temps je m'étais mis d'office au service de Gianni Bugno, qui finira à Paris 3e à plus de 10 minutes du Navarrais, la 11e étape entre Strasbourg et Mulhouse, sur un profil de moyenne montagne et avec un kilométrage idéal pour moi (249,5) me donna l'occasion de montrer à tous que je m'appelais encore Laurent Fignon. Nous avions repéré cette étape, qui empruntait pas mal de côtes et le Grand Ballon.

Le matin même, avant le départ, lors du briefing, j'avais pris la parole pour leur dire : « Essayons quelque chose. » Bien que la victoire finale semblait s'éloigner pour Bugno tant Indurain paraissait survoler son affaire, il nous fallait néanmoins assurer une place sur le podium. Et pour cela, il était nécessaire en particulier d'éloigner Greg LeMond, qui avait montré des signes de lassitude. Je pensais qu'on pouvait dès cette étape éliminer cet adversaire pour Bugno. Je leur avais dit : « Quand je vous le dirai, nous passerons à l'offensive. » Tous étaient d'accord. Et puis, évidemment, ils fuirent devant leurs responsabilités. A 100 kilomètres de l'arrivée, je suis allé les voir : « C'est le moment. » La bonne blague. Tous se défilèrent. Pour une raison qui m'échappait encore une fois… Sauf que là, je me suis fâché. Vraiment fâché. Je suis allé voir Stanga pour le prévenir : « Eh bien moi, j'attaque quand même ! » Et je suis parti dans un raid un peu fou. J'ai d'abord rejoint une échappée matinale, dans laquelle personne ne me relaya. Ce n'était déjà plus un problème pour moi. Un à un, en puissance, je les ai largués dans le Grand Ballon. Dans ces replis des Vosges, ma volonté fit la différence…

A l'arrière, l'équipe d'Indurain, Banesto, n'arrêta jamais de rouler : j'ai fait quelque 100 kilomètres de contre-la-montre ! En haut du Grand Ballon, j'avais 2 minutes d'avance sur le peloton. Mais Fuerte, que j'avais lâché dans les derniers kilomètres de l'ascension, n'était pas loin derrière moi, environ 30 secondes. Le deuxième directeur sportif de Gatorade, Claudio Corti, vint me dire : « Attends-le. » J'ai refusé. L'écart avec le peloton était trop faible et, pourtant, il restait 53 kilomètres pour rallier la ligne d'arrivée. Ce fut vent de face jusqu'à Mulhouse. Mais je mis moins d'une heure pour les combler. Malgré la fureur du peloton, j'ai réussi à maintenir quelques poignées de secondes d'avance pour enfin lever les bras au ciel. Cet exploit justifiait, en quelque sorte, mon transfert dans cette équipe. Chez Gatorade, ils étaient vraiment heureux. C'était leur première victoire dans le Tour !

Je ne connus que le soir les circonstances de ma victoire. Et ces circonstances montrèrent à tous que j'avais été très fort pour résister au peloton. Car Cyrille Guimard avait mis au point, pendant l'étape, un plan pour m'empêcher de gagner l'étape. L'équipe Castorama plaça quatre de ses coureurs dans des attaques dans le Grand Ballon, ce qui fit sourire tous les commentateurs ! Luc Leblanc, qui fut le dernier étage de la fusée Guimard, ne put d'ailleurs cacher devant les micros la réalité de la stratégie : « C'est Cyrille qui nous a dit d'attaquer », expliqua-t-il, toujours aussi courageux et prompt à refiler la responsabilité à d'autres. Puis un journaliste, amusé, demanda au patron de Castorama : « Alors, Cyrille Guimard, on roule contre

Fignon ? » Réponse de Guimard : « Allez vous faire foutre avec vos questions. » Guimard mentait et chacun le savait. Il avait mis tous les moyens à sa disposition pour entraver ma progression… personne n'était dupe.

Vainqueur d'une étape de prestige, je me sentais comme délivré d'un poids. Et je voulus aider de mon mieux Gianni Bugno à renverser la table du Tour, ce qui, après tout, n'était pas totalement impossible ! Lors de la célèbre étape vers Sestrières où Claudio Chiapucci devint un héros national au terme d'un exploit en solitaire stupéfiant (!), j'avais mis en place un plan « anti-Indurain ». J'avais remarqué que celui-ci, lorsqu'il était attaqué, n'allait jamais chercher immédiatement ceux qui le défiaient. Il attendait toujours que ces assaillants recherchent leur second souffle et, seulement à ce moment-là, il décidait de revenir au train. J'avais pris le temps d'expliquer cela à Bugno dans le détail. Puis je lui avais proposé : « A un moment, je te préviendrai et j'assumerai un train assez soutenu, mais pas à cent pour cent de mes possibilités. Là, tu démarreras une première fois, sans te mettre dans le rouge, il faudra que tu gardes de la réserve. » Il m'écoutait comme un élève. J'ai poursuivi : « Au moment où tu verras Indurain en remettre un coup pour boucher le trou, là, à ce moment précis, tu placeras ta vraie attaque ! Et tu recommenceras autant de fois que cela sera nécessaire ! » Il a fini par lâcher du bout des lèvres : « Oui, c'est bien. » Mais je vis sur son visage une absence totale de conviction. Il disait « oui » mais je me doutais qu'il pensait le contraire. J'ai fini par le convaincre, croyais-je, en affirmant : « Que risques-tu ? Franchement ? De craquer avant lui ? De perdre le Tour ? Mais de toute façon le Tour tu l'as perdu si tu ne fais rien, alors vas-y ! »

Dans l'ascension programmée, comme prévu, j'ai accéléré. Et Bugno a démarré exactement comme je l'avais imaginé. Au bout d'un moment, Indurain a embrayé et j'ai regardé la scène, accablé... Non seulement Bugno n'a pas du tout remis ça mais il a rendu les armes sans demander son compte en se plaçant sagement dans la roue de l'Espagnol... J'étais atterré pour l'Italien. Le costume était trop grand pour lui ! Pour achever le fiasco tactique jusqu'au bout, Stanga nous ordonna, le lendemain, d'attaquer dans le Galibier. Nous sommes partis tous les deux, avec Bugno. Une échappée royale ? Tout le contraire. Forcer le tempérament de Bugno était voué à l'échec. Il râlait, disait qu'on allait trop vite, c'était incroyable de voir ce champion d'exception se liquéfier en direct... Lassé par ces idioties, j'ai un peu fini le Tour en dedans.

A tel point que j'ai honte de raconter ce qui faillit m'arriver le dernier jour pour l'étape des Champs-Élysées. Ereinté par ces trois semaines, j'avais choisi de coucher chez moi plutôt qu'à l'hôtel. Mais, au moment de prendre ma voiture pour me rendre au départ à la Défense, celle-ci refusa de démarrer. Panne de batterie. Panique. C'était un dimanche donc, pas moyen de trouver un taxi de disponible. Je n'arrivais à joindre personne. Je voyais déjà l'écriteau matinal : « Fignon : non partant. » Par miracle, Alain Gallopin a fini par avoir mon message. Il a sauté dans un véhicule pour venir me chercher et j'ai pris le départ in extremis. L'expérience ne prémunit en rien contre les absurdités. Quoique rafraîchissante et plutôt joyeuse, ma nonchalance fut impardonnable... On ne quitte pas un bateau avant d'être arrivé à bon port.

Dopage généralisé

Comment parler d'une dérive ? A laquelle on assiste d'abord nez au vent. En suivant vaguement l'air du temps, comme s'il nous servait de rince-doigts. Je compris – mais je ne voulais pas voir. Je vis – mais je refusais de comprendre. Puis ce fut évident. Tant et tant que cette évidence s'installa dans mon raisonnement presque quotidien. Du dopage ? Il y en avait toujours eu. Moi-même j'y fus confronté de près à quelques occasions. Du dopage de masse ? Je ne comprenais pas ce que cela pouvait signifier concrètement. De nouveaux produits indétectables ? Les rumeurs les plus folles étaient souvent démenties par les faits, j'étais bien placé pour le savoir.

Mais là. Il se passait quelque chose d'anormal. Et aussi incroyable que cela puisse paraître, il a fallu que je comprenne par moi-même. Personne ne vint me trouver pour m'expliquer : « Voilà ce qui se passe en ce moment. » Aucun n'osa m'affirmer : « Cette fois, ça commence à être grave… »

En fait, mon passage côté italien accéléra pour moi le processus de révélation. Les Italiens ont en effet une culture des soins qui confine parfois à la médicalisation à outrance. Je ne parle pas là forcément de dopage, bien de médicalisation. Mais les années quatre-vingt-dix allaient nous montrer jusqu'à l'absurde que la frontière entre le licite et l'illicite était bien poreuse, finalement. Exemple. Après ma victoire d'étape à Mulhouse sur le Tour en 1992, j'ai vraiment eu du mal à récupérer et, pour éviter un coup de pompe fatal dès le lendemain, les médecins de l'équipe Gatorade voulurent absolument me faire ingurgiter tout un tas de produits de récupération à base de vitamines, de minéraux, etc. Certains étaient franchement très bien. D'autres dangereux…

Quand je suis arrivé chez eux, ils étaient totalement abasourdis par mon inculture en ce domaine et le fait que je refuse ce genre de médicalisation. « Mais comment faites-vous en France ? » me demandaient-ils, très étonnés. Quand je leur avais expliqué que je ne prenais que de la vitamine C, parce que, psychologiquement, j'avais besoin de sentir les réactions intimes de mon corps en progression, il y avait eu un grand silence d'incompréhension. Peut-être ne me croyaient-ils pas…

Concernant les produits de récupération, j'ai fini par me laisser faire par les toubibs. Mais c'était sous conditions. Je voulais toujours être présent au moment où les soigneurs ouvraient les produits. Je voulais tout contrôler et vérifier qu'il s'agissait bien de vitamines et pas de je ne sais quoi ! Que les choses soient claires. On ne peut pas dire que j'avais une confiance limitée. Non, je n'avais aucune confiance ! Confiance zéro !

1991, 1992, 1993 : ce furent en effet les années charnières. Celles à partir desquelles tout bascula. Il se trouve que ce furent aussi mes dernières années sur le vélo. On pourrait donc me considérer comme un témoin privilégié, sauf que, paradoxalement, je fus hors du coup. Par volonté personnelle. Par un entêtement quasi prodigieux…

Sauf à être démenti, je ne crois pas me tromper en disant que chez Gatorade circulait probablement de l'EPO (érythropoïétine) en 1993, peut-être un peu avant. Encore une fois je savais sans savoir. Disons que ça me remontait très vaguement aux oreilles. Sans plus. Soyons précis. Quand j'étais encore chez Castorama en 1991 et peu après en arrivant chez Gatorade, je comprenais certaines choses par déduction, par intuition parfois. Je parle aujourd'hui d'EPO, par exemple, mais ce n'est que bien plus tard que j'ai su comment s'appelait ce fameux produit « miracle » dont on parlait entre deux portes, auquel il convient d'ajouter les hormones de croissance.

Au cours de la saison 1992, je pense que ces formes de dopage – qui avaient peu à voir avec ce que nous avions connu dans les années quatre-vingt – n'étaient pas encore généralisées. Seuls quelques leaders sans doute semblaient avoir accès à l'EPO. Peut-être un ou deux de plus par équipe… je ne sais vraiment pas.

Et puis, vers la fin de la saison 1992, un ancien coureur devenu l'un des adjoints de Gianluigi Stanga, vint me voir. Je revois la scène comme si c'était hier. Corti a commencé à parler par métaphores pour me mettre au parfum. Les choses ne se déroulèrent pas franchement. Il ne m'a pas dit : « Tiens, voilà de l'EPO, tu en veux ? » Bien sûr que non. C'était plus insidieux que ça. Il m'a dit à peu près ces mots-là : « Laurent, tu sais qu'il existe un super produit de préparation, il faudrait peut-être voir ce qu'on peut faire pour essayer avec toi. » Mais il était hors de question que je prenne quoi que ce soit d'interdit, surtout si je ne savais pas de quoi il s'agissait : ce qui était le cas, précisément. Avant de prendre un médicament, pour me soigner, je voulais toujours l'avis des médecins. Au cours de ma carrière, dès lors que les avis médicaux m'apparaissaient fiables et légitimes, je savais exactement ce que je faisais, ce que je prenais, et je savais très précisément dans le détail que je ne risquais rien ni pour ma santé ni sportivement. Mais là, il s'agissait d'EPO. Dont on ne savait pas grand-chose, sinon qu'il s'agissait de manipulation sanguine. Et moi, rien que de penser au sang, ça me foutait la trouille ! Une vraie frayeur. Je rappelle pourtant que les hématologues de l'époque affirmaient que, pris avec précaution, il n'y avait pas de risque. C'était évidemment l'argument préféré des dopeurs, même si je savais bien, moi aussi, qu'avec certaines formes de « dopage » il n'y avait que l'exagération qui était dangereuse. Et en matière d'exagération, je n'avais encore rien vu…

Revenons à l'année 1993, où tout s'altéra pour moi. Au passage, qui se souvient que ma dernière victoire professionnelle fut La Ruta Mexico ? Je suis le seul Européen à avoir inscrit mon nom au palmarès…

Car pendant ce temps-là, au fil des jours, beaucoup de mes équipiers commencèrent à marcher de façon un peu étonnante. Je veux dire qu'avant, ces mêmes coureurs ne m'avaient pas montré un talent capable de m'impressionner. Des gars que je voyais rouler tous les jours à mes côtés changèrent du tout au tout. Ils devenaient meilleurs sans s'entraîner plus qu'avant – parfois même moins. C'était flagrant. Je n'étais pas dupe.

J'avais fini par constater le même phénomène dans le peloton. Les comportements se modifiaient rapidement. De nouveaux coureurs se portaient plus régulièrement aux avant-postes et menaient des trains d'enfer, au-delà de la normale… Au bout de quelques mois, certains ont fini par me parler, par se confesser. Stanga en personne joua les entremetteurs, voyant que je restais volontairement hors du coup. Il demanda à quelques membres de son entourage de me mettre la pression. On vint me dire : « C'est comme ça partout. » Manière d'incitation. J'étais très étonné du procédé car je n'avais jamais connu ça chez Guimard.

J'ai résisté. Je ne voulais pas toucher à l'EPO, encore moins aux hormones de croissance, qui me faisaient horreur. La vérité m'oblige aujourd'hui à le dire : chez Gatorade, en 1993, j'étais l'un des rares à ne pas toucher à tout ça, à refuser. Mais moi, autant l'avouer, je pouvais alors me le permettre. J'avais une réputation à faire valoir. J'avais un contrat en béton. J'avais gagné deux fois le Tour de France, le Giro, Milan-San Remo, etc. D'un côté, mon statut m'offrait une souveraine liberté. Et d'un autre côté, mon caractère me permettait de tenir bon : personne ne me faisait peur.

Avec le recul, une question mérite d'être posée : comment aurais-je agi si j'avais eu cinq ou six ans de moins et un palmarès à aller chercher ?

Sans doute fallait-il beaucoup de courage pour résister aux perversités de l'époque. J'en eus, du courage. Mais j'avais 31 ans ! Jusque-là, j'avais toujours eu le sentiment de « faire le métier » du mieux possible. Il faut d'ailleurs comprendre qu'à mon époque, du moins dans les années quatre-vingt, certains pouvaient « tricher » sans avoir le sentiment de tricher, puisque tout le monde agissait grosso modo de la même manière, prenait les mêmes produits. Et puis, soyons définitivement conscients d'une chose. Jamais alors un produit, quel qu'il soit, n'avait transformé un bourrin en pur-sang. Jamais ! De Coppi à Hinault, en passant par Anquetil ou Merckx, jamais la science n'avait survitaminé des sous-champions capables de rivaliser avec eux. Les êtres d'exception, comme leurs exploits extraordinaires, étaient en quelque sorte vérifiés. Je peux témoigner : jusqu'en 1989 à peu près, le dopage était encore artisanal. Après…

Jour après jour ce n'était plus mon histoire. Car cette métamorphose des cyclistes autour de moi, avec cette froideur de laboratoire, transformait les individus en machines à pédaler.

Quelle machine aurais-je été, moi, si j'avais donné mon assentiment aux docteurs de chez Gatorade ? Avant le Tour 1993, Gianluigi Stanga montra son irritation à mon égard, las de mon manque de résultats. Il alla voir Alain Gallopin pour lui dire : « Laurent doit faire quelque chose maintenant ! »

C'était insidieux. Et tellement représentatif de ces années-là. Moi, cela ne m'avait pas ébranlé. Au contraire. Dans ces rapports de force, je n'avais peur de rien. J'imagine juste ce que cela pouvait provoquer comme dégâts chez des coureurs plus faibles psychologiquement ou plus précaires, voire simplement très arrivistes…

Après, évidemment, si un cycliste se faisait prendre par la patrouille, c'était le dernier des « salauds » et son équipe se séparait de lui en criant au scandale et en l'accusant de tous les torts.

Mais souvent, qui étaient les vrais salauds ?

Sur un coin de route

Malgré notre volonté la plus acharnée à y résister, le temps qui dure finit toujours par (re)devenir du temps qui passe…

Ma saison 1993 ne fut pas conforme à mes intentions. Plus inquiétant encore. Quand j'ai débarqué sur les routes du Tour de France, au Puy-du-Fou, j'avais même contracté un début de bronchite, qui, en d'autres circonstances, aurait dû me tenir éloigné d'une course aussi exigeante. Ça ne pouvait pas plus mal commencer : 67e du prologue à 43 secondes d'Indurain. La situation était grave…

Quatre jours plus tard, nous vécûmes dans l'équipe une caricature de performance collective. Lors d'un interminable contre-la-montre par équipes (81 kilomètres), Gianni Bugno, qui était parmi nous de loin le plus fort, ne sut pas du tout s'adapter à nous, prenant des relais hors de propos pour la plupart de ses coéquipiers, tous rapidement liquidés… En moins de 50 kilomètres l'équipe était « cramée » : Bugno roulait décidément n'importe comment et ne se comportait absolument pas comme un leader.

Anecdote. Significative. Un jour, alors que le peloton se trouvait très loin de l'arrivée, tandis qu'une échappée sans importance s'était dégagée assez tôt, l'ensemble de la troupe se mit à accélérer brutalement. En quelques minutes, le peloton se retrouva en file indienne à plus de

50 km/h. Chacun cravachait comme il le pouvait. Je ne sais plus bien, mais il devait rester au moins trois ou quatre heures de course… je n'y comprenais rien. Je me suis dit : « Ce n'est pas possible. » J'ai alors remonté tout le peloton comme j'ai pu. Et j'ai vu un spectacle hallucinant…

Figurait en tête un coureur qui s'appelait Laurent Pillon, un Français laborieux exilé dans l'une des grosses équipes de l'époque, GB-MG. Le fait que ce coureur-là se retrouve en tête d'un peloton ne constituait pas, en soi, une performance. Ça lui était déjà arrivé. Non, là, c'était sa manière de pédaler qui s'avérait stupéfiante. Ni plus ni moins…

On avait l'impression qu'il ne forçait pas mais il roulait à plus de 50 km/h, tout seul, les mains en haut du guidon, par vent de trois quarts face ! J'étais consterné. Je lui ai crié : « Mais tu sais qu'on est à cent bornes de l'arrivée ? T'as vu la vitesse à laquelle tu roules ? » Il m'a dit, avec son accent nordiste très prononcé : « Bah, on m'a dit de rouler, je roule. » Je n'en croyais pas mes oreilles. Pauvre garçon. Il ne se rendait même pas compte de ce qu'il faisait. Ce n'était pas de sa faute. Il était comme soumis à l'époque.

On pouvait se dire qu'il se passait quelque chose de sérieux…

Dès le lendemain, vers Amiens, le Belge Johan Bruyneel, qui deviendra par la suite le directeur sportif d'Armstrong, remporta une étape menée elle aussi à un train d'enfer : 50 km/h de moyenne. Tout le peloton avait roulé derrière à fond les gamelles. Sur un parcours vallonné, il nous reprenait quand même du temps ! Et personne n'était sur les rotules : tout cela était incroyable… Les jours se succédaient et avec eux mon étonnement grandissait. Plus grand-chose ne m'apparaissait « ordinaire ». Dans chaque étape, alors que je restais d'une grande vigilance, d'autant que je ne manquais pas d'expérience, j'ai essayé de me fondre dans des échappées. Mais je n'y arrivais pas. Aucun moyen. Il me manquait toujours un petit quelque chose, le coup de reins qui aurait fait la différence. Le spectacle qui s'agitait quotidiennement autour de moi me semblait comme irréel. J'errais comme une âme en peine. Perdu en terre inconnue…

Puis arriva le terrifiant épisode. Celui qui plomba définitivement mes illusions. Entre Villard-de-Lans et Serre-Chevalier, alors que nous devions franchir le Galibier, j'avais décidé d'attaquer dès le Télégraphe. Sans danger au général, on m'a évidemment laissé partir. Franchement j'avais un bon rythme. Un instant glissa sur mon dos le souffle frais du plus sympathique des mirages. Un leurre. Ce n'était qu'un leurre. Car avant le sommet, alors que j'appuyais sur les pédales comme au plus beau jour, du moins le croyais-je, je vis revenir à mes côtés un énorme paquet de coureurs. Au moins trente. Ou quarante. Aucun n'avait l'air de forcer et moi je n'arrivais pas à rester avec eux. Dire qu'à ce moment-là j'ai subi un choc psychologique est bien faible rapporté à la réalité.

Ce fut un coup d'arrêt. Quelque chose qui dépassait la simple humiliation. Une petite mort. J'apercevais en moi comme la privation de ce que j'avais été. Je m'étais perdu de vue.

Anéanti. Détruit.

Sonnait le rappel de la fin de ma carrière sur un vélo. En franchissant le sommet du Télégraphe, je me suis dit : « C'est fini. Je suis cuit. Il vaut mieux arrêter le massacre. » Car devant moi désormais il n'y avait pas que les meilleurs, mais bien d'autres coureurs, parfois de ma génération, que je n'avais jamais vus soutenir la comparaison en altitude avec une aisance aussi troublante.

Rien n'était normal. La « normalité » même n'avait d'ailleurs plus aucun sens pour moi. Et plus rien ne m'étonnait d'ailleurs. Si bien que, dans le Galibier, alors que je progressais à ma main, qui ai-je rattrapé ? Gianni Bugno, pardi, complètement largué ! Le Tour était perdu pour lui. Pour moi, c'était ma carrière qui, après avoir vacillé, s'achevait dans le silence majestueux des Alpes.

Je savais que c'était fini pour moi. Mais pas une seconde je ne me suis dit sérieusement : « C'est à cause de l'EPO. » Cela peut paraître bizarre, incompréhensible. Mais je refusais encore l'évidence. J'avais à peu près toutes les informations pour analyser froidement la situation. Mais non. Quand je perdais des courses, jamais je ne mettais ça sur le compte du dopage. J'ai juste pensé, c'est fini, tu as fait ton temps.

Le soir, je suis resté très serein. Le cycliste vieillissant s'effaçait derrière l'homme mûr. Pas le choix.

Le lendemain, vers Isola 2000, nous avons escaladé l'Izoard, puis le col de la Bonette, toit du Tour. J'ai un souvenir très précis. Je suis resté le dernier dans toute l'ascension. Volontairement. Les mains en haut du guidon, j'ai pleinement apprécié. Je respirais bien fort ces derniers temps d'éternité cycliste : les miens. L'instant ne devait pas m'être volé. Monter au-dessus de 2700 mètres dans ces circonstances avait de quoi me redonner des raisons d'apprécier, pendant quelques longues minutes d'évasion mentale, tout ce que j'avais désormais vécu sur un vélo. Un fractionné poétique. Un fragment de moi-même. Respiré et assumé. A ma cadence. Rien qu'en harmonie.

J'appuyais sur les pédales en toute légèreté, regardant le paysage de loin en loin, mesurant chaque seconde comme l'entraperçu d'un temps enfui, voyant dans cet horizon de cimes et de bleu du ciel un univers nouveau à défricher et une manière inédite d'entrevoir l'avenir.

Le cyclisme continuerait – sans moi.

La vie continuerait – avec moi.

Avais-je seulement à me plaindre ?

C'était un authentique moment de tristesse et de grâce mêlées.

Avant la montée vers Isola 2000, que j'aurais pu rallier même hors délais, j'ai décidé de poser pied à terre. Il fallait juste endosser la fin de mon histoire, la reconnaître, la regarder lucidement en son ampleur.

Sans tragédie. J'ai abandonné. Comme ça. Sur un coin de route. Comme on se jette dans le vide. A corps perdu.

« Tu ne peux pas imaginer ce qu'ils font »

Le cyclisme, inépuisable mine à béatitude, avait donc perdu beaucoup de ses repères. Les miens du moins s'étaient évaporés dans les seringues d'EPO dont je ne comprenais ni l'emploi ni les excès… D'ailleurs, pouvait-on déjà parler de « génération EPO » ? Probablement.

En mettant pied à terre définitivement sur le Tour de France 1993, annonçant assez logiquement la fin de ma carrière, j'étais encore en deçà de la réalité. Je n'imaginais pas sa noirceur. Bien sûr j'avais compris l'émergence de cette nouvelle substance dont on commençait à parler dans les journaux et dans les coulisses du cyclisme, mais, malgré ce que je pouvais voir en Italie, je n'avais pas compris à quel point son utilisation était en train de se généraliser. Et puis il y avait autre chose que je refusais d'admettre, c'était son incroyable efficacité. Avec l'EPO, toutes les barrières volaient en éclats. Et je n'arrivais pas à me résoudre à l'idée que la plupart des cyclistes qui pédalaient encore autour de moi carburaient à ce produit…

Ainsi, au lendemain de mon abandon dans le Tour – et après réflexion –, j'en arrivais encore à une conclusion qui m'apparaissait comme évidente : c'était moi qui n'avançais plus ! Il faut bien comprendre que mon univers mental du moment n'avait comme référence que le vélo des années quatre-vingt et ce qui en était issu. Qu'un produit dopant puisse « fabriquer » un champion ou puisse permettre (presque) à coup sûr une victoire sur une course, c'était pour moi une idée totalement farfelue. Un non-sens.

Certains s'étonneront sûrement de lire ces lignes et penseront : « Il ne pouvait pas ne pas savoir. » Soyons donc précis : je comprenais certaines choses, disons dans les grandes lignes, mais pas dans le détail. Et puis ma mentalité était la suivante : je m'en foutais de ce que pouvaient faire les autres ! Cela ne m'intéressait pas. Seuls comptaient ma progression personnelle, mon travail, mes résultats. Rien d'autre.

Certes Alain Gallopin me mettait souvent en garde : « Tu sais Laurent, me disait-il, les mecs font des conneries, ils exagèrent vraiment, tu ne peux pas imaginer ce qu'ils font. Certains sont devenus fous, ils sont prêts à tout. » Une certaine réalité ne me pénétrait pas. Comme si j'avais déjà franchi un cap qui me séparait d'eux. Comme si j'étais déjà ailleurs. Les dernières courses auxquelles j'avais participé m'ennuyaient profondément et avaient renforcé mon détachement. C'était moins drôle, moins vivant, plus cadenassé. Certains comportements me paraissaient même incompréhensibles. Beaucoup de coureurs de peu de talent jouaient soudain les premiers rôles : ce n'était plus pour moi.

L'après-Tour fut assez paisible. Les regards des gens me montraient à la fois de la compassion et déjà de l'indifférence. J'avais tourné la page. Chacun commençait à en tenir compte. J'ai laissé filer les jours en déposant le vélo au garage et puis, en août, un matin, je suis parti à l'entraînement. Jusqu'à ce jour, durant toute ma carrière, j'avais toujours mis le grand plateau pour m'entraîner : 53 × 16 ou 53 × 15. Ce jour-là je suis donc parti comme d'habitude, la fleur au guidon. Et puis, au bout de quelques kilomètres, lassé, j'ai mis le petit plateau : 42 × 18. Je me suis dit :

« Laurent, c'est fini. » C'était en effet terminé. Je n'avais plus envie de rouler. D'un seul coup de balai, j'époussetais les dernières traces qui me raccrochaient encore à la course. Le « je » cycliste n'était plus mon « je » intérieur. J'y étais préparé. Mais le vivre concrètement faisait un drôle d'effet !

Afin d'anticiper sur mon année fiscale suivante et ainsi éviter de payer trop d'impôts, je n'ai participé à aucun critérium. Puis j'ai annoncé que ma dernière course se déroulerait au Grand Prix de Plouay, où je me suis rendu le cœur plutôt léger. L'ambiance y fut pourtant particulière. Avant le départ, on venait me voir pour me dire « merci », pour me souhaiter « bon vent ».

J'y étais. Bientôt pied à terre.

J'ai vraiment voulu terminer cette course, mais ça roulait à bloc et j'étais en manque de kilomètres. Je ne pouvais vraiment pas suivre. Alors je suis remonté dans le peloton pour leur dire « adieu », d'une voix serrée. Marc Madiot a gueulé : « Regardez bien, regardez tous : c'est la dernière fois que vous voyez Laurent Fignon sur un vélo ! » Une bouffée d'émotion s'est emparée de moi. Ma gorge s'est nouée. Mes muscles se sont crispés. Et j'ai abandonné…

Tous les matins du monde sont sans retour.

Gianluigi Stanga me laissa tranquille. Très peu de temps après, la société Gatorade a annoncé qu'elle stoppait son investissement dans le cyclisme. J'avais signé un contrat bien ficelé, j'ai sauté sur l'occasion en leur annonçant que, finalement, je voulais continuer un an de plus. Une aubaine financière pour moi : ils me payèrent ma troisième et dernière année de contrat… Ainsi en 1994, j'avais une rémunération de coureur cycliste alors que je ne l'étais plus… Pourquoi devrais-je en avoir honte ? Pendant deux ans j'avais été l'ambassadeur de Gatorade en France. Je le fis une année de plus, autrement que sur un vélo, voilà tout.

Débutèrent alors pour moi des jours d'intense réflexion. J'avais arrêté en pleine conscience et sans aucun regret, mais l'affaire n'était pas aussi facile que je voulais bien le croire. Quel que soit le coureur, qu'il ait été un grand champion ou un magouilleur de la dernière, quand il tourne la page c'est d'abord la passion de sa vie qui prend fin subitement. C'est ce qui venait de m'arriver. S'y préparer mentalement ne suffit pas à atténuer le choc. Pour nous, le cyclisme n'est pas qu'un métier. C'est d'abord une maîtresse dévorante…

Je me suis enfoncé dans une espèce de trou. En fait, je n'avais rien préparé de concret. Je ne savais pas quoi faire de mes journées, de ma vie, désormais. Plus grave, je ne parvenais pas à identifier mes réelles envies. L'oisiveté n'étant pas mon fort, il fallait donc que je cogite vite. Mais j'en étais incapable : au fil des mois qui ont suivi ma descente de vélo, tout mon être était encore coureur cycliste. Mon biorythme, mes habitudes, mes manières d'être et même mes réflexes, tout réagissait comme je l'avais fait depuis si longtemps…

Il a fallu que l'hiver passe.

Un matin, au tout début de 1994, j'ai appris que les autres, tous les autres, avaient repris les entraînements, les stages. Se profilaient déjà les premières courses. Et moi, qu'étais-je donc devenu ? Rien. Sinon un non-cycliste. Cette fois, mon corps n'était plus seulement en vacances, en attente de reprendre son activité organique… La coupure était irrémédiable. Les autres étaient repartis sans moi.

Quel futur ?

Je me revois. Un certain jour. Un jour de panique. J'étais assis sur un fauteuil, chez moi, j'ai ressenti un grand vide.

Une sorte de trouille. Une peur insidieuse qui me rongeait le ventre et parcourait mon échine. Une petite mort. Je me suis levé, happé par une bouffée d'angoisse, comme s'il me fallait respirer bien fort. J'ai changé de fauteuil, je me suis rassis. Impression identique. Même perspective. Je n'arrivais pas à réfléchir vraiment. Et plus je me trouvais ridicule, plus cette anxiété grandissait.

Je ne pouvais laisser le désarroi triompher. J'ai donc réfléchi de manière ordonnée. En prenant les choses dans le bon ordre.

L'argent ? J'en avais pas mal devant moi, d'autant que l'année précédente, prudent, j'avais remboursé tous mes crédits pour être tranquille. A la fin de ma carrière, je payais 1,5 million de francs d'impôts, soit 60 % de mes émoluments. Chez Gatorade, je gagnais au total 500 000 francs mensuels. Je ne manquais pas d'argent. A l'époque, je disposais d'environ 2 millions de francs en liquidités, auxquels il fallait ajouter quelques biens immobiliers. Petit rappel : tout cela n'était rien comparé à ce que gagnaient déjà à l'époque les plus grands footballeurs, tennismen et autres golfeurs…

Mes occupations du moment ? Je jouais beaucoup au golf, justement. Un sport qui m'aidait à me concentrer de nouveau et à découvrir un moi intérieur assez déroutant… Je participais aussi à beaucoup de raids d'aventure, de toutes sortes. Tout cela me dépaysait et me maintenait dans un état de forme physique acceptable. Puis, le journaliste Patrick Chassé m'a appelé pour commenter des courses sur Eurosport. J'aimais bien l'idée. J'ai plongé. Mais je dois être honnête : cela ne constituait en rien un projet d'avenir. Plus j'y réfléchissais, plus je m'apercevais que, en dehors du vélo, je ne savais pas faire grand-chose. Investir dans les affaires ? Pourquoi pas. Mais lesquelles précisément ?

Dans l'immobilier ? Cela ne m'intéressait pas. J'ai fini par me dire que je n'avais pas d'autres « spécialités ». Plus inquiétant : je n'avais pas d'envie particulière…

Etais-je victime, à ma manière, de l'inévitable abêtissement du cyclisme professionnel ? Même pour quelqu'un comme moi qui avais continué à lire, à s'instruire un peu, à rester au minimum à l'affût des heurs du monde, le cyclisme impose au coureur sa propre bulle qui le déconnecte de la réalité de tous. J'avais pourtant d'évidentes dispositions à m'intéresser naturellement à autre chose. Mais le cyclisme professionnel bouffe tout. Il accapare. Et, à la différence d'un joueur de football par exemple, le cyclisme aspire tout le temps du coureur et réduit au strict minimum ses possibilités de loisirs. Les entraînements sont longs. Les jours de courses nombreux.

Je regrette un peu le gouffre de ces années. Cela m'a pesé par la suite : conscient que j'étais un peu passé à côté de quinze ans de vie sociale. Hors de la cité, comme on dit, loin de tout, uniquement préoccupé par le milieu, rarement par le reste. L'actualité s'est passée de moi… J'étais en autarcie. Je suis bien conscient qu'on ne pouvait pas faire autrement : le haut niveau demande beaucoup de concentration et une attention quasi exclusive. Comme toute ma carrière me l'a montré, dès que je me laissais gagner par les soucis du quotidien, en particulier par les problèmes de vie privée, mon esprit s'échappait et mes résultats en souffraient. Être cyclisme à cent pour cent : une obligation. Regrettable. Mais indispensable.

C'est en sortant de cette spirale infernale que j'ai pleinement pris conscience que mon univers douillet, protégé, ressemblait en fait à une prison – une prison dorée. Il y avait une forme d'enfermement dans cette bulle. Cet isolement est l'un des problèmes du cyclisme. En marge de tout, consolidé par son propre univers, on finit par se croire supérieur et on pense que le monde réel est bien le nôtre alors qu'il n'est qu'une illusion de la vie réelle. Avec le recul, je suis sidéré par les gestes de la vie quotidienne que je n'ai jamais faits ou trop rarement. Juste aller se promener avec sa femme, chiner, lécher les vitrines. Interdit ? Trop fatigant ? Toujours une bonne excuse…

Après ces regrets exprimés, s'il fallait tirer un bilan objectif, authentique, je continue de penser que cette vie avait plus de bons que de mauvais côtés. Oh oui ! Comment regretter ça ? Comment laisser croire que cela pouvait être autrement que réjouissant et jouissif ? Nous étions des hommes libres, émancipés. On pouvait prendre la voiture d'un directeur sportif en pleine nuit pour aller voir une fille. Faire 200 kilomètres pour un simple rencard et revenir au petit matin pour l'étape du jour : imaginez-vous cela possible aujourd'hui ? Ce n'était pas toujours de la culture générale, certes. Mais c'était quand même de la vie. Je vais faire un aveu : même côté alimentation, je n'ai jamais connu de vraie restriction. Je faisais attention, mais sans plus, sauf parfois pour certains grands rendez-vous, puisque, au milieu des années quatre-vingt, on commençait à découvrir l'importance du rapport poids-puissance. Mais moi, sans me prendre pour Anquetil qui en avait fait un art de vivre et une quasi-obligation pour « vivre » son cyclisme, je faisais quand même de bons gueuletons, quelques excès parfois et il m'arrivait même de craquer à des moments où il ne le fallait pas. Je n'étais décidément pas un enfant de la diététique et du formatage à tous les étages. Tant mieux !

Voilà pourquoi, sans doute, je n'ai jamais aspiré à devenir directeur sportif, un métier de conventions, de traditions, de compromis et d'accommodements. D'ailleurs, la vérité m'oblige à le dire, jamais un sponsor ne m'a proposé de monter une équipe. Avec Alain Gallopin, l'idée nous a effleurés une fois ou deux. Avec la Caisse d'Epargne, par exemple, nous aurions pu leur proposer un projet simple : trouver le prochain Français capable de gagner plusieurs fois le Tour. Nous savons que les grands vainqueurs arrivent toujours par cycle. Après Armstrong, il y a donc eu un creux. Bien sûr, il y a Alberto Contador, qui possède un talent naturel évident. Mais prenons un gars comme Carlos Sastre, vainqueur du Tour en 2008 : en termes de classe, ce garçon ne m'arrive pas à la cheville ! Dénicher le jeune Français d'avenir, dans une structure française, avec un sponsor français de grande renommée, c'était un beau projet, ambitieux. Et quel fut le choix de la Caisse d'Epargne ? Investir aux côtés d'une équipe espagnole ! Le plus incroyable dans cette histoire, c'est que ça n'a pas soulevé la moindre émotion en France.

Personne n'a crié au scandale alors qu'il y avait de quoi être révolté. Moi, en tous les cas, je l'étais. De quoi vous dégoûter de vouloir diriger une équipe…

Contester les puissants

M'occuper pour m'occuper, en somme faire n'importe quoi, était hors de question. Le cyclisme, auguste paravent, restait bien en vue. J'avais beau lui tourner le dos, il se redéployait toujours devant moi. Impossible d'y échapper donc. Après tout, mes compétences en matière de vélo étaient indiscutables. Qui oserait contester ma légitimité ? Alors, plus j'y réfléchissais plus je m'apercevais que l'organisation, au sens large, me tentait de plus en plus. J'ai donc décidé de créer une structure : Laurent Fignon Organisation.

Dans un premier temps, j'ai visé modeste en commençant à inventer des cyclo-sportives. Autrement dit le bas de l'échelle, mais un art populaire. J'ai lancé ma première grande innovation en 1996, le Trophée de l'Ile-de-France Cyclotouriste. Composé d'abord de quatre cyclos dans quatre départements (Seine-et-Marne, Essonne, Yvelines, Val-d'Oise), puis une sorte de grand final autour de Paris. Mon concept mélangeait la culture, la famille, le sport, le cyclisme. A chaque fois, nous nous réunissions dans un grand château du département. Nous élaborions un village gastronomique, en présence d'un grand chef cuisinier et d'une école hôtelière. Il y eut trois éditions de ce Trophée : 300 participants la première année, 1000 les suivantes…

Fini les privilèges ! Avec Alain, on faisait tout. On fléchait, on posait les tables, on débouchait les toilettes. La première année, il nous est même arrivé de poser les barrières nous-mêmes au petit matin après une nuit de boulot… J'ai ensuite enfourché le vélo pour les soixante-dix premiers kilomètres avec les participants… J'étais cuit !

Ce n'était qu'une étape. Ma folle envie s'appelait Paris-Nice. Plusieurs raisons me faisaient croire que cela était réalisable. D'abord, l'organisatrice « historique » depuis 1982, Josette Leulliot, à la tête de la société Monde 6, arrivait au bout de son aventure personnelle avec cette épreuve. Elle voulait la vendre. Ensuite, la Course au Soleil, créée avant la Seconde Guerre mondiale, était la seule des grandes épreuves par étapes du calendrier qui était encore indépendante et qui n'appartenait pas à un grand groupe comme la Société du Tour de France. Enfin, Paris-Nice a toujours légitimement bénéficié d'une renommée internationale. Sa longue histoire en atteste.

Dès 1997, totalement habité par cet ardent désir, j'étais alors convaincu de ce choix. Je suis allé voir Josette Leulliot pour lui exposer mes propositions, mes projets. Elle se montra chaleureuse mais très indécise. Je savais par ailleurs que la Société du Tour de France, avec à sa tête Jean-Marie Leblanc, était aussi sur les rangs. Inutile de dire que le Tour avait les moyens de cette ambition.

Alternativement, j'ai multiplié mes expériences en matière d'organisation. La Polymultipliée, ancien Trophée des Grimpeurs, réinstallée à Chanteloup-les-Vignes où elle avait vu le jour et où, historiquement, furent utilisés les premiers dérailleurs. Puis Paris-Bourges. Ensuite j'ai créé des épreuves pour des grandes entreprises, comme Point-P. Pour tout cela, il fallait se battre tous les jours, pour les autorisations, pour convaincre les partenaires, les sponsors, pour les garder…

Alain Gallopin, qui était revenu à mes côtés après un intermède au sein de l'éphémère équipe française Catavana, fut de nouveau attiré par le peloton professionnel. En 1997, Marc Madiot l'embaucha à la Française des Jeux comme directeur sportif adjoint. « Je ne peux pas refuser », m'avait-il dit. Il avait raison. Mais j'étais très en colère. Nous sommes restés longtemps sans nous parler. J'étais alors dans une phase d'intense activité : j'aimais réfléchir à un projet, en inventer les contours, le développer… Paris-Nice me hantait. Je savais que Josette Leulliot avait fait la promesse de ne jamais céder l'épreuve au Tour de France. Son frère, Jean-Michel, l'ancien journaliste de TF1, ne pensait alors qu'à la plus-value, faisait tout pour convaincre sa sœur de faire monter les enchères, quel que soit le gagnant ! Durant des mois, je fus en échec. Un jour, Eric Boyer, qui avait arrêté sa carrière et qui bossait de temps en temps pour Josette, me téléphona : « Paris-Nice est sur le point d'être vendu au Tour. Si tu le veux vraiment, dépêche-toi. C'est maintenant ou jamais. » J'ai repris mon petit bâton de pèlerin. J'ai fait le forcing. Tout à l'affectif. Au nom des grands principes qu'elle avait elle-même érigés. Et Josette a accepté… Je lui avais proposé près de 4,5 millions de francs. Une très grosse somme pour moi. Presque rien pour le Tour. Avec Paris-Nice et « épreuves assimilées », je récupérais plusieurs autres courses aux noms formidables qui résonnaient pour tous les amoureux de l'histoire du vélo : l'Etoile des Espoirs, la Route de France, le Grand Prix de France, etc.

Dès le début de mon aventure, ou presque, les ennuis ont commencé… D'abord avec la banque, qui m'a vraiment mis des bâtons dans la roue. J'avais conçu un business-plan sur trois ans qui me permettait d'injecter personnellement 2,2 millions de francs : 1 million dans la société pour l'achat, le reste sur un compte courant pour les dépenses, auxquels il fallait ajouter 2 millions de francs de prêts. Les banquiers ont finalement rejeté cette équation, m'obligeant à mettre les 2 millions de francs dans l'achat, ce qui me privait de toute liquidité… Cerise sur le gâteau : ils refusèrent le prêt sur quinze ans et m'imposèrent des remboursements sur huit ans. Tout cela a compliqué le lancement… C'était dur pour les nerfs : quelques semaines à peine après notre accord, les banquiers m'appelaient pratiquement tous les jours. Une forme de harcèlement. Un enfer. Il fallut que je me dispute avec eux pied à pied pour me maintenir à flot. A un moment, j'en étais parvenu à la conclusion que mes difficultés avec cette banque n'étaient peut-être pas le fruit du hasard…

J'étais d'autant plus inquiet que je connaissais mes lacunes : je n'ai jamais été un bon commercial. Je « me » vends très mal. Et Paris-Nice réclamait les services d'un professionnel du marketing que je n'ai jamais pu embaucher. Dès le début de la deuxième année, j'ai compris que financièrement je ne m'en sortirais pas. A part Phonak, avec qui j'avais signé un contrat, ce fut la croix et la bannière pour trouver des partenaires. J'ai mieux compris par la suite quelles en étaient les raisons. Il y avait Havas Sports d'un côté, le Tour de France de l'autre. C'était une sorte de pacte de non-agression entre les deux : l'un ne nuisant jamais à l'autre, directement ou indirectement. Donc, outre que mes tentatives pour nouer des relations avec Havas étaient vouées à l'échec, les autres gros sponsors que j'avais contactés y regardaient à deux fois avant de se lancer, ne voulant froisser ni l'un ni l'autre. La puissance du Tour de France, qui ne me voulait pas du bien, devenait pour moi un handicap. Personne n'osait à l'époque se mettre à dos les dirigeants du groupe Amaury…

Les faits sont têtus. Toutes mes relations avec les villes, les conseils généraux ou régionaux, étaient compliquées. Dans un souci d'innovation sportive, je voulais absolument emprunter des parcours inédits avec des côtes jamais arpentées, si possible pas trop loin des arrivées pour offrir aux coureurs des profils aptes à répondre à leurs éventuelles velléités. Je voulais éviter en effet des Paris-Nice monotones qui se ressembleraient chaque année, comme j'avais pu les disputer de mon temps. J'ai le souvenir de cinq ou six Paris-Nice dont les étapes se ressemblaient trait pour trait, au mètre près ! Une caricature. Un jour, je suis allé voir le maire de Mâcon pour lui proposer une arrivée chez eux, ce qui me permettait d'emprunter un final tout nouveau, surélevé d'une côte intéressante. Le maire m'avait dit : « Pas de problème, monsieur Fignon, je fais voter ça en conseil municipal, c'est comme si c'était fait. » Surprise trois jours plus tard : refusé en conseil municipal ! J'ai fini par comprendre – par la bande – que les dirigeants du Tour de France avaient fait pression pour que la ville ne m'accorde pas cette arrivée. Comme par hasard, Mâcon fut choisi l'année suivante, en 2002, comme ville-arrivée du Tour… Il faut savoir que cet exemple se répéta dans plusieurs endroits. On leur disait : « Si vous prenez Paris-Nice, ne pensez plus au Tour ! » Pas très digne comme procédé.

J'ai mis seul la main à la poche. La première année. La deuxième année… En 2000 et 2001, Paris-Nice fut sportivement assez formidable, me semble-t-il. Et côté organisation, rien à redire. Des beaux villages-départs, des belles arrivées. Mais je devais me battre en permanence avec les villes, même celles acquises à la course, comme Nice, où il me fallut négocier serré avec eux pour contrecarrer leurs tentations de ne pas respecter certaines règles. Ils avaient même songé, comme cela se fait hélas aujourd'hui, à ce que la dernière étape arrive dans les rues de Nice et non plus au sommet du col d'Eze. Je ne voulais pas qu'on touche à ce mythe ! J'ai combattu cette idée et j'ai gagné temporairement cette victoire symbolique. Pas mes successeurs…

Pour organiser Paris-Nice, j'employais en tout six personnes. Deux d'entre elles, François Lemarchand et Valérie, qui deviendra mon épouse quelques années plus tard, continuaient parallèlement à s'occuper des autres activités de Laurent Fignon Organisation. Mais dès la deuxième année, ce ne fut plus seulement des doutes sur mes possibilités à tenir financièrement qui m'assaillirent, mais bien la certitude que ça ne serait pas possible, sauf à y laisser ma chemise. Ma deuxième édition s'était admirablement bien déroulée, mais je savais qu'il n'y en aurait pas une troisième pour moi. Hélas il me fallait vendre. Quelle fut donc ma stratégie ? Simple : j'ai laissé traîner le plus longtemps possible pour obliger le Tour à racheter. A force de m'empêcher de respirer, il fallait que ça devienne une obligation presque morale… Instruits de mes difficultés, j'ai attendu janvier pour décrocher mon téléphone et les appeler. Soit trois mois avant le prologue de l'épreuve !

J'ai appelé Jean-Marie Leblanc : « Etes-vous toujours intéressés pour reprendre Paris-Nice ? Je vends. » Il m'a dit qu'il allait voir. Et ça n'a pas tardé. Deux jours plus tard j'avais la réponse. Un « oui » franc et massif. Mais au même niveau que deux ans auparavant : je ne m'attendais pas à mieux. Résultat personnel : j'ai laissé 2 millions de francs de ma poche !

Précisons que je me suis quand même fâché avec eux. D'abord, Jean-Marie Leblanc n'a pas voulu négocier avec moi directement et il avait confié cette mission à Daniel Baal, l'ancien président de la Fédération française, qui était alors le numéro 2 de la Société du Tour et un successeur qui restera virtuel à Leblanc. Peu compétent, peu talentueux, et trop sûr de lui. Il était accompagné de Jean-François Pescheux, directeur sportif du Tour, essentiellement pour éplucher les comptes. Je me demandais bien quelle idée ils se faisaient des autres, pour ainsi croire que j'avais pu tricher ou je ne sais quoi ! Douter à ce point des gens, c'est presque malsain. Ils n'ont évidemment rien trouvé. Mais ils avaient tenté de m'humilier.

Ce n'était pas fini. Le jour de la vente, ils sont arrivés à cinq alors que seul mon avocat se tenait à mes côtés. J'étais étonné : ils voulaient renégocier ! Rien de moins. Notamment les délais de paiement, étalés sur une longue durée. Inutile de dire que je bouillais sur ma chaise. Mon avocat, qui me connaissait bien, craignait ma réaction… Ça n'a pas manqué. Au bout de deux heures, j'ai tapé sur la table de toutes mes forces et je leur ai dit : « Vous m'emmerdez tous ! Vous me prenez pour un bandit ou quoi ? C'est terminé, je ne vends plus ! Tirez-vous ! » Leur attitude n'était pas honnête à mon égard et même Jean-Marie Leblanc, qui, depuis la fin de ma carrière, avait œuvré de tout son poids pour m'éloigner de la famille du cyclisme, l'avoua à moitié dans son livre, *Le Tour de ma vie* (Solar, 2007) : « Je compris "entre les lignes" que le climat des discussions préalables avait été "moyen" pour leur amour-propre. Il ne faut pourtant jamais blesser ses interlocuteurs. » Touchant Jean-Marie Leblanc, pour une fois capable d'un peu d'humilité, lui qui, comme journaliste puis comme directeur du Tour, n'a jamais montré beaucoup de franchise. Les accommodements, il connaît ! Avec Roger Legeay et Thierry Cazeneuve, il a tiré toutes les ficelles du cyclisme français durant trop longtemps…

Ma réaction face à Daniel Baal et aux autres était donc

légitime. Ils partirent piteux, tête basse. Mon avocat m'avait dit : « Je me doutais que ça allait finir ainsi. » Entre-temps, l'ancien coureur Tony Rominger, associé avec un financier suisse, s'était mis sur les rangs. Pourquoi pas. Je l'ai aussitôt appelé, mais, à ma grande surprise, il n'eut aucun rendez-vous à proposer avant une quinzaine de jours… J'étais pris à la gorge. J'ai appris bien plus tard que la Société du Tour l'avait contraint, lui aussi, à ravaler ses ambitions…

J'avais mis Baal KO, certes. Mais je savais que Leblanc ne lèverait pas le petit doigt. J'ai appelé directement Patrice Clerc, le grand patron d'Amaury Sport Organisation. Je lui ai dit en toute sincérité : « Mes paroles ont dépassé ma pensée. Mais je ne trouve pas correct qu'on remette en cause les négociations, nous étions d'accord sur l'essentiel et on m'annonce seulement le jour de la signature qu'on me paiera avec des délais impossibles. » Lui, conciliant : « Tu es toujours prêt à négocier ? » J'ai répondu : « Oui, mais pas avec Baal. » Efficace, Patrice Clerc a fait ce qu'il fallait. Un autre négociateur fut dépêché et tout s'arrangea comme prévu. Je me souviens avoir pensé : « Avec Baal à la tête du Tour, ils vont avoir des problèmes. Non seulement il mène les affaires à la hussarde, mais en plus il ne connaît rien à une course cycliste… » J'avais vu juste : le groupe Amaury s'est séparé de lui avant même qu'il succède à Leblanc…

En toute objectivité, si j'avais persisté avec Paris-Nice, j'aurais pu tout perdre. N'oublions pas que le début des années 2000 était une période de grande crise du cyclisme, qui ne parvenait pas à se remettre de l'après-Festina et continuait à cumuler les affaires de dopage. Pour un indépendant comme moi, avoir osé racheter Paris-Nice à cette époque était une audace exceptionnelle… vouée à l'échec. Seule la puissance financière de la Société du Tour pouvait supporter le fardeau de cette période sombre. Cela dit, après les heurts, ils furent corrects avec moi et me permirent de collaborer sur l'épreuve pendant deux années. Il faut dire que Paris-Nice était sain et florissant, malgré tout. Au moment où tout le monde tournait le dos au cyclisme, j'avais réussi l'exploit d'installer un plan média absolument révolutionnaire pour cette course : j'avais négocié la diffusion dans le monde d'au moins une centaine d'heures de télévision, alors que, avant, Paris-Nice bénéficiait d'une dizaine d'heures tout au mieux…

La page se tournait. Après cette expérience d'organisateur contrarié, j'ai tranché dans le vif : j'ai cessé pratiquement toutes mes activités d'organisation, sauf Paris-Corrèze. Ras le bol. J'avais perdu de l'argent – ce n'était pas le plus important. J'étais en procédure de divorce avec ma première femme, Nathalie. Et mon beau rêve de transformer Paris-Nice était passé… Un cycle s'achevait pour moi. Dix ans après la fin de ma carrière sportive, passer à autre chose devenait de nouveau vital, comme tous les dix ans ! Toujours guidé par la passion, j'eus alors une opportunité extraordinaire : j'ai été contacté pour reprendre une affaire qui touchait au vélo, justement. J'ai fait le déplacement à Gerde, commune voisine de Bagnères-de-Bigorre, dans les Hautes-Pyrénées. En voyant ce lieu, j'ai ressenti un frisson.

Immédiatement, j'ai su que j'avais trouvé l'endroit idéal pour y créer le Centre Laurent Fignon, qui a ouvert en juin 2006. Au pied du mythique col du Tourmalet, dans le département aux 12 cols et aux multiples arrivées au sommet empruntés par le Tour de France depuis 1910 : que demander de mieux ? Là, j'ai imaginé une nouvelle génération de stages, sur des parcours moins difficiles. Me lancer dans cette aventure fut un véritable coup de foudre !

Un aveu néanmoins. En repensant parfois à Paris-Nice, je peux dire que je suis resté meurtri par cet échec. Le costume d'organisateur n'était pas taillé trop grand pour moi, je le sais, et je garde au fond du cœur l'intime conviction que j'aurais pu transformer cette course en quelque chose d'unique, quelque chose qui me corresponde…

Les dirigeants du Tour avaient été vexés que je leur passe devant : ils me l'ont fait payer.

Même les plus audacieux plient devant les puissants, parfois…

Un parfum d'authenticité

Y a-t-il une différence entre le consultant que je suis désormais et l'ancien cycliste à la passion chevillée au corps ? A mon avis : aucune. La passion me guide toujours autant qu'elle m'émeut. C'est la nourriture intellectuelle et le cœur vivant du consultant. L'un n'allant pas sans l'autre.

Après une longue expérience sur Eurosport, puis à France Télévisions, je peux dire que j'aime commenter les courses à la télévision. Comme consultant, mais surtout passionné de vélo. Je prends toujours du plaisir, même s'il y a eu des moments difficiles depuis une dizaine d'années, même si, avec toutes les affaires, une forme d'écœurement a pu nous lasser un peu. J'ai en effet le souvenir de courses qui n'avaient plus ni queue ni tête. Toutes les frontières de la compréhension avaient été abolies. Il a fallu se montrer patient…

J'aime décrypter les courses pour les téléspectateurs. Aider à la compréhension des faits, analyser les tactiques. Expliquer et réagir reste un plaisir rare et assurément un privilège. Mais attention, je suis consultant : pas journaliste. Contrairement à beaucoup d'autres, je ne cherche pas à être consensuel. Je dis ce que je pense au moment où je le pense. Les téléspectateurs aiment, me semble-t-il, la sincérité, même s'il peut nous arriver d'être démentis par les événements. Depuis que je commente le Tour de France sur France Télévisions, je dois néanmoins avouer que j'ai mis un peu d'eau dans mon vin, au sens où je ne peux pas être aussi léger que sur Eurosport : il faut s'adapter un minimum au grand public, sans jamais travestir ce que nous sommes. Je m'efforce de ne jamais parler pour ne rien dire. Je peux rester dix minutes sans ouvrir la bouche, si les circonstances le permettent. Je n'ai aucun souci d'ego…

Cela ne m'empêche pas de penser, et de dire si nécessaire, que le cyclisme vit aujourd'hui la maladie du sport en général. Les enjeux sont bien plus considérables qu'à mon époque et quand je parle d'enjeux, je parle bien d'argent ! Les médias ont du poids, du pouvoir. Et les sponsors sont bien plus présents. Chacun nourrissant l'un l'autre au gré de ses intérêts. Il faut dire la vérité : de nos jours, dès qu'un coureur pète un coup sur le Tour de France, on a l'impression qu'il a réinventé son sport ! Foutaise.

Le cyclisme s'est transformé en un sport de défense, oubliant sa raison d'être formelle : l'attaque. Bien sûr qu'il faut savoir défendre une position, par exemple sur un grand Tour. Mais comment faire pour gagner sinon attaquer ? C'est l'essence du cyclisme. Son esprit. Son âme. Aujourd'hui, on espère toujours gagner en faisant craquer l'autre : mentalité petit bras…

Qui se souvient du nom du sixième ou du septième des derniers Tour de France ? Aucun intérêt. Pour certains « décisionnaires » du cyclisme actuel, sponsors ou médias, faire une telle place dans le Tour est pourtant plus important que de gagner une grande classique : j'appelle cela la perversion du système actuel. Faire troisième ou quatrième sur le Tour représente bien sûr une « valeur sportive ». Mais celui qui terminera cinquième fera tout pour montrer à son employeur qu'il aurait dû terminer quatrième :

on parle là de « valeur marchande » … Où est dès lors le cyclisme véritable ? Telle n'est pas ma conception.

Le premier qui fut l'incarnation de cette manière de conduire sa carrière s'appelait Greg LeMond. Lui ne faisait que deux courses par an, le Tour et le Championnat du monde. Le reste ne comptait pas. Après sa deuxième victoire dans le Tour en 1989 et la conquête d'un nouveau maillot arc-en-ciel, l'Américain avait d'ailleurs fait fructifier ce « modèle » au-delà de ses espérances, qui, en ce domaine, étaient sans limites. Autour de lui, l'entrepreneur Roger Zannier créa l'année suivante l'équipe Z. Une formation taillée pour la com'. Il paiera l'Américain 1,5 million de francs par mois : le cyclisme n'avait pas seulement changé d'époque, mais aussi d'échelle de valeur. Depuis, tout le monde a singé l'original. Par intérêt. Miguel Indurain, Jan Ullrich, même Lance Armstrong… A ce propos : je ne suis pas le mieux placé pour « juger » tous ces champions. Je ne sais pas tout. Mais je ne suis dupe de rien. Je peux avoir, de-ci de-là, du respect et même de l'admiration pour certains de leurs actes. Mais je trouve qu'ils ont souvent dénaturé le cyclisme que j'aime. Je suis bien placé pour le savoir : ce sont les hommes qui déterminent la nature profonde de leur époque.

Armstrong est-il par exemple l'un des symboles des années de plomb ? Certains l'affirment. Mais il n'était pas le seul… Moi, la seule fois que j'ai rencontré l'Américain, c'était dans des circonstances tragiques, en 1996. Malade du cancer, amaigri, chauve, il venait d'annoncer lors d'une conférence de presse à Paris qu'il mettait sa carrière entre parenthèses. Il venait d'être opéré au cerveau. Ses médecins se disaient alors réservés sur le pronostic vital. Sachez-le : le soir de sa conférence de presse, alors qu'il devait prendre l'avion le lendemain matin pour retourner aux Etats-Unis, il s'était retrouvé tout seul à son hôtel, à Roissy. Tout le monde l'avait laissé tomber. Sachant cela, avec mon ex-femme, Nathalie, nous l'avions invité à dîner. Je garde de cette soirée un souvenir à la fois ému et surprenant. La vérité m'oblige à dire que je me suis demandé si je ne le voyais pas pour la dernière fois. Il nous avait avoué ses « peurs », mais il affirmait sa volonté de se battre de toutes ses forces…

Que dire d'un homme qui vainc le cancer de la sorte ? Que dire du sportif qui revient et gagne sept fois le Tour de France, l'épreuve sportive la plus dure qui soit ? A tous points de vue, les mots me manquent…

*

* *

Une règle s'impose à nous tous dès que nous parlons du cyclisme actuel : la prudence. Au-delà du dopage, qui, comme chacun le sait, a hélas beaucoup contribué à certaines évolutions depuis quinze ans en modifiant l'essentiel des paramètres, on peut dire que le cyclisme a néanmoins progressé dans tous les domaines. Les routes. Le matériel. La préparation. Donc le niveau moyen est monté d'un cran. Le problème, c'est que pendant ce temps-là les courses, elles, n'ont pas beaucoup évolué. Une course comme Liège-Bastogne-Liège, qui, de mon temps, était une course effrayante et sélective, n'est plus aujourd'hui qu'une course normalisée, ordinaire. Pour une raison au moins : il y a trop d'écart entre les côtes. Ce n'est plus adapté aux coureurs d'aujourd'hui. De même, est-ce normal que la Flèche Wallonne arrive au sprint dans le mur de Huy ? Cela signifie simplement que les profils des courses ne sont plus adaptés.

Autre exemple. Je suis radicalement pour qu'on en revienne à l'accumulation de trois étapes de montagne successives dans le Tour de France ! Je ne suis pas un pousse-au-crime, bien au contraire. Une première étape de montagne, tout le monde peut la passer. La deuxième, c'est déjà plus difficile. La troisième, si elle existait, permettrait d'opérer une sorte de sélection naturelle, par la simple accumulation de fatigue. On reverrait, plus encore que ces dernières années, de vraies défaillances ! Aujourd'hui, soi-disant pour éviter les cadences infernales – donc le dopage, ce qui est ridicule puisque depuis quinze ans jamais les étapes dans le Tour n'ont été aussi courtes et jamais le dopage n'y a été aussi massif –, les organisateurs installent toujours une journée de repos après deux étapes de montagne. C'est grotesque. Tout le monde sait que pendant cette journée de repos chacun « refait les niveaux ». Par ailleurs, je continue de penser qu'il y a trop de contre-la-montre dans les grands Tours. Surtout sur la Grande Boucle. La victoire s'y joue presque toujours et même si, en 1989, la décision finale se matérialisa dans un chrono, personne n'oubliera la bagarre qu'il y eut auparavant, sur tous les terrains… Les époques changent, évoluent et il faut donc accepter les adaptations. Du temps d'Anquetil, les chronos dépassaient les 100 kilomètres. De mon temps, ils ne dépassaient que rarement les 80 kilomètres. Aujourd'hui, ils font entre 40 et 50 kilomètres. Réduisons-les encore ! A 25 kilomètres, s'il le faut. Où est le problème ? Trouvons des parcours plus variés. Supprimons les artifices. Ayons l'audace d'en revenir à la course, juste à la course. Le sport, c'est gagner.

*

* *

Le cyclisme français a souffert. D'abord en raison du fracas de l'affaire Festina. Plusieurs générations de mômes se sont détournées du vélo, au profit essentiellement du football, auréolé de la mythologie de France 98 bien sûr. Ensuite, en raison des erreurs grossières des instances dirigeantes, en particulier pendant le passage de Daniel Baal à la tête de la Fédération française de cyclisme. L'homme avait voulu refonder le cyclisme, en structurant le bas de la pyramide sur de grands clubs formateurs. De grands « pôles ». Cette décision a réduit la base à la portion congrue, oubliant que les clubs qui recrutent le plus sont précisément les petites structures de province, dans nos villages, souvent avec l'appui de tout petits sponsors locaux. Jusqu'alors ils avaient la possibilité de former des champions et même de les garder quelques années. Puis, grâce à des sélections régionales et nationales, cette « base » accédait progressivement au sommet, sans jamais que les petits clubs ne soient gênés dans leur progression. Tout cela a été plus ou moins détruit. Les jeunes coureurs partent trop vite, sans avoir le temps de s'aguerrir et d'alimenter la colonne vertébrale du cyclisme. De sorte que la base n'est plus irradiée comme avant. En cassant la formation au plus bas niveau, on a mécaniquement asséché l'élite.

C'est l'une des explications – pas la seule – de l'absence de deux ou trois très grands Français depuis le milieu des années quatre-vingt-dix. Prenons conscience que beaucoup de nos champions tricolores ont vécu les pires années du cyclisme, celles du « dopage total ». Tous l'ont traversé, à part quelques exceptions assez miraculeuses : il y a heureusement toujours des exceptions qui refusent le système ou, à leur manière, aident à son évolution, à sa modification. A partir du moment où la France a voulu laver « plus blanc que blanc », comme toujours, nos coureurs ont été totalement dépassés : c'était le prix à payer. C'est exactement ce qui s'est produit depuis 1998. Commençons-nous à en sortir ? Possible. Les progrès des luttes antidopage actuelles montrent que, finalement, nos Français n'étaient pas si mauvais que cela. Quand les autres trichent moins, le niveau des Français monte naturellement : faut-il s'en étonner ?

Les concernant, reste un problème majeur. Beaucoup ont perdu l'habitude de gagner, peu aidés en cela, il faut le souligner, par des directeurs sportifs parfois très inconséquents : n'est pas Guimard qui veut… Il est difficile de retrouver cette habitude de gagner. Moi, malgré mes années noires, j'avais gardé cette faculté : enracinée au plus profond de moi.

La roue tourne. Même du côté du dopage, à propos duquel je dois écrire sans hésitation que les choses s'améliorent. Au moins depuis une ou deux années. Il y aura toujours des tricheurs, certes, d'autant que le cœur du système, à l'image de l'économie mondiale en crise, est totalement perverti par l'argent. L'argent pour l'argent. Mais les mailles du filet se sont considérablement resserrées. Le dopage « no limit », qui fut la règle dans les années quatre-vingt-dix puis dans les années 2000, est contesté. A la fois par les progrès des contrôles et, surtout, par la mise en place des nouveaux règlements, dont le passeport biologique est évidemment la forme la plus aboutie et la plus intéressante. Avec le suivi des paramètres médicaux de tous les coureurs, qui doivent s'y soumettre, l'Union cycliste internationale peut désormais tout vérifier. Tricher devient très compliqué. Tant mieux !

Depuis quelque temps, le cyclisme en revient à des comportements à peu près normaux. On revoit des coureurs fatigués. Des coureurs défaillants. Les exploits reprennent sens. Tout comme ma passion. A une certaine époque, l'accablement nous gagnait. Je dois l'admettre. Les raisons pour lesquelles on pouvait s'enthousiasmer un jour risquaient d'être démenties dès le lendemain : alors à quoi bon ? Avant, quand on voyait un néo-pro, on devinait assez vite son potentiel réel. Avec les années dopage, il n'y avait plus de repères.

J'ai l'impression d'un retour à un certain classicisme. A des bases un peu plus saines. Appelons cela un parfum d'authenticité. Nez au vent, mon œil pétille. La passion est toujours supérieure au pessimisme.

*

* *

Je n'ai jamais rencontré quelqu'un qui me dise les yeux dans les yeux : « Je fais du cyclisme grâce à vous. » Cela a dû pourtant se produire, puisque, en 1983, lors de mon premier triomphe dans le Tour, des milliers de gamins portaient le fameux serre-tête aux couleurs de Renault. Que sont ces gamins devenus ?

Parce qu'une carrière marque une vie, elle dit parfois tout de nos caractères. Une mise à nu dont le grand public soupçonne peu les conséquences. Après, nos réussites comme nos drames n'en sont que les signes les plus visibles.

Seules les grandes histoires restent. Seuls les grands noms restent. Noblesses consacrées à la mesure des exploits. Contrairement à la plupart des autres Géants de la Route, on ne m'a jamais affublé d'un surnom. Du début à la fin, qu'on m'ait aimé ou non, qu'on ait été impressionné par mes exploits ou non, qu'on ait vu ou refusé de voir en moi un champion d'exception, je suis resté Laurent Fignon.

Rien que Laurent Fignon. Moi et rien d'autre en somme. Ni un fantasme ni une transposition. Juste un homme qui fit tout ce qu'il put pour se frayer un chemin vers la dignité et l'émancipation. Être un homme.

Je n'avais peur de rien pour devenir pleinement moi-même.

Un parmi tant. Dans la démesure et l'amour du genre.

Toujours insoumis.

Toujours vivant.

Nous étions jeunes et insouciants.

Table

Composition par MCP - *Groupe JOUVE*

Achevé d'imprimer en décembre 2009 en Espagne par
LITOGRAFIA ROSÉS S.A.
08850 Gavá
Dépôt légal 1re publication : janvier 2010
Librairie Générale Française
31, rue de Fleurus – 75278 Paris Cedex 06